Hartmut Aufderstraße
Jutta Müller
Thomas Storz

Lagune

Arbeitsbuch 1

Deutsch als Fremdsprache

Hueber Verlag

Redaktion: Veronika Kirschstein, Bretten

Zeichnungen: Frauke Fährmann, Pöcking
Zeichnung Pikto Schreiben: Martin Guhl, cartoonexpress

Photos: siehe Quellenverzeichnis S. 256

7. 6. 5. | Die letzten Ziffern
2015 14 13 12 11 | bezeichnen Zahl und Jahr des Druckes.
Alle Drucke dieser Auflage können, da unverändert,
nebeneinander benutzt werden.
1. Auflage

Umschlagfoto: © gettyimages / Jean-Pierre Pieuchot
Umschlagsgestaltung: Martin Lange Design, Karlsfeld
Satz, Layout, Grafik: Martin Lange Design, Karlsfeld
Druck und Bindung: Mohn media · Mohndruck GmbH, Gütersloh
Produktmanagement und Herstellung: Astrid Hansen, Hueber Verlag, Ismaning
Printed in Germany
ISBN 978-3-19-011624-9

Vorwort

Liebe Deutschlernerin, lieber Deutschlerner,

was Sie im **Lagune**-Kursbuch gelernt haben, können Sie im Arbeitsbuch jetzt weiterüben und vertiefen. Hier finden Sie wichtige Informationen für Ihre Orientierung:

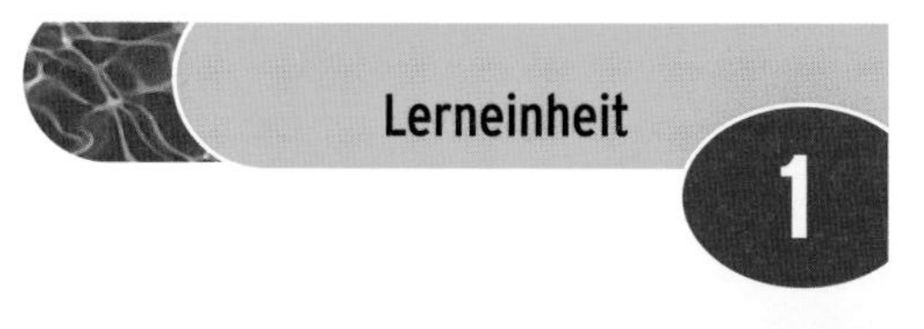

Nummer der Lerneinheit

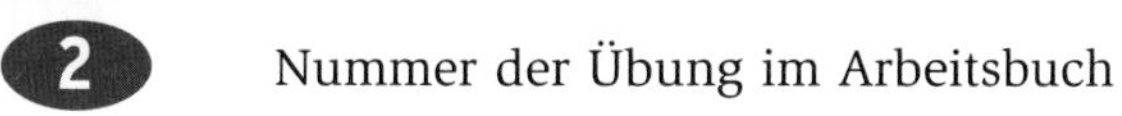

Nummer der Übung im Arbeitsbuch

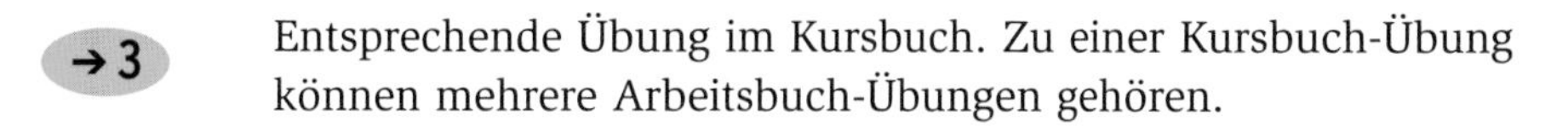

Entsprechende Übung im Kursbuch. Zu einer Kursbuch-Übung können mehrere Arbeitsbuch-Übungen gehören.

Die Übung bezieht sich direkt auf den Inhalt eines bestimmten Textes im Kursbuch.

Hier können Sie Ihr Wörterbuch benutzen.

Hier schreiben Sie über sich selbst.

Die Grammatik jeder Lerneinheit auf einen Blick

Verweis auf Paragrafen der systematischen Grammatik-Übersicht im Kursbuch

Hier finden Sie am Schluss jeder Lerneinheit den Lernwortschatz und Ausdrücke sowie Wörter und Wendungen der Kurssprache. Zusätzlich lernen Sie hier auch Varianten kennen, wie sie in der Schweiz oder in Österreich gebraucht werden.

Das kann ich jetzt

Hier können Sie Ihren Lernfortschritt **selbst** einschätzen.

Lösungsschlüssel

Hier finden Sie die Lösungen oder Lösungsvorschläge. Schauen Sie erst im Schlüssel nach, wenn Sie mit der Aufgabe fertig sind.

Ein vergnügliches und erfolgreiches Deutschlernen mit diesem Arbeitsbuch wünschen Ihnen

Ihre Autoren und der Hueber-Verlag

1 Ordnen Sie das Gespräch. → 2

- Nein, mein Vorname ist Peter.
- ~~Guten Tag. Mein Name ist Meier.~~
- Moment! Ich bin Hans Meier.
- Guten Tag, Herr Meier. Heißen Sie Hans Meier?

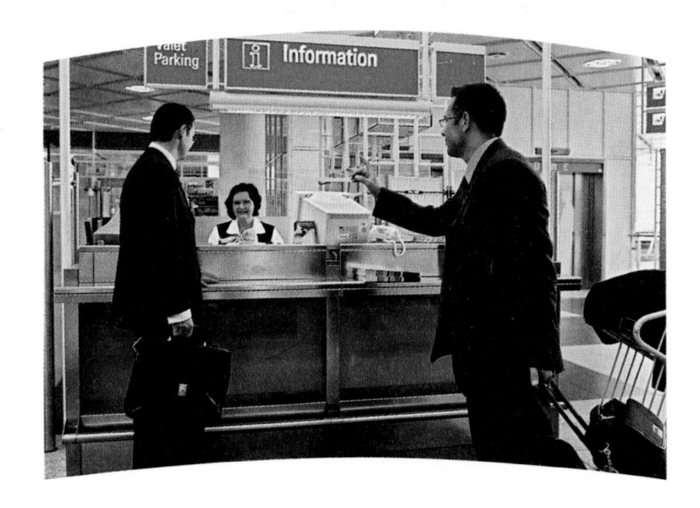

◆ *Guten Tag. Mein Name ist Meier.*
○ Guten Tag Herr Meier Heißen Sie Hans Meier
◆ Nein, mein Vornam ist Pet
□ Moment Ich bin Hans Meier

2 Was passt? Kreuzen Sie an. ✗ → 3

a. ○ Wie heißen Sie, bitte?
- [x] ◆ Mein Name ist Meier.
- [ ] ◆ Nein, ich bin Herr Beier.

b. ○ Heißen Sie Beier?
- [x] ◆ Nein, ich heiße Meier.
- [ ] ◆ Achtung! Herr Geier bitte zur Information.

c. ○ Guten Morgen. Ich heiße Beier. Mein Vorname ist Hans.
- [ ] ◆ Heißen Sie Peter?
- [x] ◆ Guten Morgen, Herr Beier. Mein Name ist Meier, Peter Meier.

d. ○ Hallo, ich bin Peter.
- [x] ◆ Hallo, Peter. Ich heiße Petra.
- [ ] ◆ Guten Tag, Frau Beier.

3 Ergänzen Sie. → 4

a. eins ... zwei ... drei ... vier ... fünf ... sechs ... sieben ... acht ... neun ... zehn

b. eins ... drei ... fünf ... sieben ... neun

c. zwei ... vier ... sechs ... acht ... zehn

Guten Tag. Ich heiße Karen. Wie heißt du?
Hallo, Ich heiße Bob. Ich bin müde. Bist du müde?
Ja Ich bin müde
OK Gute Nacht
Auf Wiedersehen.

4 Ergänzen Sie. →4

a. eins und eins gleich zwei

b. eins und zwei gleich drei

c. zwei und zwei gleich vier

d. drei und zwei gleich fünf

e. zwei und zwei und drei gleich seiben

f. vier und zwei und eins gleich seiben

g. zwei und drei und fünf gleich zehn

h. drei und vier und zwei gleich neun

i. 
fünf und eins und eins und drei gleich zehn

5 Ergänzen Sie. →5

a. die Uhr und das Telefon

b. das Telefon … und die Zeitung

c. die Zeitung und der Bus

d. der Bus und der Zug

e. der Zug und das Taxi

f. das Taxi und das Hotel

g. das hotel und die Bank

h. die Bank und der Geldautomat

6 Wie heißt das auf Deutsch? Ergänzen Sie. →7

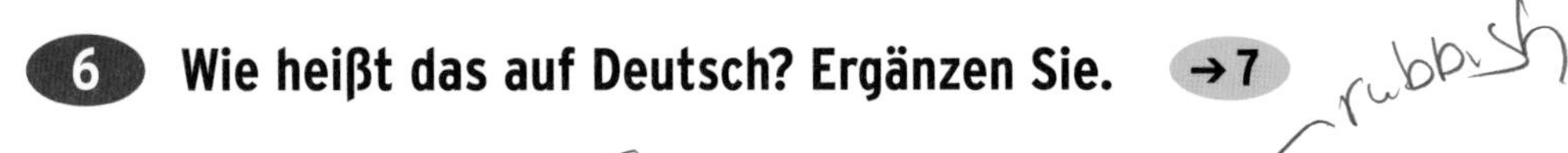

der Zug · die Uhr · das Taxi · der Abfall · die Information · das Gleis · der Zoo · der Parkplatz · der Bus · die Toilette

a. die Uhr

b. die Information

c. der Zug

d. der Gleis

e. der Abfall

f. das Bus

g. das Taxi

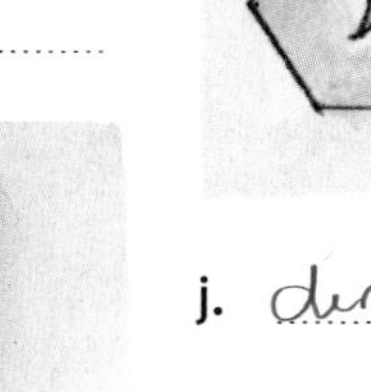

h. der Parkplatz

i. die Toilette

j. der Zoo

7 Was passt? →8

a. ……………

b. Danke für die Blumen

c. ……………

d. ……………

e. ……………

Guten Tag. · Tschüs. · Auf Wiedersehen. Gute Reise. · Oh, Verzeihung. · Danke für die Blumen.

8 Ergänzen Sie. →8

	V	E	R	Z	E	I	H	U	N	G		
						S	a	F	T			
						J	U	N	G	E		
					R	E	P	O	R	T	E	R
P	O	L	I	Z	I	S	T	I	N			
							B	L	U	M	E	
						T	A	X	I			
							H	O	T	E	L	
					S	Ä	N	G	E	R	I	N
			M	Ä	D	C	H	E	N			
						T	O	U	R	I	S	T
			T	E	L	E	F	O	N			

9 Ergänzen Sie. →8

die Polizistin	das Taxi	der Tourist	das Baby
die Blume	der Geldautomat	der Reporter	die Verkäuferin
die Telefon	der Junge	das Hotel	der Geschenk
der Saft	das Mädchen	die Sängerin	der Film

10 Ergänzen Sie. →9

zwei Hotels

drei taxis

vier Geldautomats

fünf telefone

Zehn Blumen

Sieben Safts

11 Definiter Artikel und Genus bei Nomen → §1

	Singular	*Plural*
Maskulinum	**der** Zug	**die** Züge
Femininum	**die** Blume	**die** Blumen
Neutrum	**das** Taxi	**die** Taxis

12 Nomen: Einige Pluralformen

	So steht es in der Wortliste:
Plural auf -e	
der Film, die Film**e**	r Film, -e
das Telefon, die Telefon**e**	s Telefon, -e
Mit Umlaut: ¨e	
der Saft, die S**ä**ft**e**	r Saft, ¨e
der Zug, die Z**ü**g**e**	r Zug, ¨e
Plural auf -en	
die Bank, die Bank**en**	e Bank, -en
der Tourist, die Tourist**en**	r Tourist, -en
Plural auf -n	
die Blume, die Blume**n**	e Blume, -n
der Name, die Name**n**	r Name, -n
Plural auf ¨er	
das Wort, die W**ö**rt**er**	s Wort, ¨er
Plural auf -s	
das Baby, die Baby**s**	s Baby, -s
das Taxi, die Taxi**s**	s Taxi, -s
Plural = Singular	
das Mädchen, die Mädchen	s Mädchen, -
der Reporter, die Reporter	r Reporter, -

13 Konjugation: Einige Verbformen → §15, 16

Infinitiv: heiß**en**	*Infinitiv:* **sein**
ich heiß**e** ...	ich **bin** ...
Sie heiß**en** ...	mein Name **ist** ...

Nomen

r Abfall, ¨e
s Baby, -s
e Bank, -en
e Blume, -n
r Bus, -se
r Film, -e
e Frau, -en
s Geschenk, -e
s Gleis, -e
r Herr, -en
s Hotel, -s
e Information, -en
r Junge, -n
s Mädchen, -
e Mama, -s
r Moment, -e
r Nachname, -n → Name
r Name, -n
e Polizistin, -nen
e Reise, -n
r Reporter, -
r Saft, ¨e
e Sängerin, -nen
r Tag, -e
s Taxi, -s
s Telefon, -e
e Toilette, -n
r Tourist, -en
e Touristin, -nen
e Uhr, -en
e Verkäuferin, -nen
r Vorname, -n → Name
e Zeitung, -en
s Zentrum, Zentren
r Zoo, -s
r Zug, ¨e

Verben

heißen
sein

Andere Wörter

ich
du
Sie

der
die
das
die *(Plural)*

mein

was
welche
wer
wie

deutsch
gut
klein
richtig

jetzt
nicht
noch
oder
rechts
schon
und

bitte
danke
ja
nein

Ausdrücke

Guten Tag!
Guten Morgen!
Hallo!
Auf Wiedersehen!

Herzlich willkommen!
Gute Reise!

Achtung!
Moment!
Halt!
Oh!
Verzeihung!

Frau ...
Herr ...

Wie heißen Sie, bitte?
Heißen Sie ...?

Mein Name ist ...
Mein Vorname ist ...
Mein Nachname ist ...
Ich heiße ...
Ich bin ...

Kurssprache

r Artikel, -
r Kurs, -e
r Kursleiter, -
e Kursleiterin, -nen
e Person, -en
r Plural, -e
e Seite, -n
r Singular, -e

hören
kennen
sagen
spielen
verstehen

Wie heißt das auf Deutsch?
Wie ist der Artikel / Singular / Plural von ...?
Welche Wörter kennen Sie?
Was verstehen Sie?
Wer sagt das?
Hören Sie das Gespräch.
Spielen Sie das Gespräch.

1 Ergänzen Sie **Das ist … / Das sind …** → 1

a. Das ist eine Frau.

b. Das sind Männer.

c. Das ……………

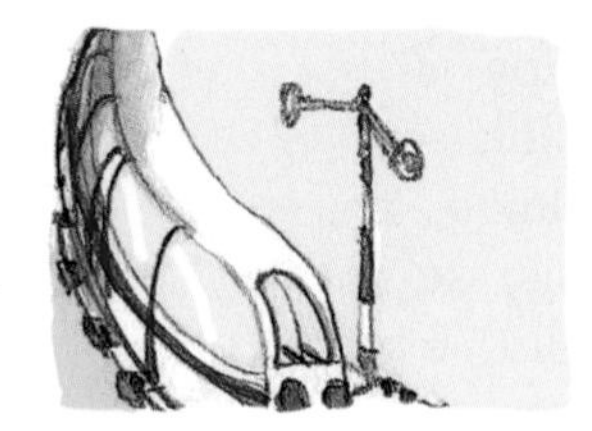

d. ……………

e. ……………

f. ……………

g. ……………

h. ……………

i. ……………

j. ……………

k. ……………

l. ……………

2 Ergänzen Sie **der, die, das, die / er, sie, es, sie.** → 1

a. Der Mann lacht. Er winkt.
b. …… Frau macht ein Interview. …… heißt Carla.
c. …… Mädchen lacht. …… wohnt in Berlin.
d. …… Touristen winken. …… lachen.
e. …… Reporter geht. …… sagt: „Auf Wiedersehen“.
f. …… Sängerin singt. …… ist glücklich.
g. …… Junge kommt. …… sagt: „Guten Tag“.

3 Ergänzen Sie. → 1

a. Das ist ein Polizist. Er lacht. Der Polizist heißt Stefan.
b. Das ist …… Polizistin. …… winkt. …… Polizistin heißt Stefanie.
c. Das ist …… Mädchen. …… ist glücklich. …… Mädchen wohnt in Berlin.
d. Das ist …… Sänger. …… ist allein. …… Sänger geht.
e. Das sind Touristen. …… winken. …… Touristen kommen aus Berlin.

4 Ein Bahnhof. Kombinieren Sie und schreiben Sie Sätze. → 3

a.	Touristen Sie	winken – lachen – kommen reisen – gehen – „Auf Wiedersehen“ sagen
b.	Ein Mädchen Es	lachen – glücklich sein – allein sein Carmen heißen – aus Berlin kommen
c.	Ein Mann Er	„Auf Wiedersehen“ sagen – gehen – winken jung sein – verliebt sein – glücklich sein
d.	Eine Frau Sie	weinen – lachen – gehen jung sein – Petra heißen
e.	Ein Mann und eine Frau Sie	verliebt sein – in Berlin wohnen – winken weinen – gehen – glücklich sein

a. *Touristen winken. Sie reisen.*
oder: Touristen lachen. Sie sagen „Auf Wiedersehen“. ...

b. *Ein Mädchen ist glücklich. Es kommt ...*

c. *Ein Mann ...*

d.

e.

5 Wie heißen die Fragen? → 5

a. wohnst wo du *Wo wohnst du?*
b. was Sie spielen
c. sind wer Sie
d. wo du arbeitest
e. du was machst
f. kommen Sie wann
g. heißt wie du
h. wer ich bin

6 Wie heißen die Fragen? → 5

a. kommst bald du *Kommst du bald?*
b. in Berlin du lebst lebst du in Berlin?
c. du nicht arbeitest Arbeitest du nicht?
d. Musik du hörst Hörst du Music?
e. du Klavier spielst Spielst du Klavier?
f. Sara du heißt heißt du Sara?
g. bist glücklich du bist du glücklich?
h. du gerne reist Gerne du reist?

7 Ergänzen Sie. → 5

a. Er *(heißen)* heißt Jan.
b. Sie ist jung und *(heißen)* .... Claudia.
c. Ich *(wohnen)* .... in Berlin.
d. Du *(arbeiten)* .... in Bremen.
e. Die Touristen *(sein)* .... verliebt.
f. Der Junge *(sein)* .... glücklich.
g. Das Mädchen *(singen)* ....
h. Die Touristen *(sagen)* ....: „Guten Tag".
i. Du *(leben)* .... in Berlin.
j. Die Touristen *(lachen)* ....
k. Du *(spielen)* .... Klavier.
l. Das Baby *(sagen)* ....: „Mama".

8 Was passt zusammen? → 7

Mann ◎ Junge ◎ Bahnhof ◎ verliebt sein ◎ ~~weinen~~ ◎ spielen ◎ lachen

a. traurig weinen
b. glücklich l
c. Frau ....
d. Mädchen ....
e. Klavier ....
f. Touristen ....
g. lieben ....

9 Wie heißt es im Text? → Kursbuch S. 15 Kreuzen Sie bitte an. ✗ → 7

	richtig	falsch
a. Jan arbeitet.		
b. Sara weint.		
c. Jan lebt in Berlin.		
d. Sara schreibt.		
e. Jan schickt Blumen.		
f. Sara wohnt in Hamburg.		
g. Jan ist allein und Sara ist allein.		
h. Sara träumt.		

10 Bilden Sie die Negation. → 7

a. Arbeitest du? Nein, ich arbeite nicht.
b. Kommst du? Nein, ich ....
c. Ist sie da? Nein, sie ist nicht da.
d. Wohnt sie in Berlin? Nein, sie ....
e. Ist sie glücklich? Nein, sie ....
f. Träumt er? Nein, er ....
g. Kommt er bald? Nein, ...
h. Wohnt er in Hamburg? Nein, ...

11 Ordnen Sie. Was passt? →7

lacht · träumst · arbeiten · ist · schreibe · träume · lachen · winkst · bin · schreiben · winke · arbeitet · träumen · arbeite · winkt · sind · lachst · schreibt

ich	du	er/sie/es	sie (Plural)
komme	*kommst*	*kommt*	*kommen*
	arbeitest		
			winken
		träumt	
	schreibst		
lache			
	bist		

12 Ordnen Sie und schreiben Sie. →7

a. Heißt – er – wie .... *Wie heißt er?*
Jan – er – heißt .... *Heißt er Jan?*
Jan – er – heißt .... *Er heißt Jan.*

b. wie – sie – heißt .... ?
Sara – sie – heißt .... ?
Sara – sie – heißt ....

c. Jan – was – schickt .... ?
Jan – Blumen – schickt .... ?
Jan – Blumen – schickt ....

d. was – Jan – spielt .... ?
Klavier – spielt – Jan .... ?
Klavier – spielt – Jan ....

e. wo – er – lebt .... ?
er – in Berlin – lebt .... ?
er – in Berlin – lebt ....

f. sie – wo – wohnt .... ?
wohnt – in Berlin – sie .... ?
wohnt – in Berlin – sie ....

13 Ein Brief von Sara. Ergänzen Sie. →7

Lieber Jan,
was *machst* *du?* .... *du Klavier?*
Ich .... *Musik. Ich* ....
Wann .... *du?*
Ich .... *dich!*
Sara
PS: Danke für die Blumen

~~machen~~ · spielen · hören · träumen · kommen · lieben

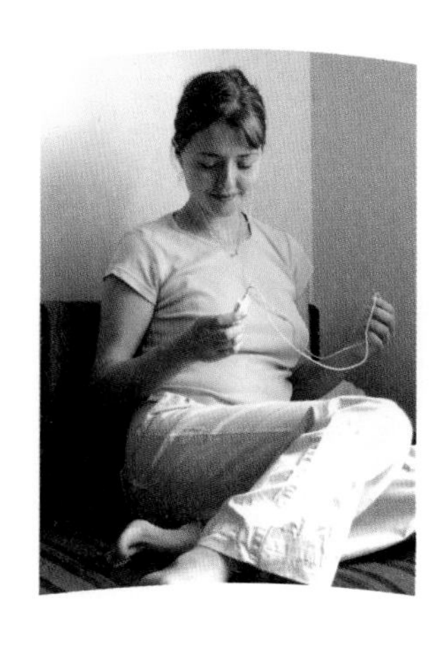

14 Artikel und Personalpronomen → § 1, 8

	Definiter Artikel	*Indefiniter Artikel*	*Personalpronomen*
Maskulinum	d**er** Mann	ein Mann	**er**
Femininum	di**e** Frau	ein**e** Frau	**sie**
Neutrum	da**s** Mädchen	ein Mädchen	**es**
Plural	di**e** Menschen	Menschen	**sie**

15 Konjugation → § 15, 16

Infinitiv:	komm**en**	wohn**en**	arbeit**en**	wart**en**	heiß**en**	**sein**
ich	komm**e**	wohn**e**	arbeit**e**	wart**e**	heiß**e**	**bin**
du	komm**st**	wohn**st**	arbeit**est**	wart**est**	heiß**t**	**bist**
er/sie/es	komm**t**	wohn**t**	arbeit**et**	wart**et**	heiß**t**	**ist**
sie/Sie	komm**en**	wohn**en**	arbeit**en**	wart**en**	heiß**en**	**sind**

16 Aussagesatz, Satzfrage und Wortfrage → § 24, 25

Aussagesatz		
Du	kommst.	
Du	arbeitest.	
Du	spielst.	
Du	heißt	Jan.
Das	ist	Sara.

Satzfrage		
Kommst	du?	
Arbeitest	du?	
Spielst	du?	
Heißt	du	Jan?
Ist	das	Sara?

Wortfrage		
Wann	kommst	du?
Wo	arbeitest	du?
Was	spielst	du?
Wie	heißt	du?
Wer	ist	das?

17 Negation → § 26

Er	kommt	nicht.	
Sie	arbeitet	nicht.	
Sie	ist	nicht	da.
Sie	wohnt	nicht	in Berlin.

Kommt	er	nicht?	
Arbeitet	sie	nicht?	
Ist	sie	nicht	da?
Wohnt	sie	nicht	in Berlin?

Nomen

e Antwort, -en
r Bahnhof, ¨-e
e Frage, -n
s Klavier, -e
e Lösung, -en
r Mann, ¨-er
r Mensch, -en
e Musik
r Polizist, -en
e Reporterin, -nen
r Sänger, -
r Text, -e
e Vergangenheit
r Verkäufer, -
s Wort, ¨-er
e Zukunft

Verben

arbeiten
da sein
gehen
hören
kommen
lachen
leben
lieben
machen
reisen
sagen
schreiben
singen
spielen
träumen
warten
weinen
winken
wohnen

Andere Wörter

er
sie
es
dich

ein
eine
ein

wann
wo

allein
bald
gern
glücklich
jung
traurig
verliebt

da
in

aber
auch
oder

Ausdrücke

Er spielt Klavier.
Sie ist nicht da.
Sie hört Musik.
Sie wohnt in Berlin.
Menschen kommen und gehen.
Auf Wiederhören.
Ich liebe dich.

Kurssprache

s Verb, -en

ankreuzen
ergänzen
lesen
notieren

Kreuzen Sie an.
Ergänzen Sie die Wörter.
Lesen Sie den Text.
Notieren Sie die Nummer.

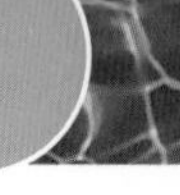

1 Ergänzen Sie. → 2

danke · ein · kaputt · ~~Verzeihung~~ · Ja · Geld · ist · kein · dort

◆ *Verzeihung* .
⊙ ...., bitte?
◆ Da kommt kein .... Ist der Geldautomat .... ?
⊙ Das .... kein Geldautomat. Das ist .... Fahrkartenautomat.
◆ Das ist .... Geldautomat?
⊙ Nein, der Geldautomat ist ....
◆ Oh, ... !

2 Ergänzen Sie. → 2

a. ◆ Ist das ein Kaffeeautomat?
⊙ Nein, das ist *kein* *Kaffeeautomat* .
Das ist *ein* *Teeautomat.* .

b. ◆ Ist das ein Bonbonautomat?
⊙ Nein, das ist ....
Das ist ....

c. ◆ Ist das ein Fahrkartenautomat?
⊙ Nein, das ist ....
Das ist ....

d. ◆ Ist das ein Geldautomat?
⊙ Nein, das ist ....
Das ist ....

e. ◆ Ist das ein Saftautomat?
⊙ Nein, das ist ....
Das ist ....

3 Ordnen Sie die Sätze. → 3

- Nein, das ist keine Sängerin. Das ist eine Verkäuferin.
- Ach, Anna. Hallo! Wo bist du?
- Ja, Tanja, ich komme.
- Ich bin am Bahnhof. Hallo, hörst du?
- Ah, eine Verkäuferin. Kommst du, Anna?
- Ja, ich höre. Ist das eine Sängerin?

◆ *Hallo?* ....

⊙ *Hier ist Anna.* ....

◆ *Ach, ...* ....

⊙ ....

◆ ....

⊙ ....

◆ ....

⊙ ....

4 Ergänzen Sie ein, eine / kein, keine oder –. → 3

◆ Ist das ...	⊙ Nein. Das ist ...	Das ist ...
ein Polizeiauto?	*k* ...... Polizeiauto.	*e* ...... Krankenwagen.
...... Verkäuferin?	...... Verkäuferin.	...... Touristin.
...... Geldautomat?	...... Geldautomat	...... Fahrkartenautomat.
...... Junge?	...... Junge.	...... Mädchen.
...... Taxi?	...... Taxi.	...... Polizeiauto.

◆ Sind das ...	⊙ Nein. Das sind ...	Das sind ...
...... Busse?	...... Busse.	...... Züge.
...... Polizisten?	...... Polizisten.	...... Reporter.

5 Was passt: mein, meine / dein, deine? → 6

a. *(ich)* *meine* Blume
b. *(du)* *dein* Auto
c. *(ich)* .... Autos
d. *(du)* .... Söhne
e. *(ich)* .... Tochter
f. *(ich)* .... Baby
g. *(du)* .... Sohn
h. *(du)* .... Frau
i. *(ich)* .... Kind
j. *(ich)* .... Kinder
k. *(du)* .... Töchter

6 Ergänzen Sie sein, seine / ihr, ihre. →8

a. die Koffer von Claudia = ihre Koffer
b. die Autos von Vanessa = ... Autos
c. das Taxi von Uwe = ... Taxi
d. das Kamel von Ralf = ... Kamel
e. die Flasche von Claus = ... Flasche
f. die Taschen von Veronika = ... Taschen
g. die Kinder von Jörg = ... Kinder
h. die Fahrkarte von Claudia = ... Fahrkarte

7 Was passt nicht? →9

a. Zug | ~~Klavier~~ | Bus
b. Fahrkartenautomat | Kuss | Geldautomat
c. Kinder | Gepäck | Koffer
d. Polizeiauto | Radio | Krankenwagen
e. Tasche | Telefon | Koffer
f. Sohn | Tochter | Männer

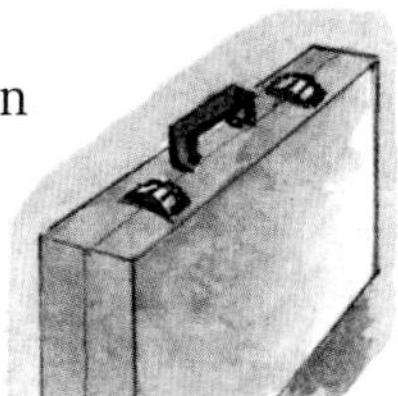

8 Ergänzen Sie Ihr, Ihre / dein, deine. →9

a. Herr Noll, sind das Ihre Kinder?
b. Claus, ist das dein Sohn?
c. Frau Soprana, ist das .... Fahrkarte?
d. Herr Noll, ist das .... Auto?
e. Claudia, sind das .... Kinder?
f. Sara, ist das .... Fahrkarte?
g. Frau Noll, ist das .... Hotel?
h. Herr Noll, ist das .... Taxi?
i. Claus, ist das .... Radio?
j. Frau Soprana, ist das .... Zug?

9 Ergänzen Sie mein, meine / dein, deine / sein, seine / ihr, ihre / Ihr, Ihre. →9

a. ◆ Ist das Ihr Auto, Herr Mohn?
⊙ Nein, das ist nicht mein Auto.
Das ist das Auto von Frau Noll.
◆ Oh, das ist ihr Auto.

b. ◆ Claus, sind das deine Kinder?
⊙ Nein, das sind nicht .... Kinder.
Das sind die Kinder von Uwe.
◆ Oh, das sind .... Kinder.

c. ◆ Sind das .... Koffer, Frau Noll?
⊙ Nein, das sind nicht .... Koffer.
Das sind die Koffer von Frau Soprana.
◆ Oh, das sind .... Koffer.

d. ◆ Du, ist das .... Tasche?
⊙ Nein, das ist nicht .... Tasche.
Das ist die Tasche von Claudia.
◆ Oh, das ist .... Tasche.

e. ◆ Du, ist das .... Ball?
⊙ Nein, das ist nicht .... Ball.
Das ist der Ball von Ralf.
◆ Oh, das ist .... Ball.

f. ◆ Ist das .... Koffer, Herr Noll?
⊙ Nein, das ist nicht .... Koffer.
Das ist der Koffer von Veronika.
◆ Oh, das ist .... Koffer.

10 Wie schreibt man es richtig? Welche Wörter schreibt man groß? →9

a. dassindnichtmeinekoffer Das sind nicht ....

b. daisteinkofferundeinetasche ....

c. meingepäckistnichtkomplett ....

d. seinetaschensindnichtda ....

e. daspolizeiautovonuweistkaputt ....

11 Kein oder nicht? Bilden Sie die Negation. →9

a. Das ist ein Koffer. Das ist kein Koffer.

b. Das ist mein Koffer. Das ist nicht mein Koffer.

c. Mein Koffer ist da. Mein Koffer ist nicht da.

d. Das ist ein Ball. ....

e. Mein Ball ist da. ....

f. Das ist ein Geldautomat. ....

g. Der Geldautomat ist kaputt. ....

h. Das Mädchen lacht. ....

i. Das sind Touristen. ....

j. Die Touristen kommen ....

k. Das ist eine Verkäuferin. ....

l. Das ist ein Radio. ....

m. Der Mann ist glücklich. ....

n. Er wohnt in Wien. ....

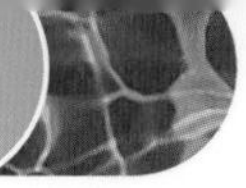

12 Artikelwörter und Nomen → § 1, 3

Definiter Artikel:	der
Indefiniter Artikel:	ein
Negativartikel:	**k**ein
Possessivartikel:	**m**ein
	dein
	sein
	ihr
	sein
	Ihr

Der Mann: Das ist **sein** Telefon.

Die Frau: Das ist **ihr** Telefon.

Definit	*Indefinit*	*Negativ*	*Possessiv* **ich:**	**du:**	**er:**	**sie:**	**es:**	**sie:**	**Sie:**	
de**r**	ein	kein	mein	dein	sein	ihr	sein	ihr	Ihr	Sohn
di**e**	ein**e**	kein**e**	mein**e**	dein**e**	sein**e**	ihr**e**	sein**e**	ihr**e**	Ihr**e**	Tochter
da**s**	ein	kein	mein	dein	sein	ihr	sein	ihr	Ihr	Kind
di**e**		kein**e**	mein**e**	dein**e**	sein**e**	ihr**e**	sein**e**	ihr**e**	Ihr**e**	Kinder

13 Negation von Nomen und Verben → § 4, 26

	Positiv	*Negativ*
Bei Nomen:	Das ist **ein** Ball.	Das ist **kein** Ball.
	Ein Mensch lacht.	**Kein** Mensch lacht.
Bei Verben:	Der Ball ist da.	Der Ball ist **nicht** da.
	Das Kind lacht.	Das Kind lacht **nicht**.

Nomen

s Auto, -s
r Ball, ¨e
r Automat, -en ➔ Geldautomat,
  Fahrkartenautomat,
  Kaffeeautomat ...
e Fahrkarte, -n
e Flasche, -n
s Geld
s Gepäck
r Kaffee, -s
s Kind, -er
r Koffer, -
r Krankenwagen, -
e Mutter, ¨
e Nummer, -n
s Polizeiauto, -s
s Radio, -s
r Sohn, ¨e
e Tasche, -n
r Tee, -s
s Telefongespräch, -e ➔ Gespräch
e Tochter, ¨
r Unfall, ¨e
s Würstchen, -

Andere Wörter

kein
keine
kein

mein
dein
sein
ihr
Ihr

alt
kaputt

dort
hier
mal
von

Ausdrücke

Sag mal, ...
Wie geht's?
Wie alt ist ...?
Ja bitte?
Aha.
Los!
So, ...

Kurssprache

s Gespräch, -e
r Partner, -
e Partnerin, -nen
r Possessivartikel, -
r Satz, ¨e

kombinieren
nachspielen
variieren

1 Ein Buchstabe fehlt. Ergänzen Sie. →1

a. .....all
b. .....aby
c. .....utter
d. .....eitung
e. .....ourist
f. .....offer
g. .....ochter
h. .....ann
i. .....ind
j. .....rau
k. .....epäck
l. .....axi
m. .....amel
n. .....ohn

2 Wie heißen die Wörter richtig? →1

BESTABUCH	Buchstabe	LEFONTE	....
SCHEFLA	....	GELDMATAUTO	....
ZEILIPO	....	GANVERHEITGEN	....
CHENMÄD	....	RINKÄUVERFE	....
RINGESÄN	....	WAKENKRANGEN	....

3 Ergänzen Sie ei oder ie? →3

L.......be Sara,

ich bin all.......n, ich bin verl.......bt. Ich arb.......te,

ich sp.......le Klav.......r, ich schr.......be Br.......fe.

Ich l.......be Dich!

Auf W.......dersehen.

D.......n Jan

4 Ergänzen Sie a oder ä? →3

D.....s M.....dchen s.....gt: „M.....m.....". Die S.....ngerin l.....cht. Der M.....nn s.....gt: „Das ist Ihr Gep.....ck."

5 Ergänzen Sie o oder ö? →2

Da sind zwei Bahnh.....fe. Zwei K.....ffer sind nicht da. Ein P.....lizist kommt. Er w.....hnt in Berlin.

Er hat zwei T.....chter. Eine T.....chter ist zw.....lf.

6 Ergänzen Sie: u oder ü? →3

F..... nf J..... ngen wohnen in Hamb..... rg. Tsch..... s und danke f..... r die Bl..... men.
D..... bist j..... ng ..... nd gl..... cklich.

7 Ergänzen Sie den Plural. Umlaut oder kein Umlaut? →3

Singular	Plural ohne Umlaut	Plural mit Umlaut	Singular	Plural ohne Umlaut	Plural mit Umlaut
Ball		Bälle	Blume		
Buchstabe	Buchstaben		Junge		
Fahrkarte			Kuss		
Mann			Mutter		
Saft			Zug		
Tasche			Bahnhof		
Taxi			Gespräch		
Unfall			Koffer		
Vater			Sohn		
Zahl			Wort		

8 Ordnen Sie die Telefongespräche. →6

a. ◆ Nolte hier. Guten Tag.
⊙ Hallo Jürgen, ...
◆ ....
⊙ ....
◆ ....
⊙ ....

- Und wann kommst du?
- Ich bin in Hamburg.
- ~~Nolte hier. Guten Tag.~~
- Ich komme morgen.
- Hallo Claus! Wo bist du denn?
- Hallo Jürgen, hier ist Claus.

b. ◆ Hallo. ...
⊙ Wer ...
◆ ....
⊙ ....
◆ ....
⊙ ....

- Ist da nicht 42 83 39?
- Meyer. Ich heiße Meyer.
- Nein, hier ist 43 82 39.
- Wer ist da bitte?
- Hallo. Hier Meyer.
- Oh, Verzeihung.

9 Ergänzen Sie. →6

machst du · kommen Sie · ~~bist du~~ · heißen Sie · sind Sie · heißt du · machen Sie · kommst du

a. Hallo Claus, wo *bist du* ?
b. Hallo Frau Soprana, wo .... ?
c. Ich heiße Nolte, und wie .... ?
d. Ich heiße Ralf, und wie .... ?
e. Herr Nolte, wann .... ?
f. Und du, Sara, wann .... ?
g. Frau Noll, was .... ?
h. Vanessa, was .... ?

10 Schreiben Sie die Zahlen. →7

a. siebzehn *17*
b. sechsundsiebzig ....
c. dreiunddreißig ....
d. siebenundvierzig ....
e. elf ....
f. neunundneunzig ....
g. einundzwanzig ....
h. siebenundsechzig ....
i. achtundsiebzig ....
j. sechsundfünfzig ....

11 Notieren Sie die Telefonnummern. 

⊙ Ist da nicht dreiunddreißig achtzig achtundfünfzig? *33 80 58*
◆ Nein, hier ist dreiunddreißig achtzehn achtundfünfzig. ....
⊙ Ist da nicht siebzehn siebenundsechzig siebenundsiebzig? ....
◆ Nein, hier ist siebzehn siebenundsiebzig siebenundsechzig. ....
⊙ Ist da nicht einundneunzig null zwei zweiundvierzig? ....
◆ Nein, hier ist neunundneunzig null zwei dreiundvierzig. ....
⊙ Ist da nicht zwölf sechzehn sechsundzwanzig zweiundsechzig? ....
◆ Nein, hier ist zwölf sechzehn zweiundsechzig sechsundzwanzig. ....
⊙ Ist da nicht null eins neunzehn dreiunddreißig dreiundzwanzig zweiunddreißig? ....
◆ Nein, hier ist null eins neunzig zweiunddreißig dreiunddreißig dreiundzwanzig. ....
⊙ Ist da nicht sechsundneunzig null zwei zwei fünfunddreißig? ....
◆ Nein, hier ist sechsundneunzig null zwei drei dreiundfünfzig. ....
⊙ Ist da nicht achtundsechzig einundvierzig dreiundachtzig null acht? ....
◆ Nein, hier ist dreizehn fünfundsiebzig neunundzwanzig siebenundvierzig. ....

12 Schreiben Sie die Zahlen. →7

€ 38,– ....

€ 66,– ....

€ 16,– ....

€ 41,– ....

€ 73,– ....

€ 17,– ....

Nur zur Verrechnung

Bank

Zahlen Sie gegen diesen Scheck

achtunddreißig

Betrag in Buchstaben

noch Betrag in Buchstaben

an

EUR

Betrag

38,-

oder Überbringer

Ausstellungsort

Datum

Unterschrift des Ausstellers

Scheck-Nr. | Konto-Nr. | Betrag | Bankleitzahl

47000026457328 1234567890 70080000 00

Bitte dieses Feld nicht beschriften und nicht bestempeln

13 Welches Wort passt? →9

Schwester und Bruder: ....

Tochter und Sohn: ....

Mutter und Vater: ....

Großmutter und Großvater: ....

Großeltern · Kinder · Geschwister · Eltern

14 Schreiben Sie Sätze. →9

Vater
Name: Claus
34 Jahre
Lehrer

Großmutter
Name: Elvira
77 Jahre
Hamburg

Hund
Name: Fifi
4 Jahre
glücklich

Das ist mein .... *Das* .... *Das* ....

Sein .... *Claus* . ... *Name* ....

Er .... *alt* . ...

.... *ist* .... *wohnt* .... *ist* ....

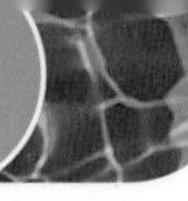

Nomen

e Autonummer, -n
e Betonung, -en
r Bruder, ¨
Eltern *(Plural)*
e Familie, -n
r Familienname, -n
Geschwister *(Plural)*
Großeltern *(Plural)*
e Großmutter, ¨
r Großvater, ¨
r Hund, -e
s Jahr, -e
r Lehrer, -
e Polizei
e Schwester, -n
r Vater, ¨
e Zahl, -en

Andere Wörter

mir
dir
Ihnen

gleich
morgen

Ausdrücke

Wie geht es dir?
Wie geht es Ihnen?
Es geht mir gut.
Es geht.
... kommt gleich.
Ich bin 16.
Ich bin 16 Jahre alt.

Kurssprache

s Alphabet, -e
r Ausdruck, ¨e
e Aussage, -n
r Buchstabe, -n
r Umlaut, -e

achten
buchstabieren
erzählen
nachsprechen
verwenden
vorstellen

Achten Sie auf ...
Erzählen Sie von ...
Sprechen Sie nach.
Sie können die folgenden Ausdrücke verwenden.
Stellen Sie einen Partner vor.

1 Ergänzen Sie. →1

a. Da *(sein)* sind Touristen.
b. Sie *(warten)* ....
c. Aber ihr Bus *(kommen)* .... nicht.
d. Kamele *(kommen)* ....
e. Ein Tourist *(sagen)* ....: „Guten Tag".
f. Eine Touristin *(winken)* ....
g. Aber die Kamele *(gehen)* ....

2 Kombinieren Sie und schreiben Sie Sätze. →2

	ich du er / sie / es	
ein / eine / – mein / meine dein / deine sein / seine ihr / ihre zwei drei vier ...	Mann / Männer Frau / Frauen Vater / Väter Mutter / Mütter Mädchen Verkäufer Verkäuferin / Verkäuferinnen Reporter Reporterin / Reporterinnen Polizist / Polizisten Polizistin / Polizistinnen Tourist / Touristen Touristin / Touristinnen Zug / Züge Bus / Busse Koffer Tasche / Taschen Kugelschreiber Fahrkarte	warten reisen lachen singen winken kommen gehen träumen schreiben Musik hören Tschüs sagen jung / alt / verliebt / glücklich / traurig / allein sein da sein / nicht da sein kaputt / alt sein

Ich reise.
Ein Mann wartet. Er träumt. Sein Koffer ist alt.
Eine Frau sagt „Tschüs". Ihr Zug kommt.
Touristinnen hören Musik. Ihre Busse warten.
Mein Zug kommt. Meine Fahrkarte ist da.
Du winkst. Ich winke.

....
....
....
....
....
....
....
....
....
....
....
....
....

3 Was ist da / nicht da? Schreiben Sie. → 5

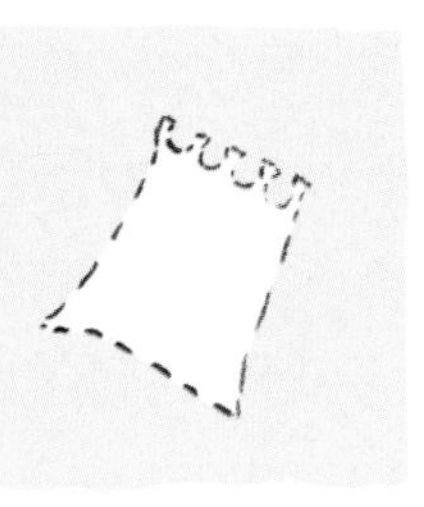
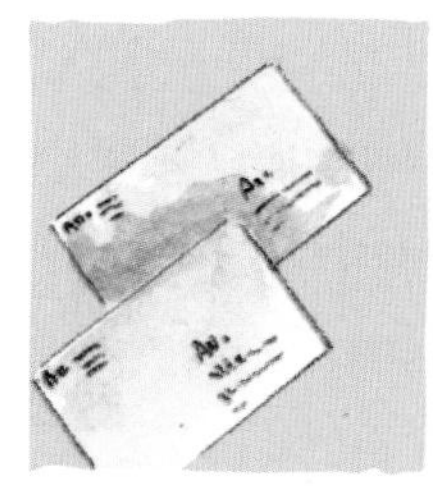
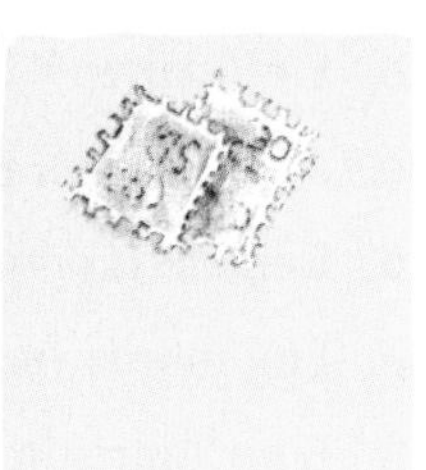

a. Da ist eine Zeichnung.
Aber da ist kein Foto.

b. ....

c. ....

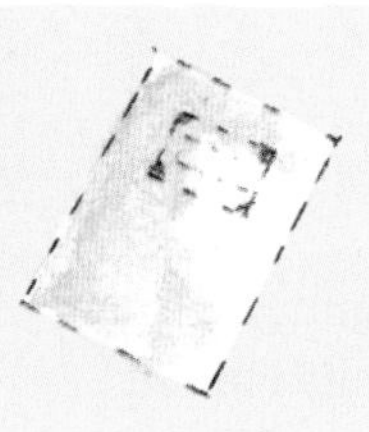

d. ....

e. ....

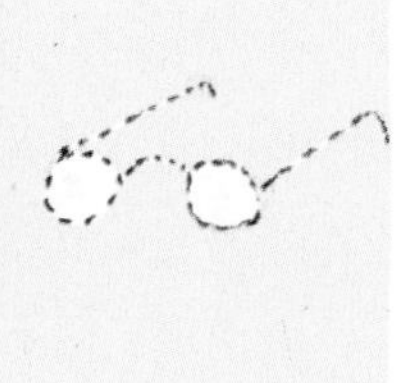

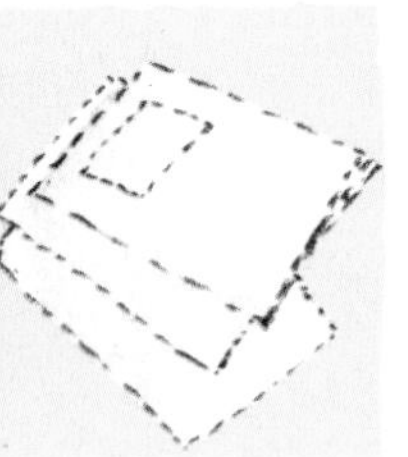

f. ....

g. ....

h. ....

4 Was passt nicht? → 8

Wetter: toll | prima | ~~sympathisch~~ | herrlich
Leute: interessant | sympathisch | nett | kaputt
Klavier: glücklich | schön | scheußlich | alt
Koffer: freundlich | alt | kaputt | groß
Zukunft: gut | fantastisch | alt | wunderbar

Bahnhof: richtig | schön | herrlich | interessant
Kind: allein | jung | glücklich | alt
Kuss: angenehm | toll | falsch | gut
Ball: groß | traurig | gut | schlecht
Großvater: wunderbar | alt | nett | falsch

5 Wie viele Wörter erkennen Sie? →8

U	V	A	T	E	R	B	A	L	T	W	E	J	U	N	G
X	E	R	K	A	P	U	T	T	A	X	I	U	C	H	E
K	R	A	N	K	E	N	W	A	G	E	N	N	L	E	P
U	Z	O	B	I	T	T	E	S	A	F	T	G	E	R	Ä
N	E	T	T	N	W	I	S	C	H	A	O	E	H	R	C
Z	I	E	L	D	E	S	C	H	Ö	N	L	I	R	L	K
U	H	U	N	D	T	A	T	E	R	A	L	L	E	I	N
G	U	T	P	U	T	E	Y	B	E	L	E	E	R	C	W
G	N	U	M	M	E	R	L	A	N	G	E	N	E	H	M
E	G	R	A	M	R	F	A	L	S	C	H	F	O	T	O
R	E	I	S	E	S	C	H	L	E	C	H	T	N	I	B

6 Ordnen Sie. →8

Samstag Dienstag Freitag Donnerstag Mittwoch ~~Montag~~ Sonntag

Montag ....

7 Ergänzen Sie. →8

~~Kugelschreiber~~ ◎ Wetter (2x) ◎ Uhr ◎ Lösung ◎ Junge ◎ Nummern ◎ Frau

~~kaputt~~ ◎ traurig ◎ alt ◎ falsch ◎ richtig ◎ verliebt ◎ schön ◎ schlecht

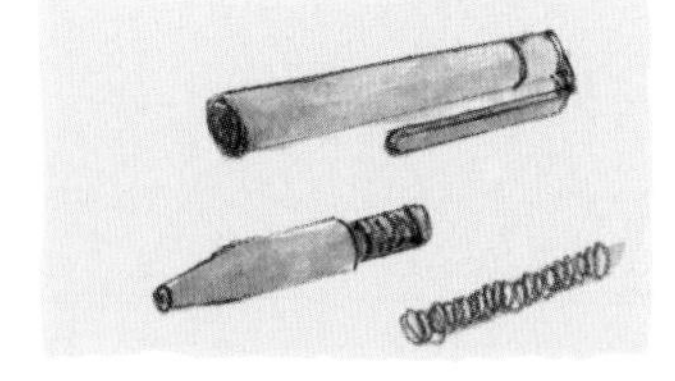

a. *Der Kugelschreiber ist kaputt.*

b. ....

c. ....

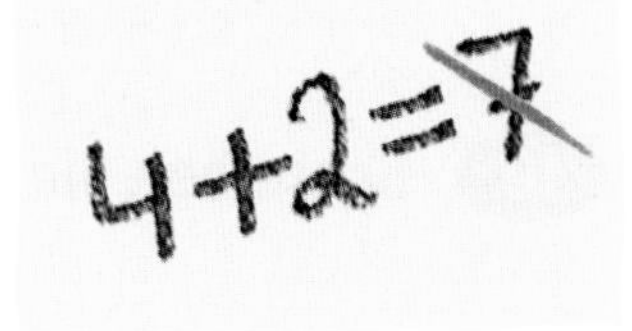

d. ....

e. ....

f. ....

g. ....

h. ....

8 Wie schreibt man es richtig? Welche Wörter schreibt man groß? →8

a. heuteistfreitagundichspieleklavier *Heute ist Freitag ...* .
b. daswetteristnichtsogut .
c. woistherrmohn ?
d. wosindsie,fraunolte ?
e. wiealtistihrsohn,fraunolte ?
f. wannkommstdu ?
g. istdeinetochterglücklich ?

9 Ordnen Sie und schreiben Sie eine Ansichtskarte. Verwenden Sie alle Sätze. →8

- Viele Grüße
- Wien ist wunderbar.
- die Leute sind nett
- und ich bin in Wien.
- Morgen bin ich in Salzburg.
- hier ist Benno auf Europareise.
- ~~Hallo Ingrid,~~
- Heute ist Sonntag,
- Das Wetter ist gut,

Hallo Ingrid,
...

10 Schreiben Sie eine Ansichtskarte. →8

Hallo Uwe,
hier ist .... *auf* Deutschlandreise .
Heute ist M .... , *und ich* ....
.... *Die* S ....
Das W .... , *aber die*
L ....
Morgen ....
Viele Grüße
Maria

~~Deutschlandreise~~ · Montag · Berlin · Stadt · toll · Wetter · schlecht · Leute · nett · Hamburg · ...

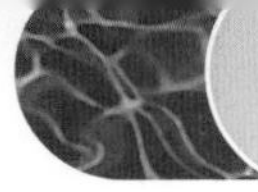

Nomen

r Absender, -
e Adresse, -n
e Ansichtskarte, -n ➔ Karte
s Bild, -er
e Briefmarke, -n
e Brille, -n
s Buch, ¨er
s Datum, Daten
r Dienstag, -e
r Donnerstag, -e
r Empfänger, -
r Freitag, -e
r Gruß, ¨e
s Heft, -e
e Karte, -n
r Kugelschreiber, -
Leute *(Plural)*
r Mittwoch
r Montag, -e
r Ort, -e
e Postleitzahl, -en
r Samstag, -e
r Sonntag, -e
e Stadt, ¨e
e Unterschrift, -en
s Wetter
r Wochentag, -e
r Zettel, -

Andere Wörter

freundlich
heute
interessant
nett
prima
schlecht
schön
sympathisch
toll
wunderbar

Ausdrücke

Liebe … / Lieber …
Liebe Grüße
Viele Grüße
Das Wetter ist nicht so gut.

Kurssprache

s Nomen, -
e Übung, -en
r Vokal, -e

kontrollieren
vergleichen

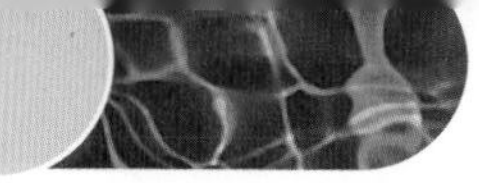

Das kann ich jetzt: ✗

- **Menschen begrüßen**
- **Mich verabschieden**

Das kann ich  *gut.*
 *ein bisschen.*
 *noch nicht so gut.*

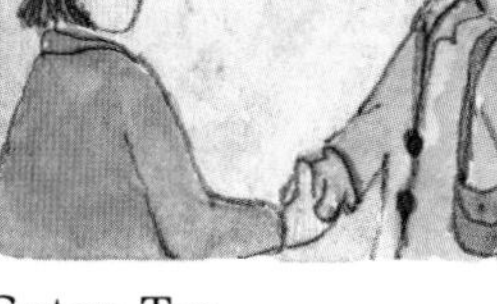

Guten Tag.
Hallo.

Tschüs.
Auf Wiedersehen.

- **Meinen Namen nennen**
- **Nach Namen fragen**

Das kann ich  *gut.*
 *ein bisschen.*
 *noch nicht so gut.*

Ich heiße ...
Mein Name ist ...

Wie heißen Sie?
Wie heißt du?

- **Meinen Namen buchstabieren**
- **Andere Wörter buchstabieren**

Das kann ich 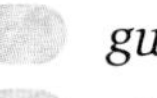 *gut.*
ein bisschen.
 *noch nicht so gut.*

J A N M I R O

Z E I T U N G

- **Fragen, wie es einer Person geht**
- **Sagen, wie es mir geht**

Das kann ich  *gut.*
ein bisschen.
noch nicht so gut.

Wie geht es Ihnen?
Wie geht es dir?

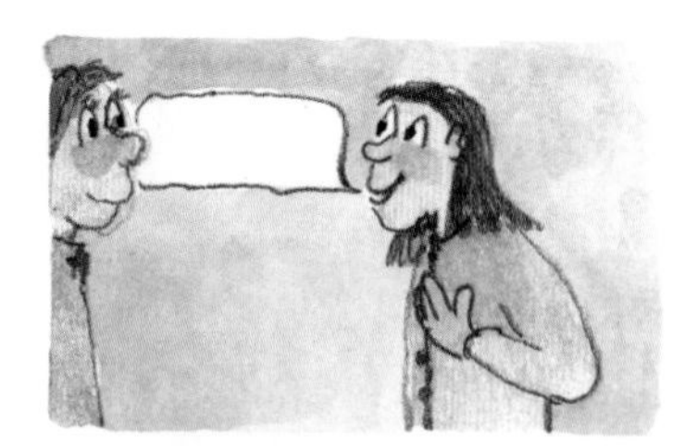

Danke, gut.
Es geht mir gut.

- **Dinge kurz beschreiben**
- **Menschen kurz beschreiben**

Das kann ich 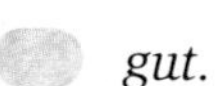 *gut.*
ein bisschen.
 *noch nicht so gut.*

Das Auto ist schön.

Die Leute sind nett.

Das kann ich jetzt: ✗

- **Um Informationen bitten**
- **Jemanden bitten, ein Wort zu buchstabieren**

Das kann ich  *gut.*
ein bisschen.
noch nicht so gut.

Was ist das?
Wie heißt das auf Deutsch?

Wie schreibt man das?
Buchstabieren Sie bitte.

- **Dinge benennen**
- **Nach Dingen fragen**

Das kann ich *gut.*
ein bisschen.
noch nicht so gut.

Das sind Blumen.
Das ist eine Uhr.

Wo ist meine Tasche?
Wo sind meine Koffer?

- **Sagen, dass etwas nicht da ist**
- **Sagen, dass eine Person nicht da ist**

Das kann ich *gut.*
ein bisschen.
noch nicht so gut.

Da ist kein Brief.
Die Briefmarken sind nicht da.

Die Verkäuferin ist nicht da.
Da ist keine Verkäuferin.

- **Die Zahlen von 1 bis 100 verstehen**
- **Die Zahlen von 1 bis 100 aussprechen**

Das kann ich *gut.*
ein bisschen.
noch nicht so gut.

17 – 21 – 34 – 49 – ...

Meine Oma ist
neunundsiebzig.

- **Kurze Urlaubsgrüße schreiben**

Das kann ich *gut.*
ein bisschen.
noch nicht so gut.

Lieber Marco,
ich bin in Paris.
Das Wetter ist
schön.
Viele Grüße
Deine Claudia

1 Was ist auf der Zeichnung? Was nicht? ✗ →1

	ja	nein
a. eine Zeitung		✗
b. zwei Männer	✗	
c. zwei Telefone		
d. ein Kamel		
e. ein Ball		
f. Blumen		
g. eine Uhr		

	ja	nein
h. ein Zug		
i. ein Mädchen		
j. ein Klavier		
k. ein Polizist		
l. ein Hund		
m. Zwillinge		

	ja	nein
n. zwei Koffer		
o. eine Flasche		
p. zwei Frauen		
q. ein Radio		
r. Zahlen		
s. zwei Brillen		

2 Formen Sie die Fragen um. →5

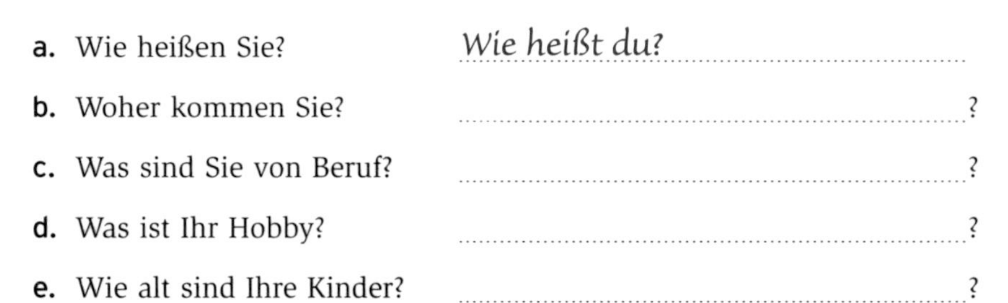

a. Wie heißen Sie? *Wie heißt du?*

b. Woher kommen Sie? ....?

c. Was sind Sie von Beruf? ....?

d. Was ist Ihr Hobby? ....?

e. Wie alt sind Ihre Kinder? ....?

3 Wie heißen die Wörter richtig? →5

a. der TERPUCOM *der Computer*
b. die ZEKAT ....
c. der RUFBE ....
d. das BYHOB ....
e. das SURFTTBRE ....
f. die RINLEHRESPORT ....
g. die MIFALIE ....
h. die TINÄRZ ....
i. der TOGRAFFO ....

4 Ergänzen Sie. →6

a. Ich komme aus München.
Er kommt aus München.
Wir kommen aus München.

b. Ich heiße Schneider.
Er heißt Schneider.
Wir ....

c. Ich spiele Computer.
Er ....
Wir ....

d. Ich telefoniere.
....
....

e. Ich bin Lehrer.
....
....

f. Ich surfe gern.
....
....

g. Ich lebe in Wien.
....
....

h. Ich koche.
....
....

5 Ergänzen Sie. →6

a. ◆ Ich komme aus München. ⊙ *Wir kommen auch aus München.*
b. ◆ Ich heiße Schneider. ⊙ *Wir* .... *auch Schneider.*
c. ◆ Ich spiele Tennis. ⊙ .... *auch Tennis.*
d. ◆ Ich telefoniere. ⊙ .... *auch.*
e. ◆ Ich bin Lehrer. ⊙ .... *auch* ....
f. ◆ Ich surfe gern. ⊙ .... *auch* ....
g. ◆ Ich lebe in Wien. ⊙ .... *auch* ....
h. ◆ Ich packe. ⊙ .... *auch.*

6 Ergänzen Sie mein, meine, unser, unsere, ist, sind. → 6

a. Das ist mein Sohn. Das ist unser Sohn.
b. Das ist meine Tochter. Das ist unsere ....
c. Das sind meine Kinder. Das sind ....
d. Das ist mein Surfbrett. Das ....
e. Das .... mein Hund. ....
f. Das .... meine Katze. ....
g. Das .... meine Bälle. ....
h. Das .... Auto. ....
i. Das .... Tasche. ....
j. Das .... Flaschen. ....
k. Das .... Klavier. ....

7 Ergänzen Sie wie, was, woher. → 6

a. Wie alt ist Ihr Sohn?
b. .... ist dein Hobby?
c. .... lange seid ihr schon hier?
d. .... kommen Sie?
e. .... sind Sie von Beruf?
f. .... kommt ihr?
g. .... alt bist du?
h. .... macht ihr hier?

8 Ordnen Sie das Gespräch. → 8

- Unsere Mobiltelefone sind leer.
- Vielen Dank. Das ist sehr nett.
- Na ja, schon eine halbe Stunde.
- ~~Hallo! Wartet ihr schon lange hier?~~
- Das ist nicht schlimm. Unsere Handys sind okay. Hier, bitte.
- Ja, unsere Freunde kommen nicht.
- Warum telefoniert ihr nicht?
- Schon so lange?

◆ Hallo! Wartet ihr schon lange hier?
⊙ Na ja, ...
◆ ....
⊙ ....
◆ ....
⊙ ....
◆ ....
⊙ ....

9 Ergänzen Sie. → 8

a. *(kommen)* Kommst du aus Kopenhagen?
b. *(haben)* .... ihr Kinder?
c. Wie *(heißen)* .... ihr?
d. *(sein)* .... du Mathematiklehrerin?
e. Warum *(warten)* .... ihr denn?
f. Warum *(telefonieren)* .... ihr nicht?
g. *(kommen)* Kommt ihr aus Wien?
h. *(haben)* .... du Probleme?
i. *(heißen)* .... du Emma?
j. *(sein)* .... ihr Zwillinge?
k. Was *(spielen)* .... du?
l. *(machen)* .... ihr gern Computerspiele?

10 Ergänzen Sie. → 9

a. Ist das euer Zelt? Ja, das ist unser Zelt.
b. Sind das eure Kinder? Ja, das sind ....
c. Ist .... Luftmatratze? Ja, ...
d. .... Schlafsäcke? Ja, ...
e. .... Katze? Ja, ...
f. .... Sohn? Ja, ...
g. .... Tochter? Ja, ...
h. .... Computer? Ja, ...

11 Was passt wo? → 9

~~Hotel~~ ◎ ~~Vater~~ ◎ ~~Lehrer~~ ◎ Gepäck ◎ Bahnhof ◎ Großmutter ◎ Fotograf ◎ Tochter ◎ Reporter ◎ Großvater ◎ Polizist ◎ Zelt ◎ Baby ◎ Koffer ◎ Fahrkarte ◎ Verkäufer ◎ Zug ◎ Schlafsack ◎ Auto ◎ Ärztin ◎ Mutter ◎ Tourist ◎ Kind ◎ Sohn ◎ Luftmatratze

Reise: Hotel ....
....

Familie: Vater ....
....

Beruf: Lehrer ....

12 Schreiben Sie. → 9

a. du – Lehrer – bist – ? *Bist du Lehrer?*
b. Zelt – ist – sein – kaputt – . *Sein Zelt ist kaputt.*
c. eure – nass – sind – Luftmatratzen – ? *Sind* ....
d. Schlafsack – mein – kaputt – ist – . ...
e. alt – Kinder – wie – deine – sind – ? ....
f. Hund – heißt – dein – wie – ? ....
g. Kinder – gern – surfen – unsere – . ...
h. Beruf – was – von – bist – du – ? ....
i. lange – hier – Sie – schon – sind – ? ....
j. ist – meine – Fotografin – Frau – . ...
k. vier – Tochter – ist – unsere – . ...
l. trocken – Schlafsack – dein – ist – ? ....

13 Was passt zusammen? → 9

a. Ist dein Schlafsack auch nass? *6*
b. Woher kommt ihr?
c. Was sind Sie von Beruf?
d. Wie heißt Ihr Sohn?
e. Wie heißt Ihre Tochter?
f. Bist du schon lange hier?
g. Sind eure Luftmatratzen kaputt?
h. Woher kommst du?

1. Sie heißt Sara.
2. Er heißt Jan.
3. Nein, aber sie sind nass.
4. Nein, erst drei Tage.
5. Ich komme aus Wien.
6. Nein, mein Schlafsack ist trocken.
7. Wir kommen aus München.
8. Ich bin Fotograf.

14 Schreiben Sie eine Ansichtskarte. → 9

Hallo Anna,
hier sind *Claudia und Corinna auf Österreich-Reise.*
Heute ist .... *und wir sind* ....
zwei .... *in Klagenfurt.*
Der .... *ist prima, aber das* ....
ist schlecht. .... *Zelt ist nass und* ....
Luftmatratze ist .... *. Wir packen.*
.... *sind wir in Salzburg.*

Donnerstag ~~sind~~ Campingplatz schon Unser Wetter Tage kaputt unsere Morgen

15 Verben: Konjugation → § 15, 16

Infinitiv		**kommen**	**arbeiten**	**heißen**	**sein**
1. Person Singular	**ich**	komm**e**	arbeit**e**	heiß**e**	**bin**
2. Person Singular	**du**	komm**st**	arbeit**est**	hei**ßt**	**bist**
3. Person Singular	**er/sie/es**	komm**t**	arbeit**et**	heiß**t**	**ist**
1. Person Plural	**wir**	komm**en**	arbeit**en**	heiß**en**	**sind**
2. Person Plural	**ihr**	komm**t**	arbeit**et**	heiß**t**	**seid**
3. Person Plural/Höflichkeitsform	**sie / Sie**	komm**en**	arbeit**en**	heiß**en**	**sind**

ebenso:

hören, kochen, lachen, packen, spielen, …

Stamm auf ***-t****:* warten, antworten, betrachten

TIPP *Bei regelmäßigen Verben:*

Infinitiv =	*1. Person Plural* =	*3. Person Plural/Höflichkeitsform*
komm**en**	wir komm**en**	sie / Sie komm**en**

3. Person Singular =	*2. Person Plural*
er komm**t**	ihr komm**t**

16 Artikelwörter: Possessivartikel → § 3

	wir	**ihr**
der Sohn	unser Sohn	euer Sohn
die Tochter	unsere Tochter	eure Tochter
das Hobby	unser Hobby	euer Hobby
die Kinder	unsere Kinder	eure Kinder

! eu**er** Sohn, eu**er** Kind
aber: eu**re** Söhne, eu**re** Kinder usw.

Übersicht:

ich	**du**	**er**	**sie**	**es**	**wir**	**ihr**	**sie**	**Sie**	
mein	dein	sein	ihr	sein	unser	euer	ihr	Ihr	Sohn
meine	deine	seine	ihre	seine	unsere	eure	ihre	Ihre	Tochter
mein	dein	sein	ihr	sein	unser	euer	ihr	Ihr	Hobby
meine	deine	seine	ihre	seine	unsere	eure	ihre	Ihre	Kinder

Nomen

r Beruf, -e
r Campingplatz, ¨-e
s Computerspiel, -e
r Freund, -e
s Handy, -s
s Hobby, -s
e Jacke, -n
e Katze, -n
r Lehrer, -
e Lehrerin, -nen
r Mathematiklehrer, - ➔ Lehrer
e Minute, -n
s Mobiltelefon, -e ➔ Telefon
s Problem, -e
r Pullover, -
r Rucksack, ¨-e
r Schlafsack, ¨-e
r Schuh, -e
s Spiel, -e
e Sportlehrerin, -nen ➔ Lehrerin
e Stunde, -n
s Zelt, -e

Verben

antworten
fragen
packen
surfen
telefonieren

Andere Wörter

wir
ihr

unser
euer

warum
woher

aus
von

bequem
groß
leer
nass
sauber
trocken

bitte
denn
erst
etwa
halb
lange
natürlich
schon
sehr

Ausdrücke

Sie kommen aus Deutschland.
Sie kommen aus München.
Er ist Lehrer von Beruf.
Woher kommt ihr denn?
Wie bitte?
Hier, bitte.
Danke schön.
Vielen Dank!
Kein Problem!
Na ja.
Wir sind erst zwei Stunden hier.
Sie warten schon zwei Stunden.
Wir warten schon eine halbe Stunde
Sie warten etwa 20 Minuten.
Wartet ihr schon lange?
Ja, natürlich.

Kurssprache

betrachten
passen

Betrachten Sie die Zeichnung.
Was passt zu ...?
Formen Sie die Fragen um.

1 Was passt nicht? →1

a. **tauchen:** tief | lange | ~~freundlich~~
b. **reiten:** schnell | tief | gut
c. **schwimmen:** gern | hoch | schnell
d. **rechnen:** fleißig | falsch | sympathisch
e. **springen:** schnell | hoch | alt
f. **warten:** lange | allein | schnell
g. **singen:** gut | wunderbar | kaputt
h. **arbeiten:** lange | groß | gern

2 Ergänzen Sie können. →2

a. ◆ Kannst du gut tauchen?
⊙ Ja, aber ich .... nicht so gut schwimmen.

b. ◆ .... ihr gut schwimmen?
⊙ Nein, aber wir .... lange tauchen.

c. ◆ Mein Hund .... gut schwimmen.
⊙ Unsere Hunde .... auch prima schwimmen.

3 Schreiben Sie die Sätze richtig. →3

a. kann er spielen sehr Gitarre gut — Er kann ....
b. nicht rechnen gut meine Tochter kann — Meine ....
c. schnell können reiten Kinder die — Die ....
d. Blumen ich kann sehr fotografieren gut — Ich ....
e. Kaffee schnell seine Frau kochen kann — Seine ....
f. sehr Mann schön kann singen der — Der ....

4 Welche zwei Antworten passen? X X →4

a. „Was kann er gut?"
1. „Schwimmen und tauchen."
2. „Er kann nicht singen."
3. „Er kann sehr schnell rechnen."

b. „Kann er auch kochen?"
1. „Natürlich! Das kann er sehr gut."
2. „Das kann ich nicht."
3. „Nein, leider nicht."

c. „Spielt er Klavier?"
1. „Er spielt wunderbar Klavier."
2. „Ja, das kann er ganz toll."
3. „Er heißt Jens."

d. „Wann kommt er?"
1. „Er fotografiert gern."
2. „Morgen ist er da."
3. „Er kommt bald."

5 Sagen Sie es anders. → 4

a. ◆ Wann kommt er?
⊙ Er kommt Montag.
◆ Wie bitte?
⊙ *Montag kommt er.*

b. ◆ Wo ist sie?
⊙ Sie ist hier.
◆ Wie bitte?
⊙ ……

c. ◆ Wann schreibt er?
⊙ Er schreibt morgen.
◆ Wie bitte?
⊙ ……

d. ◆ Wann kommt sie?
⊙ Sie kommt gleich.
◆ Wie bitte?
⊙ ……

e. ◆ Wie kocht sie?
⊙ Sie kocht wunderbar.
◆ Wie bitte?
⊙ ……

f. ◆ Wie zeichnen sie?
⊙ Sie zeichnen gut.
◆ Wie bitte?
⊙ ……

g. ◆ Wie singen wir?
⊙ Ihr singt wunderbar.
◆ Wie bitte?
⊙ ……

h. ◆ Spielt er Klavier?
⊙ Leider kann er nicht Klavier spielen.
◆ Wie bitte?
⊙ ……

6 Richtig *r* oder falsch *f*? Was passt? → Kursbuch S. 39 → 3

a. Werner Sundermann …
1. kommt aus Radebeul bei Dresden.
2. hat zwei Kinder.
3. ist Möbeltischler.
4. trinkt gern Bier.
5. kann blind 18 Sorten Mineralwasser erkennen.
6. trainiert fleißig.
7. kann in drei Minuten 30 Autos zeichnen.

b. Thaisong Thien …
1. wohnt in Berlin.
2. ist ledig.
3. ist Sänger.
4. studiert Kunst in Berlin.
5. zeichnet Autos.
6. kann blind 18 Sorten Luftballons erkennen.
7. kann in zwei Minuten sechs Gesichter zeichnen.

c. Natascha Schmitt …
1. lebt in Hamburg.
2. ist verheiratet.
3. ist Krankenschwester in Berlin.
4. arbeitet in Hamburg.
5. liebt Autos.
6. kann in 27 Sekunden ein Rad wechseln.
7. kann in 27 Sekunden zwei Reifenpannen erkennen.

d. Max Claus …
1. wohnt in Wuppertal.
2. ist geschieden.
3. ist Frisör von Beruf.
4. liebt Mineralwasser.
5. schneidet Haare.
6. kann 18 Touristen in drei Minuten rasieren.
7. kann sehr schnell Luftballons rasieren.

7 Ergänzen Sie. →8

kommen · studieren · haben · sein · spielen

a.
◆ Woher .... du?
○ Ich .... aus Hamburg.
◆ Wie .... dein Name?
○ Ich heiße Volker.
◆ .... du Mathematik?
○ Nein, ich .... Kunst.

b.
◆ Woher .... Sie?
○ Wir .... aus München.
◆ .... Sie Kinder?
○ Ja, wir .... zwei.
◆ Wie alt .... sie?
○ Neun und elf.

c.
◆ Woher .... er?
○ Er .... aus Dresden.
◆ .... er Sport?
○ Nein, Mathematik.
◆ Wie alt .... er?
○ Er .... 22.

d.
◆ Woher .... ihr?
○ Wir .... aus Berlin.
◆ .... ihr Tennis?
○ Ja, natürlich.
◆ Wie alt .... ihr?
○ Wir .... 20.

8 Ergänzen Sie. →8

a. Werner Sundermann erkennt 18 Sorten Mineralwasser.
Werner Sundermann *kann* 18 Sorten Mineralwasser *erkennen*.

b. Thaisong Thien zeichnet Touristen.
Thaisong Thien *kann* Touristen ....

c. Natascha Schmitt wechselt ein Rad.
Natascha Schmitt .... ein Rad ....

d. Natascha Schmitt wechselt in 27 Sekunden ein Rad.
Natascha Schmitt .... in 27 Sekunden ein Rad ....

e. Max Claus rasiert in drei Minuten 30 Luftballons.
Max Claus .... in drei Minuten 30 Luftballons ....

9 Ergänzen Sie. → 8

a. Max Claus kann sehr gut Luftballons rasieren.
Er rasiert normalerweise Bärte.

Normalerweise rasiert er Bärte.

b. Max Claus kann fünf Bärte in zehn Minuten rasieren.

In zehn Minuten ....

c. Die Studentin kann in vierzig Sekunden zwei Polizisten zeichnen.

In vierzig Sekunden ....

d. Natascha Schmitt kann in siebenundzwanzig Sekunden ein Rad wechseln.
Eine Reifenpanne ist natürlich kein Problem.

Natürlich ....

e. Herr Jensen kann in fünfundfünfzig Minuten ein Rad wechseln.

In fünfundfünfzig Minuten ....

f. Thaisong Thien kann in zwei Minuten sechs Gesichter zeichnen.
Die Zeichnungen sind trotzdem gut.

Trotzdem sind ....

g. Werner Sundermann kann blind achtzehn Sorten Mineralwasser erkennen.
Er schafft vielleicht bald 25 Sorten.

Vielleicht ....

h. Frau Sundermann kann blind fünfzehn Sorten Cola erkennen.

Blind ....

i. Die Sportreporterin kann natürlich gut fotografieren.

Natürlich ....

10 Was passt? → 8

a. Lehrerin, Lehrer, Verkäufer, Verkäuferin *sein*
b. Mathematik, Sport, Kunst ....
c. Mineralwasser, Saft, Wein, Bier ....
d. Bärte, Touristen, Luftballons ....
e. Kinder, Touristen, Gesichter ....
f. Tennis, Ball, Klavier ....
g. in Hamburg, in Salzburg, in Österreich ....

~~sein~~ · studieren · zeichnen · trinken · wohnen · rasieren · spielen

11 Ergänzen Sie. →9

	leben	lieben	studieren	telefonieren	reisen	heißen	platzen
ich							
du			studierst			heißt	platzt
er/sie/es		liebt			reist		
wir	leben						
ihr		liebt		telefoniert			
sie/Sie	leben						

	arbeiten	warten	schneiden	zeichnen	wechseln	können	sein
ich		warte			wechsle		
du	arbeitest			zeichnest	wechselst		
er/sie/es	arbeitet		schneidet			kann	
wir							sind
ihr		wartet					
sie/Sie							

12 Kombinieren Sie und schreiben Sie Sätze. Es gibt mehrere Möglichkeiten. →9

a. *Ich liebe dich. Ich liebe Bärte. Ich liebe Tomaten. Ich liebe Mathematik.*
b. *Er lebt* ……………………………………… .
c. *Er studiert* ……………………………………… .
d. *Wir warten* ……………………………………… .
e. *Ihr telefoniert* ……………………………………… .
f. *Die Luftmatratze* ……………………………………… .
g. *Der Frisör schneidet* ……………………………………… .
h. *Sie repariert* ……………………………………… .
i. *Ihr zeichnet* ……………………………………… .
j. *Ich wechsle* ……………………………………… .
k. *Sie arbeitet* ……………………………………… .

- in Radebeul bei Dresden
- dich
- platzt
- fleißig
- Bärte
- schon eine halbe Stunde
- ein Rad
- Tomaten
- Computer
- Mathematik
- schnell

13 Konjugation → § 15, 17

	schneiden	**zeichnen**	**wechseln**	**platzen**	**können**
ich	schneid**e**	zeich**ne**	wech**sle**	platz**e**	**kann**
du	schneid**est**	zeich**nest**	wechsel**st**	platz**t**	**kannst**
er/sie/es	schneid**et**	zeich**net**	wechsel**t**	platz**t**	**kann**
wir	schneid**en**	zeich**nen**	wechsel**n**	platz**en**	könn**en**
ihr	schneid**et**	zeich**net**	wechsel**t**	platz**t**	könn**t**
sie/Sie	schneid**en**	zeich**nen**	wechsel**n**	platz**en**	könn**en**
ebenso:	*Stamm auf* **-d**: verwenden	*Stamm auf Konsonant* **-n**: rechnen	*Infinitiv auf* **-ln**: segeln		

14 Verbklammer bei Modalverben → § 27

Vorfeld	*Verb (1)*	*Mittelfeld*		*Verb (2)*
Er	**kann**			**zeichnen.**
Er	**kann**		sechs Gesichter	**zeichnen.**
Er	**kann**	in zwei Minuten	sechs Gesichter	**zeichnen.**

Verbklammer

15 Subjekt oder Angabe im Vorfeld → § 28

Subjekt im Vorfeld:

Vorfeld	*Verb (1)*	*Mittelfeld*		*Verb (2)*
Er	**kommt**	morgen.		
Er	**kann**	in zwei Minuten	sechs Gesichter	**zeichnen.**
Die Zeichnungen	**sind**	natürlich	gut.	

Angabe im Vorfeld:

Vorfeld	*Verb (1)*	*Mittelfeld*		*Verb (2)*
Morgen	**kommt**	er.		
In zwei Minuten	**kann**	er	sechs Gesichter	**zeichnen.**
Natürlich	**sind**	die Zeichnungen	gut.	

Nomen
r Alkohol
r Ballon, -s
r Bart, ¨-e
s Beispiel, -e
s Bier, -e
r Frisör, -e
s Gesicht, -er
s Haar, -e
e Krankenschwester, -n
s Lied, -er
r Luftballon, -s ➔ Ballon
s Mineralwasser ➔ Wasser
s Rad, ¨-er
r Rekord, -e
e Sekunde, -n
e SMS, -
e Sorte, -n
s Wasser
r Wein, -e
r Weltrekord, -e ➔ Rekord
e Zeichnung, -en

Verben
denken
erkennen
glauben
kochen
können
meinen
platzen
rasieren
rechnen
reparieren
schaffen
schneiden
schwimmen
testen
trainieren
trinken
verdienen
wechseln
zeichnen

Andere Wörter
blind
fleißig
hoch
immer
leider
natürlich
normalerweise
schnell
tief
vielleicht
zufrieden

dann
trotzdem

Ausdrücke
Sie kann hoch springen.
Er kann tief tauchen.
Sie kann in 27 Sekunden ein Rad wechseln.
Leider kann sie nicht Klavier spielen.
Natürlich sind die Zeichnungen gut.
Vielleicht schafft er bald 25.
Prost!

In Deutschland sagt man:	**In der Schweiz sagt man auch:**
Prost!	Gesundheit!

Kurssprache
anders
Schreiben Sie die Sätze anders.

1 Wie heißen die Lebensmittel? →1

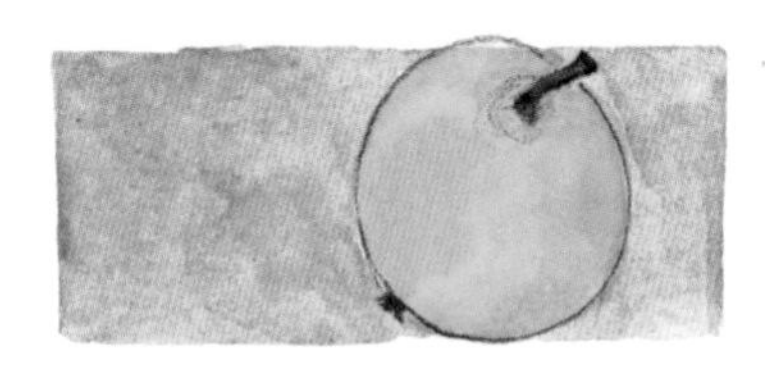

a. 

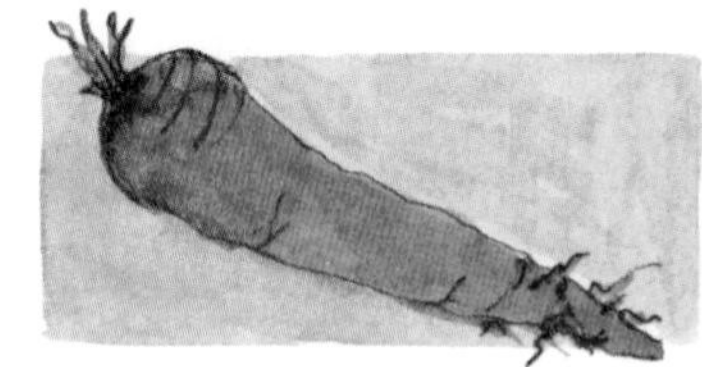

b. ....

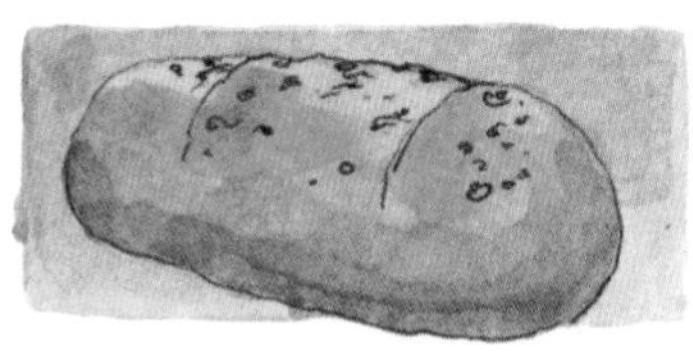

c. ....

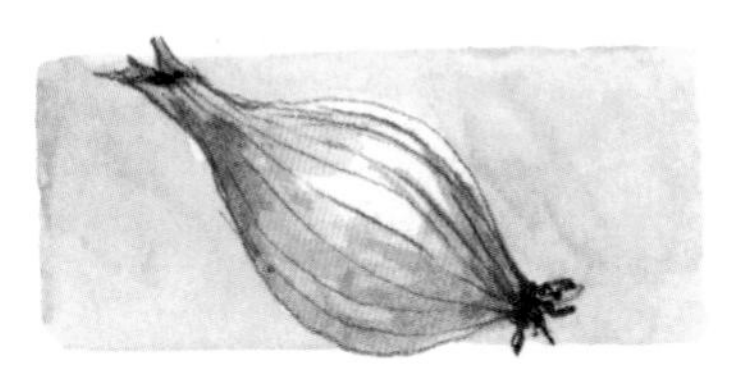

d. ....

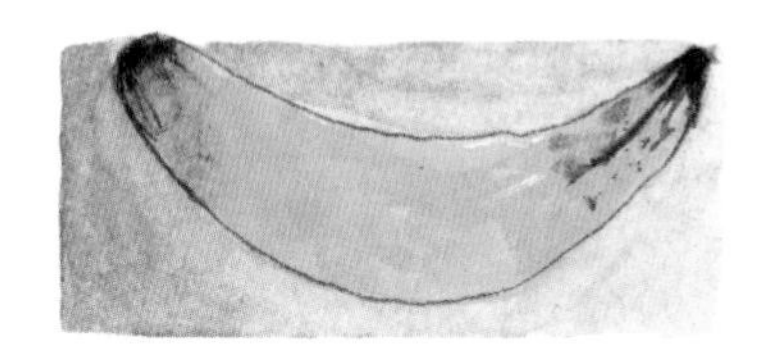

e. ....

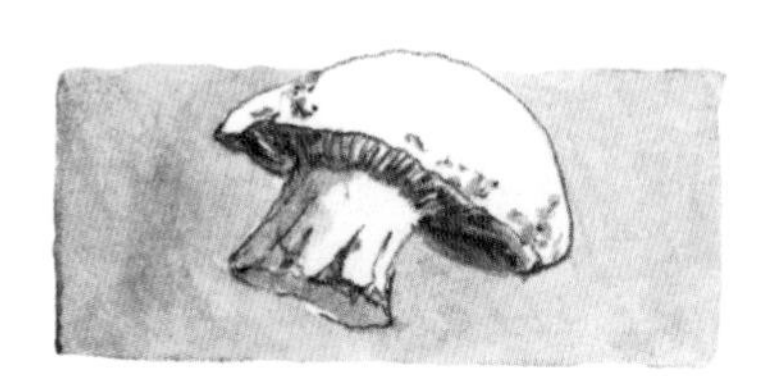

f. ....

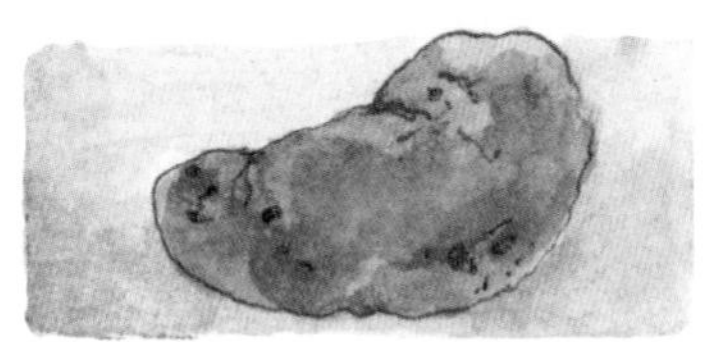

g. ....

h. ....

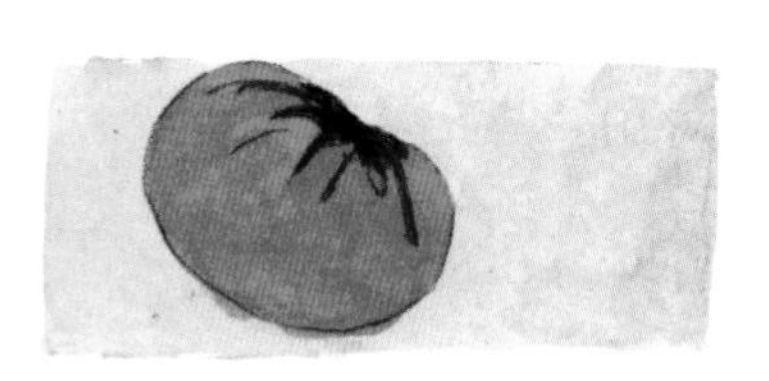

i. ....

2 Was kostet das? →1

a. **4,35 €** vier Euro und fünfunddreißig Cent

b. **11,45 €** ....

c. **12,17 €** ....

d. **8,69 €** ....

e. **34,90 €** ....

f. **19,05 €** ....

3 Was passt wo? →1

Pfund / Kilo	**Flasche**
Tomaten	....
....	....
....	....
....	....
....	
....	

Karotten · Kartoffeln · Saft · ~~Tomaten~~ · Pilze · Bier · Zwiebeln · Wasser · Äpfel · Wein

4 Schreiben Sie die Zahlen. →2

a. 321 *dreihunderteinundzwanzig*
b. 177 ....
c. 717 ....
d. 111 ....
e. 968 ....
f. 698 ....
g. 533 ....
h. 471 ....
i. 252 ....
j. 825 ....

5 Wie viel wiegt das? 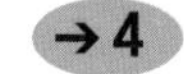

a. zweihundertfünfundzwanzig Gramm = *225* Gramm
b. sechshundertachtundsiebzig Gramm = ... Gramm
c. fünfhundertvier Gramm = ... Gramm
d. achthundertachtundachtzig Gramm = ... Gramm
e. dreihundertdreizehn Gramm = ... Gramm
f. vierundzwanzig Gramm = ... Gramm
g. fünfhundertfünfundfünfzig Gramm = ... Gramm
h. achthundertachtzehn Gramm = ... Gramm

6 Was passt zusammen? 

a. ◆ Wie heißt du denn?
b. ◆ Wie ist deine Adresse?
c. ◆ Wohnst du in Bonn?
d. ◆ Möchtest du eine Pizza?
e. ◆ Ist dein Vater da?
f. ◆ Wo ist deine Mutter?
g. ◆ Wer ist Bello?

1. ⊙ Nein, er ist nicht da. Aber meine Freunde sind hier.
2. ⊙ Lisa Neumüller.
3. ⊙ Nein, zehn Pizzas und noch eine für Bello.
4. ⊙ Sie ist auch nicht da.
5. ⊙ Beethovenstraße 9.
6. ⊙ Das ist mein Hund.
7. ⊙ Ja, natürlich wohne ich da.

7 Sagen Sie es anders. →7

a. Der Brief *von Jan* ist lang. Jans Brief ist lang.
b. Die Mutter *von Sara* wohnt in Frankfurt. .... Mutter wohnt ....
c. Der Sohn *von Veronika* ist zehn. ....
d. Das Auto *von Jens* ist kaputt. ....
e. Morgen kommt die Freundin *von Claudia*. ....
f. Der Familienname *von Antonio* ist Pino. ....
g. Der Ball *von Peter* ist nicht da. ....

8 Was passt? →7

a. Die Eltern von Lisa sind nicht da. *(aus | bei | ~~von~~)*
b. Lisa bestellt eine Pizza .... Bello. *(in | für | aus)*
c. Familie Jensen kommt .... Kopenhagen. *(aus | mit | in)*
d. Familie Schneider ist .... München. *(mit | aus | für)*
e. Volker studiert .... Berlin. *(in | aus | von)*
f. Er zeichnet sechs Gesichter .... zwei Minuten. *(von | in | mit)*
g. Natascha Schmitt ist Krankenschwester .... Beruf. *(bei | aus | von)*
h. Sie arbeitet .... Hamburg. *(in | aus | für)*
i. Werner Sundermann kommt aus Radebeul .... Dresden. *(mit | von | bei)*
j. Er trinkt gern Mineralwasser .... Kohlensäure. *(in | mit | für)*

9 Ergänzen Sie haben oder sein. →8

a. Ich habe heute Geburtstag.
b. Ich .... Krankenschwester von Beruf.
c. .... du verheiratet?
d. .... du Geld?
e. Familie Schneider .... zwei Kinder.
f. Werner .... 37 Jahre alt.
g. Wir sind aus Hamburg.
h. Wir .... einen Hund.
i. .... ihr schon lange hier?
j. .... ihr eine Reifenpanne?
k. .... Sie auch aus Hamburg?
l. .... Sie Probleme?

10 Ergänzen Sie. →8

a. Jan-Peter hat Geburtstag. — *Wer* hat Geburtstag?
b. Er ist fünf Jahre alt. — *Wie* alt ist er?
c. Herr Geißler wohnt in Oldenburg. — .... wohnt Herr Geißler?
d. Frau Beier kommt aus Bremen. — .... kommt Frau Beier?
e. Der Komponist heißt Schubert. — .... heißt der Komponist?
f. Herr Beckmann studiert in Wilhelmshaven. — .... studiert in Wilhelmshaven?
g. Die Tomaten wiegen zwei Kilo. — .... wiegen die Tomaten?
h. Morgen kommt Jochen. — .... kommt Jochen?
i. Normalerweise schneidet Max Haare. — .... schneidet normalerweise Haare?

11 Wie heißen die Jahreszahlen? 

a. siebzehnhundertzweiunddreißig — *1732*
b. achtzehnhundertsiebenundneunzig — ....
c. siebzehnhundertsechsundfünfzig — ....
d. achtzehnhundertdreiunddreißig — ....
e. neunzehnhundertsechsundvierzig — ....
f. zweitausendvier — ....

12 Schreiben Sie Sätze. 

a. Thomas Mann, Autor
*1875 Lübeck, †1955 Zürich
Der Autor Thomas Mann ist 1875 in Lübeck geboren.
1955 ist er in Zürich gestorben.

b. Pablo Picasso, Maler
*1881 Málaga, †1973 Mougins
Der .... *in* ....
1973 .... *in* ....

c. Ella Fitzgerald, Sängerin
*1917 Newport, †1996 Beverly Hills
....
....

d. Igor Strawinsky, Komponist
*1882 Lomonossow, †1971 New York
....
....

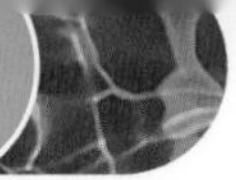

Nomen

s Angebot, -e
r Apfel, ¨
e Banane, -n
s Brot, -e
r Cent
e Durchsage, -n
r Euro
e Freundin, -nen
r Geburtstag, -e
s Gramm
r Kandidat, -en
e Karotte, -n
e Kartoffel, -n
s Kaufhaus, ¨er
s Kilo, -s ➔ Kilogramm
s Kilogramm
r Komponist, -en
s Lebensmittel, -
r Liter, -
r Markt, ¨e
e Milch
s Musikquiz ➔ Quiz
s Musikstück, -e
e Panne, -n
s Pfund
r Pilz, -e
e Pizza, Pizzas
r Preis, -e
s Quiz
e Reifenpanne, -n ➔ Panne
r Supermarkt, ¨e
e Tomate, -n
e Zwiebel, -n

Verben

bestellen
gewinnen
kosten
stimmen
weg sein
wiegen

Andere Wörter

bei
für
mit

denn
erst mal
geboren
genau
gestorben
weg
wie viel

Ausdrücke

Er weint, denn sein Hund ist weg.
Was kostet das?
Wie viel wiegt das?
Die Zwiebeln wiegen genau 748 Gramm.
Das stimmt.

In Deutschland sagt man:	**In Österreich sagt man auch:**
die Kartoffel	der Erdapfel
die Tomate	der Paradeiser
der Pilz	das Schwammerl
der Junge	der Bub

Kurssprache

r Genitiv, -e
lösen
üben

Üben Sie Frage und Antwort.
Lösen Sie die Aufgabe mit
einer Partnerin / einem Partner.

1 Wie schreibt man es richtig? Welche Wörter schreibt man groß? →2

a. zehnpolizistenschneidenzwanzigpilze

Zehn Polizisten ....

b. zweikilozwiebelnkostenzwanzigeuro

....

c. dreiunddreißigkarottenwiegenachthundertgramm

....

d. diezwillingesindbaldsiebzehnjahrealt

....

e. meinetascheistnassundkaputt

....

f. seineschwesterkannsehrschnellkartoffelnkochen

....

g. diestudentinzeichnetgerngesichter

....

2 Was passt? Ergänzen Sie. →2

Ges · Kaff · Ku · Ta · beque · v · J · ~~Flei~~ · Matra · M

a. dreißig: fleißig
b. Flasche: ...sche
c. Katze: ...tze
d. Bus: ...ss
e. kann: ...ann
f. Bier: ...ier
g. Haare: ...ahre
h. Tee: ...ee
i. nicht: ...icht
j. angenehm: ...m

3 Welche zwei Antworten passen? ✗ ✗ →4

a. Möchtest du etwas trinken?
- Ja gern. Ich habe Durst.
- Nein danke, jetzt nicht.
- Lieber ohne Käse.

b. Hast du Hunger?
- Das ist wunderbar.
- Oh ja. Hast du Schinken?
- Nein, aber ich habe Durst.

c. Möchtest du Käse essen?
- Ja, das möchte ich gern.
- Ja, ich habe Durst.
- Ja gern, aber mit Brot.

d. Trinkst du gern Saft?
- Ja, aber nur mit Wasser.
- Ja, aber hast du auch Bier?
- Ja, ich möchte gern etwas essen.

4 Wie heißen die Lebensmittel? →5

a

b

c

d

e

f

g

h

i

j

a. *der Schinken* ....
b. ....
c. ....
d. ....
e. ....
f. ....
g. ....
h. ....
i. ....
j. ....

5 Markieren Sie. →5

a. Was kann man essen?

- [ ] Geld
- [x] Apfel
- [ ] Kartoffel
- [ ] Karotte
- [ ] Bart
- [ ] Land
- [ ] Pilz
- [ ] Zelt
- [ ] Tomate
- [ ] Pizza

b. Was kann man trinken?

- [ ] Zwiebel
- [ ] Saft
- [ ] Käse
- [ ] Urlaub
- [ ] Wein
- [ ] Zeichnung
- [ ] Bier
- [ ] Gesicht
- [ ] Wasser
- [ ] Sprache

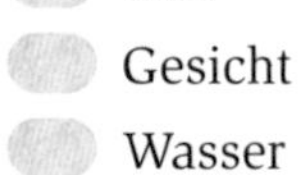

c. Was sind Personen?

- [ ] Frisör
- [ ] Krankenschwester
- [ ] Rad
- [ ] Luftballon
- [ ] Österreicher
- [ ] Freundin
- [ ] Sekunde
- [ ] Eltern
- [ ] Butter
- [ ] Tourist

6 Ergänzen Sie möchten. →6

a. ich – studieren *Ich möchte studieren.*
b. er – arbeiten *Er* ....
c. wir – packen ....
d. er – Ball spielen ....
e. ich – Bärte rasieren ....
f. wir – Wasser trinken ....
g. ich – Touristen zeichnen ....
h. sie – ein Rad wechseln ....

7 Wie heißen die Länder? Ergänzen Sie. →7

a. Kanada
b. ....silien
c. ....britannien
d. ....reich
e. ....tschland
f. ....chenland
g. ....gerien
h. der ....
i. die ....kei
j. ....land
k. ....na
l. ....dien
m. die ....

Bra · Grie · Tür · In · ~~Ka~~ · Deu · Groß · USA · Sudan · Chi · Russ · Frank · Al

8 Was passt zusammen? →8

a. Wie geht's?
b. Guten Abend, Volker!
c. Guten Morgen, Herr Winter!
d. Das ist Herr Bloch.
e. Arbeiten Sie hier?
f. Kommen Sie aus Italien?
g. Ist Herr Bloch Fotograf?
h. Studierst du Sport?

1. Nein, er ist Reporter.
2. Nein, ich studiere hier.
3. Nein, ich komme aus Spanien.
4. Danke gut.
5. Guten Morgen, Frau Humbold.
6. Ja, ich studiere Sport.
7. Freut mich, Herr Bloch.
8. Guten Abend, Heike!

9 Ergänzen Sie die Verben. →9

verdienst · schneide · springt · trinken · zeichnet · können · wiegt · wechselt · bestellt · heißt · erkenne

a. Er .... sechs Gesichter in zwei Minuten.
b. Die Katze .... sehr hoch.
c. Wir .... nicht gut singen.
d. Sie .... ein Rad in 27 Sekunden.
e. .... Sie gern Saft?
f. Ich .... blind sechzehn Sorten Mineralwasser.
g. Ich .... gern Haare und Bärte.
h. Der Apfel .... 180 Gramm.
i. .... du viel Geld?
j. Die Frau .... Mineralwasser.
k. Meine Frau .... Lisa.

10 Schreiben Sie die Sätze anders. →9

a. Er möchte dort eine Reportage machen.
Dort möchte er eine Reportage machen.

b. Sie trinkt normalerweise nur Wasser.
Normalerweise ....

c. Die Schlafsäcke sind bald trocken.
Bald ....

d. Sein Sohn macht immer Computerspiele.
Immer ....

e. Sie sind vierzehn Tage hier.
Vierzehn Tage ....

f. Sie kommt vielleicht aus Italien.
Vielleicht ....

g. Das Zelt ist natürlich sauber.
Natürlich ....

h. Er zeichnet Touristen in Berlin.
In Berlin ....

i. Pro Zeichnung braucht er etwa 30 Sekunden.
Etwa 30 Sekunden ....

11 Formen Sie die Sätze um. →9

a. Ich studiere in Deutschland.
b. Du spielst Klavier.
c. Er zeichnet in sechs Minuten zwei Gesichter
d. Wir sind heute glücklich.
e. Ihr springt hoch.
f. Sie verdienen Geld.

	möchten	**können**
a.	Ich möchte in Deutschland studieren.	Ich kann in Deutschland studieren.
b.	Du .... Klavier	Du ....
c.	....	....
d.	....	....
e.	....	....
f.	....	....

12 Verben: Konjugation → § 16

	haben	**möchten**
ich	hab**e**	möcht**e**
du	ha**st**	möcht**est**
er/sie/es	ha**t**	möcht**e**
wir	hab**en**	möcht**en**
ihr	hab**t**	möcht**et**
sie/Sie	hab**en**	möcht**en**

13 Verbklammer bei Modalverben → § 27

Vorfeld	*Verb (1)*	*Mittelfeld*		*Verb (2)*
Sie	**möchte**			**tanzen**.
Er	**möchte**	hier	eine Reportage	**machen**.
Hier	**möchte**	er	eine Reportage	**machen**.

Verbklammer

14 Ländernamen → § 6

Ländernamen ohne Artikel	
	Ich komme aus
Deutschland	Deutschland
Österreich	Österreich
Frankreich	Frankreich
Großbritannien	Großbritannien
...	...
Australien	Australien
Europa	Europa
...	...

Ländernamen mit Artikel	
	Ich komme aus
die Bundesrepublik Deutschland	**der** Bundesrepublik Deutschland
die Schweiz	**der** Schweiz
die Türkei	**der** Türkei
der Sudan	**dem** Sudan
die USA *(Plural)*	**den** USA *(Plural)*
die Niederlande *(Plural)*	**den** Niederlanden *(Plural)*
...	...

Nomen

r Abend, -e
r Autor, -en
e Autorin, -nen
e Birne, -n
e Butter
r Durst
s Eis
r Essig
s Fleisch
r Fotograf, -en
e Fotografin, -nen
r Hunger
r Käse
e Kohlensäure
r Kunststudent, -en → Student
e Luftmatratze, -n → Matratze
r Maler, -
e Malerin, -nen
e Matratze, -n
r Möbeltischler, - → Tischler
r Morgen
r Musiker, -
e Musikerin, -nen
s Öl, -e
s Praktikum, Praktika
r Reis
e Reportage, -n
e Sahne
r Salat, -e
r Schinken, -
e Schwester, -n
→ Krankenschwester
r Student, -en
e Studentin, -nen
r Tischler, -
r Zwilling, -e

Verben

essen
fotografieren
haben
lernen
malen
möchten
studieren

Andere Wörter

dann
etwas
lieber
mit
ohne
übrigens

Ländernamen

Deutschland
Russland
Griechenland
Frankreich
Großbritannien
Italien
Spanien
Brasilien
der Sudan
die Türkei
die U.S.A.
...

Ausdrücke

Guten Morgen.
Guten Abend.
Tag, ...
Übrigens, das ist Herr Winkler.
Er möchte eine Reportage machen.
Freut mich.
Ach, dann sind Sie ...?
Ach so.

Möchtet ihr etwas essen?
Ja gern.
Nein danke.
Habt ihr Hunger?
Ich habe Durst.
Mit oder ohne Brot?
Lieber ohne Brot.

Kurssprache

r Kursteilnehmer, -
e Kursteilnehmerin, -nen
e Lerneinheit, -en
mitlesen
Lesen Sie mit.

1 Ergänzen Sie die Wörter. →2

Ausland · Stelle · Ausländer · Praktikum · Firma · Arbeitsplatz

a. ◆ Möchten Sie hier arbeiten?
⊙ Ja, ich suche eine .... als Sekretärin.

b. ◆ Guten Tag. Kann ich Ihnen helfen?
⊙ Ja, ich möchte hier ein .... machen.

c. ◆ Ich möchte gern hier arbeiten.
⊙ Hier ist leider kein .... frei.

d. ◆ Wie bitte? Wie heißt Ihre ....?
⊙ Moment, ich buchstabiere.

e. ◆ Kommen Sie nicht aus Deutschland?
⊙ Doch, aber mein Mann ist ....

f. ◆ Ist dein Chef lange im ....?
⊙ Nein, er kommt morgen.

2 Ergänzen Sie. →4

Land	Mann	Frau	kommen aus	Staatsangehörigkeit
Japan	Japaner	Japanerin	Japan	japanisch
Italien		Italienerin		
Spanien	Spanier			
Argentinien		Argentinierin		
Griechenland	Grieche	Griechin	Griechenland	griechisch
Polen	Pole		Polen	
Frankreich	Franzose	Französin		französisch
China	Chinese			
Sudan	Sudanese		dem Sudan	
Iran		Iranerin	dem	iranisch
Schweiz	Schweizer		der	
Türkei	Türke		der	türkisch
Niederlande		Niederländerin	den Niederlanden	niederländisch
USA	Amerikaner		den	

3 Ergänzen Sie die Tabelle. →4

Sein Name ist Jensen. Sören ist sein Vorname. Er kommt aus Dänemark. In Kopenhagen ist er geboren, aber er wohnt und arbeitet in Flensburg. Er ist 25 Jahre alt und Informatiker von Beruf. Herr Jensen ist ledig. Seine Hobbys sind Surfen und Segeln.

Martina Oehri kommt aus der Schweiz. Sie ist in Luzern geboren und lebt in Zürich. Sie ist verheiratet und hat ein Kind. Frau Oehri ist 30 Jahre alt und von Beruf ist sie Sportlehrerin. Sie schwimmt und taucht gern.

	Herr Jensen	Frau Oehri
Vorname		
Beruf		
Staatsangehörigkeit	dänisch	schweizerisch
Wohnort		
Geburtsort		
Alter		
Familienstand		
Kinder		
Hobbys		

4 Ergänzen Sie die Texte. →4

	Frau Bloch	Herr Smetana
Vorname	Salima	Jaroslav
Beruf	Studentin	Arzt
Staatsangehörigkeit	deutsch	tschechisch
Wohnort	München	Prag
Geburtsort	Tunis	Pilsen
Alter	22	45
Familienstand	verheiratet	geschieden
Kinder	–	2
Hobbys	Segeln, Reiten	Reisen, Fotografieren

Salima Bloch ist in Tunis geboren, aber sie .... in München. Sie ist ...., ihr Mann ist Deutscher und ihre Staatsangehörigkeit .... Sie haben keine .... Salima ist .... Jahre ...., und sie .... und .... gern. Sie .... Kunst in München.

Herr Smetana ist Arzt von .... Er ist in ...., ... Jahre ...., und er .... in Prag. Er hat ...., aber er .... Seine Hobbys ....

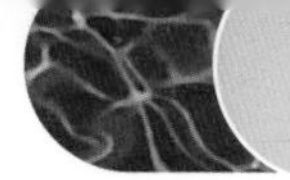

5 Und Sie? Ergänzen Sie die Tabelle und den Text.

→ 3

Vorname
Name
Alter
Geburtsort
Staatsangehörigkeit
Wohnort
Familienstand
Kinder
Beruf
Hobbys

Ich heiße .... und .... Jahre alt. Ich bin in .... geboren und meine Staatsangehörigkeit ist .... Ich wohne in .... Ich bin .... und habe .... Kinder. Ich bin .... von Beruf und meine Hobbys sind .... und ....

6 Was passt nicht? → 5

a. **spielen:** Tennis | Klavier | ~~Ansichtskarten~~
b. **kochen:** Kartoffeln | Spaghetti | Gitarre
c. **hören:** Kilogramm | Radio | Musik
d. **machen:** Klavier | Computerspiele | Camping
e. **schreiben:** Briefe | Tennis | SMS
f. **zeichnen:** Blumen | Menschen | Englisch
g. **fotografieren:** Durst | Hunde | Personen

7 Wie schreibt man die Sätze richtig? Was schreibt man groß? → 5

a. ichspielegutklavierundtanzegern

....

b. ichschreibegernbriefeundmachecomputerspiele

....

c. ichhöresehrgernmusikvonmozartundbeethoven

....

d. spielstdulieberfußballodertennis

.... ?

e. kannstdugutundschnellgesichterzeichnen

.... ?

f. kanndeineschwesterhochspringenundtieftauchen

.... ?

8 Was passt? Ergänzen Sie. →7

Medizin · Meter · Hobby · Spanisch · Herr · Gewicht · Jahre · Name

Sehr geehrter .... Maier,

mein .... ist Frank Müller. Ich bin 22 .... alt und 1,78 .... groß. Mein .... ist 72 Kilogramm. Ich studiere .... in München. Mein .... ist Reiten, aber ich kann auch gut surfen. Ich verstehe sehr gut Französisch und ....

9 Was passt zusammen? →7

- 55 Kilo
- 1,70 Meter
- Ja, und ein bisschen Spanisch
- Nein, das spiele ich leider nicht so gut
- Kunst
- Ich bin bald 20
- Nein, ich bin Studentin
- Ich kann viel verstehen

a. ◆ Können Sie Englisch? ⊙ *Ja, und ein bisschen* ....
b. ◆ Wie gut ist Ihr Spanisch? ⊙ ....
c. ◆ Wie viel wiegen Sie? ⊙ ....
d. ◆ Wie groß sind Sie? ⊙ ....
e. ◆ Wie alt sind Sie? ⊙ ....
f. ◆ Spielen Sie gut Tennis? ⊙ ....
g. ◆ Sind Sie Sekretärin? ⊙ ....
h. ◆ Was studieren Sie? ⊙ ....

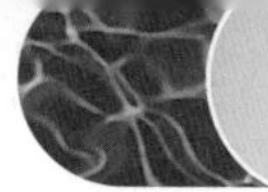

10 Länder, Einwohner, Staatsangehörigkeit → § 6, 7

Land	*Einwohner*	*Einwohnerin*	*Staatsangehörigkeit*
Deutschland	Deutscher	Deutsche	deutsch
Österreich	Österreicher	Österreicherin	österreichisch
die Schweiz	Schweizer	Schweizerin	schweizerisch
Polen	Pole	Polin	polnisch
Portugal	Portugiese	Portugiesin	portugiesisch
Tschechien	Tscheche	Tschechin	tschechisch
Tunesien	Tunesier	Tunesierin	tunesisch

! Meine Staatsangehörigkeit ist **d**eutsch.
Ich verstehe **D**eutsch.

Einwohner	*Einwohnerin*	*Ebenso:*
-(i)er	**-(i)erin**	Afrikaner, Ägypter, Brasilianer, Engl**ä**nder, Europ**ä**er, Inder, Iraner, Isl**ä**nder, Italiener, Japaner, Koreaner, Litauer, Marokkaner, Mexikaner, Neusee**lä**nder, Nieder**lä**nder, Norweger, Österreicher, Philippiner, Schweizer, Syrer, Ukrainer, Venezolaner …
Amerikan**er**	Amerikan**erin**	
Austral**ier**	Austral**ierin**	Belgier, Bosnier, Indonesier, Kanadier, Spanier, Tunesier …
-e	**-in**	Asiate, Baske, Brite, Bulgare, Chilene, Däne, Este, Finne, Grieche, Ire, Katalane, Kroate, Lette, Pole, Portug**ie**se, Rumäne, Russe, Schotte, Schwede, Senegalese, Serbe, Slowake, Slowene, Tscheche, Türke, Vietnamese …

! Ungar, Ungarin   Israeli, Israelin   **der** Deutsch**e** / **ein** Deutsch**er**

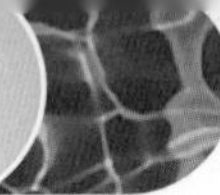

Nomen

s Alter
e Angabe, -en
r Animateur, -e
e Animateurin, -nen
e Arbeit, -en
r Arbeitsplatz, ¨-e
s Ausland
r Ausländer, -
e Bewerbung, -en
r Brief, -e
s Camping
r Chef, -s
r/e Deutsche, -n (ein Deutscher)
r Ehemann, ¨-er
r Einwohner, -
e Einwohnerin, -nen
e E-Mail, -s
r Familienstand
e Firma, Firmen
s Formular, -e
e Freizeit
r Fußball, ¨-e
r Geburtsort, -e
s Geschlecht, -er
s Gewicht, -e
e Gitarre, -n
e Größe, -n
e Informatikerin, -nen
s Internet
s Land, ¨-er
e Lehrerin, -nen
e Medizin
r Medizinstudent, -en ➔ Student
r Meter, -
e Sekretärin, -nen
r Sport
e Sprache, -n
e Staatsangehörigkeit, -en
e Stelle, -n
e Straße, -n
e Telefonnummer, -n
s Tennis
s Tischtennis ➔ Tennis
r Wohnort, -e ➔ Ort

Verben

reiten
segeln
suchen
tanzen
tauchen
verstehen

Andere Wörter

als
frei
geehrt
geschieden
ledig
männlich
verheiratet
weiblich

Ausdrücke

Sie möchte eine Stelle als Sekretärin.
Bewerbung als Animateur
Es ist kein Arbeitsplatz frei.
Ich verstehe Spanisch.

Sehr geehrte Frau …
Sehr geehrter Herr …
Mit freundlichen Grüßen …

Kurssprache

s Ergebnis, -se
r Punkt, -e
s Ratespiel, -e

raten
zählen
zeigen

Jeder kann 7-mal raten.
Zeigen Sie die Sätze noch nicht.
Zählen Sie die Punkte.

Das kann ich jetzt: ✗

- **Fragen, woher andere Menschen kommen**
- **Sagen, woher ich komme**

Das kann ich ◯ *gut.*
◯ *ein bisschen.*
◯ *noch nicht so gut.*

Woher kommen Sie?
Woher kommt ihr?

Ich komme aus Hamburg.
Ich bin aus Hamburg.

- **Menschen nach ihrem Beruf fragen**
- **Über Freizeitaktivitäten sprechen**

Das kann ich ◯ *gut.*
◯ *ein bisschen.*
◯ *noch nicht so gut.*

Was sind Sie von Beruf?
Sind Sie Lehrerin?

⊙ Was ist dein Hobby?
◆ Ich schwimme gern.

- **Über kleine alltägliche Probleme sprechen**
- **Alltagsgegenstände benennen**

Das kann ich ◯ *gut.*
◯ *ein bisschen.*
◯ *noch nicht so gut.*

Mein Telefon ist kaputt.
Unser Hund ist weg.

Das ist ein Rucksack.
Das ist meine Brille.

- **Lebensmittel benennen**
- **Über Lebensmittel sprechen**

Das kann ich ◯ *gut.*
◯ *ein bisschen.*
◯ *noch nicht so gut.*

Das ist Mineralwasser
ohne Kohlensäure.

⊙ Möchtest du Kartoffeln?
◆ Nein danke, lieber Reis.

Das kann ich jetzt: X

- **Nach Preisen fragen**
- **Sagen, wie viel Euro und Cent etwas kostet**

Das kann ich ○ *gut.*
○ *ein bisschen.*
○ *noch nicht so gut.*

Was kosten die Tomaten?

Die Tomaten kosten drei Euro und neunundneunzig Cent.

- **Lebensmittel in Kilo, Pfund und Gramm angeben**

Das kann ich ○ *gut.*
○ *ein bisschen.*
○ *noch nicht so gut.*

Ich möchte zwei Pfund Kartoffeln, bitte.

Der Käse wiegt 200 Gramm.

- **Die Zahlen von 100 bis 1000 verstehen**
- **Die Zahlen von 100 bis 1000 aussprechen**

Das kann ich ○ *gut.*
○ *ein bisschen.*
○ *noch nicht so gut.*

500 Gramm Pilze kosten drei Euro fünfundfünfzig.

Der Computer kostet vierhundertneunundneunzig Euro.

- **Jahreszahlen verstehen**
- **Jahreszahlen aussprechen**

Das kann ich ○ *gut.*
○ *ein bisschen.*
○ *noch nicht so gut.*

Elvis ist 1935 geboren.

Ich bin 1968 geboren. Meine Tochter ist 2001 geboren.

1 Was passt? →1

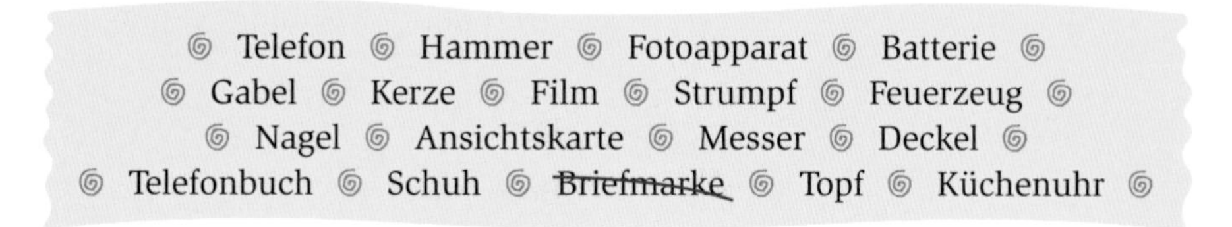

Telefon · Hammer · Fotoapparat · Batterie · Gabel · Kerze · Film · Strumpf · Feuerzeug · Nagel · Ansichtskarte · Messer · Deckel · Telefonbuch · Schuh · ~~Briefmarke~~ · Topf · Küchenuhr

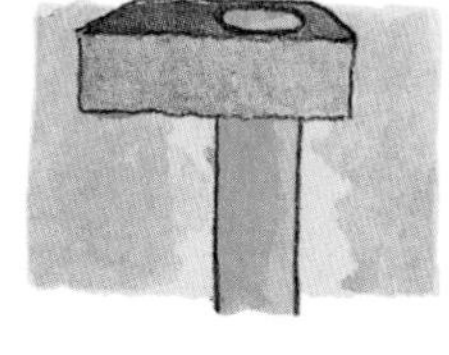

a. *Briefmarke* b. .... c. .... d. ....

e. .... f. .... g. .... h. .... i. ....

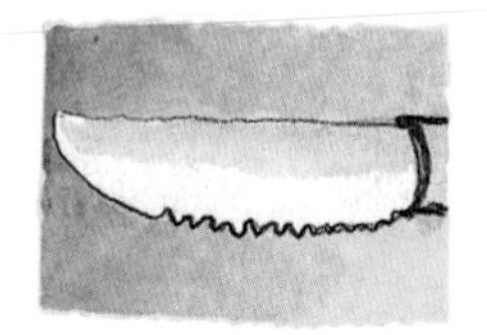
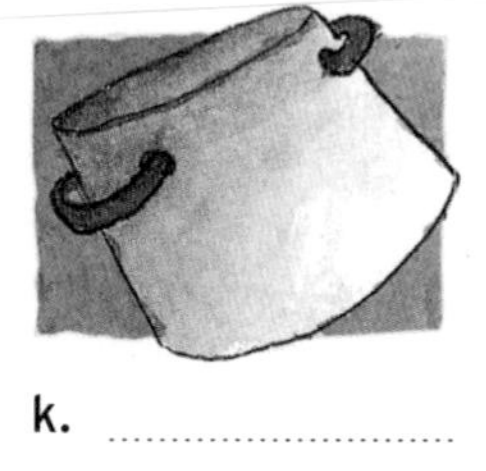

j. .... k. .... l. .... m. .... n. ....

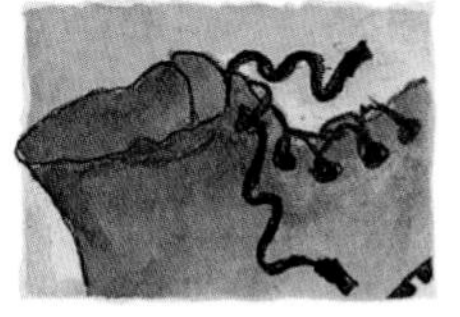
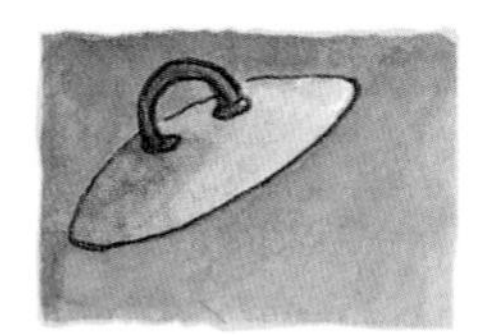

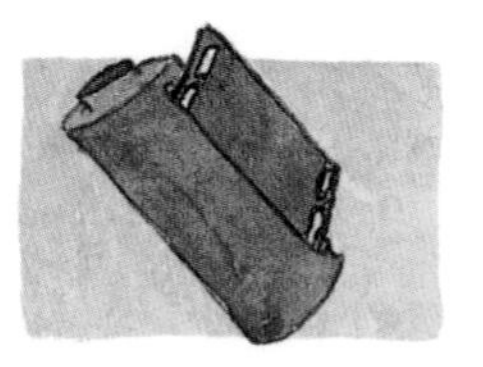

o. .... p. .... q. .... r. ....

2 Der, die oder das? →1

a. *die* Briefmarke
b. .... Feuerzeug
c. .... Hammer
d. .... Telefon
e. .... Fotoapparat
f. .... Batterie
g. .... Gabel
h. .... Nagel
i. .... Ansichtskarte
j. .... Messer
k. .... Topf
l. .... Küchenuhr
m. .... Strumpf
n. .... Telefonbuch
o. .... Schuh
p. .... Deckel
q. .... Kerze
r. .... Film

3 Was passt zusammen? Ergänzen Sie. →2

Tee · Öl · Birne · ~~Rucksack~~ · Zettel · Unfall · Pullover · Tomaten · Briefmarke

der Koffer *der Rucksack*
.... Jacke ....
.... Kaffee ....
.... Essig ....
.... Apfel ....
.... Pizza ....
.... Brief ....
.... Kugelschreiber ....
.... Polizeiauto ....

4 Der, die, das oder den? →4

a. .... Fotoapparat ist weg.
Er sucht .... Fotoapparat.

b. .... Schuhe sind nicht da.
Sie sucht .... Schuhe.

c. .... Telefonbuch ist weg.
Ich suche .... Telefonbuch.

d. .... Deckel ist weg.
Ich suche .... Deckel.

e. Sind .... Strümpfe nicht da?
Ich suche .... Strümpfe.

f. Ist .... Film nicht da?
Suchst du .... Film?

g. .... Feuerzeug ist nicht da.
Suchst du .... Feuerzeug?

h. .... Hammer ist weg.
Sie sucht .... Hammer.

i. Ist .... Messer nicht da?
Wir suchen .... Messer.

j. .... Gabel ist nicht da.
Er sucht .... Gabel.

k. .... Topf ist weg.
Sucht er .... Topf?

l. .... Briefmarke ist nicht da.
Suchst du .... Briefmarke?

m. Ist .... Nagel nicht da?
Wir suchen .... Nagel.

5 Möchtest du ...?, Suchst du ... ? Schreiben Sie Gespräche. →5

a. schreiben – Kugelschreiber
◆ *Möchtest du schreiben?*
⊙ *Ja, ich möchte schreiben.*
◆ *Suchst du den Kugelschreiber?*
⊙ *Ja, ich suche den Kugelschreiber.*

b. lernen – Bücher
◆ ....
⊙ ....
◆ ....
⊙ ....

c. telefonieren – Handy
◆ ....
⊙ ....
◆ ....
⊙ ....

d. fotografieren – Film
◆ ....
⊙ ....
◆ ....
⊙ ....

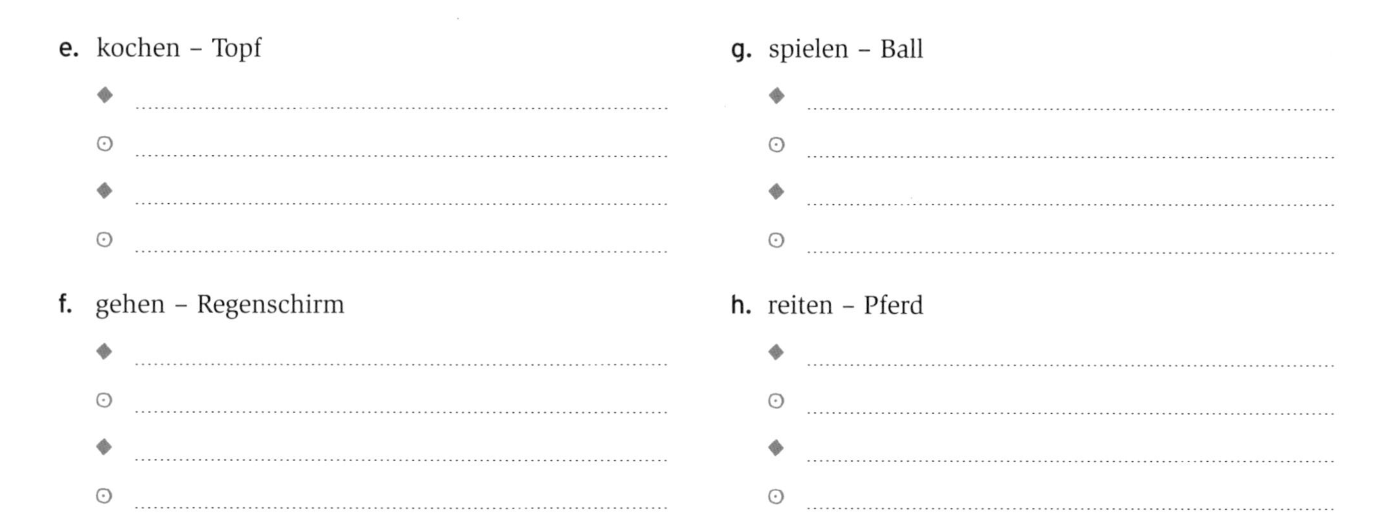

6 Ergänzen Sie ein, eine, einen, kein, keine, keinen. → 8

a. Brauchst du *ein* .... Pflaster? – Nein danke, ich brauche *kein* .... Pflaster.

b. Brauchst du .... Regenschirm? – Nein danke, ich brauche .... Regenschirm.

c. Brauchen Sie .... Briefmarke? – Nein danke, ich brauche .... Briefmarke.

d. Brauchst du .... Telefonbuch? – Nein danke, ich brauche .... Telefonbuch.

e. Brauchen Sie .... Hammer? – Nein danke, ich brauche .... Hammer.

f. Brauchst du .... Sonnenbrille? – Nein danke, ich brauche .... Sonnenbrille.

g. Brauchst du .... Mantel? – Nein danke, ich brauche .... Mantel.

7 Bilden Sie Sätze. → 8

a. Nagel – Hammer — *Der Tischler hat einen Nagel, aber er hat keinen Hammer.*

b. Sonnenbrille – Regenschirm — *Der Tourist* ....

c. Jacke – Mantel — *Ich* ....

d. Kerze – Feuerzeug — *Du* ....

e. Fragen – Antworten — *Der Mathematiklehrer* ....

f. Fotoapparat – Film — *Die Reporterin* ....

g. Zelt – Schlafsack — *Ihr* ....

h. 500 Euro – Münzen — *Die Touristin* ....

8 Nominativ oder Akkusativ? ✗ →8

	Nominativ	Akkusativ
a. Der Hammer ist nicht da.	✗	
b. Er sucht den Hammer.		✗
c. Er hat kein Taschentuch.		
d. Wir brauchen keinen Regenschirm.		
e. Mein Mantel ist weg.		
f. Sind die Gummistiefel nicht da?		
g. Ich suche die Telefonkarte.		
h. Wir brauchen keine Münzen.		

9 Verben mit Akkusativ. Was passt nicht? →10

a. **bestellen:** eine Pizza | ein Mineralwasser | ~~einen Moment~~ | Blumen
b. **hören:** einen Zug | ein Gespräch | ein Polizeiauto | eine Briefmarke
c. **lesen:** einen Nagel | einen Satz | eine Ansichtskarte | eine Information
d. **schicken:** eine E-Mail | einen Brief | einen Geburtstag | eine Bewerbung
e. **schneiden:** einen Apfel | Haare | eine Tomate | einen Topf
f. **schreiben:** einen Hammer | einen Brief | eine Ansichtskarte | einen Text
g. **trinken:** ein Bier | einen Saft | eine Gabel | Wasser
h. **verstehen:** einen Deckel | eine Sprache | ein Formular | ein Gespräch

10 Ergänzen Sie keinen/keine/kein und einen/eine/ein/-. →10

a. Er braucht *keinen* DVD-Rekorder. Er hat *ein* Fernsehgerät.
b. Sie braucht *k*.......... Plattenspieler. Sie hat .... Radio.
c. Wir brauchen *k*.......... Anrufbeantworter. Wir haben .... Handys.
d. Er braucht *k*.......... Auto. Er hat .... Fahrrad.
e. Sie möchte *k*.......... Hund haben. Sie hat .... Katze.
f. Er möchte *k*.......... Katzen haben. Er hat .... Hunde.
g. Sie möchte *k*.......... Fotoapparat haben. Sie hat .... Video-Handy.
h. Er schreibt *k*.......... Brief. Er schickt .... Ansichtskarte.

11 Artikel: Nominativ und Akkusativ → § 1

	Nominativ	*Akkusativ*
Maskulinum	**der** Löffel	**den** Löffel
Femininum	**die** Gabel	
Neutrum	**das** Messer	
Plural	**die** Töpfe	

Der Löffel ist weg. Ich suche **den** Löffel.
Die Gabel ist weg. Ich suche **die** Gabel.
Das Messer ist weg. Ich suche **das** Messer
Die Töpfe sind weg. Ich suche **die** Töpfe.

	Nominativ	*Akkusativ*
Maskulinum	**ein** Löffel	**einen** Löffel
Femininum	**eine** Gabel	
Neutrum	**ein** Messer	
Plural	Töpfe	

Da ist **ein** Löffel. Ich brauche **einen** Löffel.
Da ist **eine** Gabel. Ich brauche **eine** Gabel.
Da ist **ein** Messer. Ich brauche **ein** Messer
Da sind Töpfe. Ich brauche Töpfe.

	Nominativ	*Akkusativ*
Maskulinum	**kein** Löffel	**keinen** Löffel
Femininum	**keine** Gabel	
Neutrum	**kein** Messer	
Plural	**keine** Töpfe	

Da ist **kein** Löffel. Ich brauche **keinen** Löffel.
Da ist **keine** Gabel. Ich brauche **keine** Gabel.
Da ist **kein** Messer. Ich brauche **kein** Messer
Da sind **keine** Töpfe. Ich brauche **keine** Töpfe.

Im Femininum, Neutrum, Plural: Akkusativ = Nominativ

12 Subjekt, Verb und Akkusativ-Ergänzung → § 23b

Der Topf ist weg.	(**Topf** = Subjekt)
Ich suche **den Topf**.	(**Topf** = Akkusativ-Ergänzung)
Eine Pizza kommt.	(**Pizza** = Subjekt)
Ich brauche **keine Pizza**.	(**Pizza** = Akkusativ-Ergänzung)

Typische Verben mit Akkusativ-Ergänzung:
suchen, brauchen, haben, schneiden, schreiben, trinken, zeichnen ...

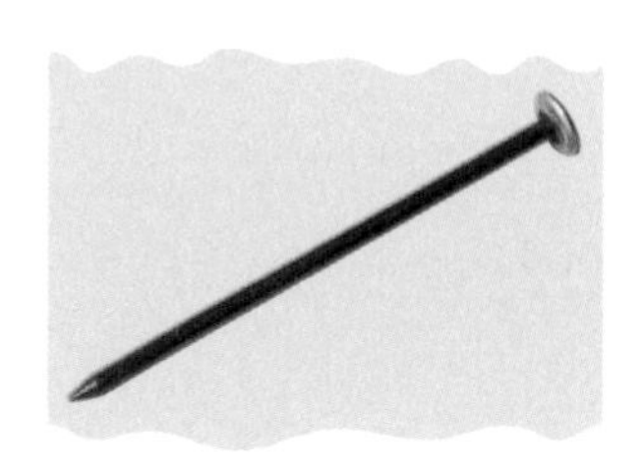

Nomen

r Anrufbeantworter, -
e Batterie, -n
r Computer, -
r Deckel, -
r DVD-Rekorder, -
s Fahrrad, ¨er
s Fernsehgerät, -e
s Feuerzeug, -e
r Fotoapparat, -e
e Gabel, -n
r Gegenstand, ¨e
r Geschirrspüler, -
r Gummistiefel, -
r Hammer, ¨
e Kerze, -n
e Küchenuhr, -en
r Mantel, ¨
s Messer, -
r MP3-Player, -
e Münze, -n
r Nachbar, -n
e Nachbarin, -nen
r Nagel, ¨
s Pflaster, -
r Plattenspieler, -
r Regenschirm, -e
e Situation, -en
e Sonnenbrille, -n
r Strumpf, ¨e
s Taschentuch, ¨er
s Telefonbuch, ¨er
e Telefonkarte, -n
r Topf, ¨e
r Umzug, ¨e

Verben

brauchen
suchen

Ausdrücke

Der Topf ist da.
Der Deckel ist weg.
Ich suche den Deckel.
Er hat keinen Regenschirm.
Er braucht einen Regenschirm.
Möchtest du einen Fotoapparat haben?

Kurssprache

r Nominativ, -e
r Akkusativ, -e
e Pantomime, -n

vorspielen
vortragen
zusammenpassen

Spielen Sie die Gespräche vor.
Tragen Sie die Ergebnisse vor.
Was passt zusammen?

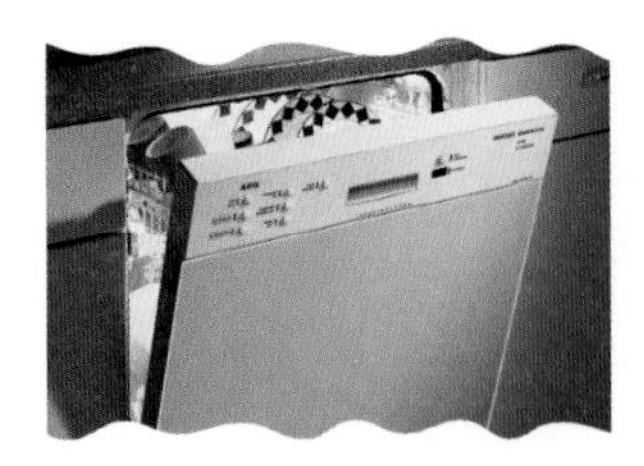

1 Was passt zusammen? →1

◎ Zeitung ◎ Fotoapparat ◎ ~~Bett~~ ◎ Computer ◎ Schuhe ◎ CD ◎ Filme ◎
◎ Drucker ◎ Kühlschrank ◎ Blumen ◎ Strümpfe ◎ Digitalkamera ◎ Bonbons ◎

a. Möbelgeschäft: *Bett*
b. Musikgeschäft: ....
c. Computergeschäft: ....
d. Kiosk: ....
e. Fotogeschäft: ....
f. Elektrogeschäft: ....
g. Schuhgeschäft: ....
h. Blumengeschäft: ....

2 Ergänzen Sie nicht oder keinen / keine / kein. →2

a. Er kann heute leider .... kochen.
b. Sie brauchen .... Pizza.
c. Ich habe .... Hund.
d. Sie möchte heute .... schwimmen.
e. Heute hat sie .... Tomaten.
f. Er arbeitet ....
g. Die Pizza ist .... so gut.
h. Hier ist .... Taxi.
i. Morgen sind wir .... in Berlin.

3 Sagen Sie es anders. →4

a. Sie hat einen Topf, aber einen Deckel hat sie nicht.
Sie hat einen Topf, aber sie hat keinen Deckel.

b. Er hat Schuhe, aber Strümpfe hat er nicht.
....

c. Sie hat Freunde, aber ein Handy hat sie nicht.
....

d. Er braucht Freiheit, aber Geld braucht er nicht.
....

e. Sie hat ein Zelt, aber ein Haus hat sie nicht.
....

f. Er braucht seine Freunde, aber ein Handy braucht er nicht.
....

g. Er hat einen Hund, aber eine Familie hat er nicht.
....

h. Sie hat ein Radio, aber einen Plattenspieler hat sie nicht.
....

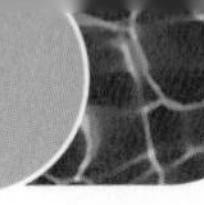

4 Ergänzen Sie. → 4

a. Jacke – Mantel *Sie hat eine Jacke. Einen Mantel hat sie nicht.*
b. Regenschirm – Gummistiefel *Er hat* ....
c. Zelt – Wohnung *Er hat* ....
d. Fahrrad – Wagen *Sie hat* ....
e. Nagel – Hammer *Er hat* ....
f. Kerze – Feuerzeug *Wir haben* ....
g. Film – Fotoapparat *Ihr habt* ....
h. Fragen – Antworten *Sie haben* ....

5 Ergänzen Sie einen/eine/ein/–, keinen/keine/kein. → 4

a. .... Haus und .... Wohnung hat Georg Walder nicht, aber .... Zelt hat er.
b. .... Handy braucht er nicht, aber trotzdem hat er überall .... Freunde.
c. Er braucht .... Wagen, ... Motorrad und auch .... Fahrrad.
d. Er hat .... Frau und .... Kinder.
e. Er hat .... Hund.
f. Er braucht .... Geld, aber er braucht .... Freiheit.

6 Wie heißen die Wörter? → 9

a. *das Bett*

b. ....

c. ....

d. ....

e. ....

f. ....

g. ....

h. ....

i. .... j. .... k. .... l. ....

m. .... n. .... o. .... p. ....

7 Richtig (r) oder falsch (f)? Was passt?

→ Kursbuch S. 63

a. ◯ Jochen Pensler studiert Sport.
b. ◯ Er hat kein Telefon und kein Radio.
c. ◯ Er braucht nur seine Bücher und seine Tiere.
d. ◯ Sein Hobby kostet aber nicht viel Zeit.
e. ◯ Bernd Klose ist Reporter von Beruf.
f. ◯ Deshalb arbeitet er oft zu Hause
g. ◯ Seine Wohnung hat vier Zimmer.
h. ◯ Er findet Möbel nicht wichtig.
i. ◯ Karin Stern ist von Beruf Fotografin.
j. ◯ Sie ist 33 und wohnt in Frankfurt.
k. ◯ Einen Computer braucht sie nicht.
l. ◯ Aber sie hat einen Geschirrspüler.
m. ◯ Linda Damke hat ein Segelboot.
n. ◯ Eine Wohnung und ein Auto hat sie nicht.
o. ◯ Im Sommer ist sie immer in Griechenland.
p. ◯ Ihre Kajüte ist groß und hat viel Platz.

8 Ergänzen Sie.

→ 9

Platz ◎ Mäuse ◎ Möbel ◎ Wohnung ◎ Bad ◎ Musik ◎ Reporter ◎ Geld

a. Jochen Pensler hat 6 Schlangen und 14 ....
b. Er braucht Bücher, aber er hört keine ....
c. Bernd Klose findet .... nicht wichtig.
d. Von Beruf ist er ....
e. Karin Stern hat im .... ein Fotolabor.
f. Nur für ihre Kameras braucht sie ....
g. Linda Damke braucht nicht viel ....
h. Sie hat kein Haus und auch keine ....

9 Zwei Wörter passen zusammen. Markieren Sie. → 9

a. Bett | Maus | Tisch
b. Schreibtisch | Schlange | Krokodil
c. Radio | Fernseher | Regenschirm
d. Möbel | Motorrad | Wagen
e. Luxus | Bett | Matratze
f. Wohnung | Briefmarke | Haus
g. Reporter | Musiker | Spinne
h. Sommer | Winter | Kiste
i. Mensch | Geld | Münzen
j. Tiere | Zoo | Segelboot

10 Gibt es hier einen Fernseher? Schreiben Sie. → 9

a. Fernseher *Gibt es einen* ? – *Ja, es gibt einen Fernseher.*
b. Krokodile *Gibt es Krokodile?* – *Nein, es gibt keine* .
c. Telefon *Gibt es ein Telefon?* – .
d. Spinne ? – .
e. Kiste ? – .
f. Bett ? – .
g. Fotoapparat ? – .
h. Schlangen ? – .
i. Kühlschrank ? – .
j. Topf ? – .
k. Tisch ? – .
l. Geschirrspüler ? – .

11 Ordnen Sie die Wörter. → 9

a. Er ist Reporter. er – selten – zu Hause – ist
Deshalb ist er selten zu Hause.

b. Sie liebt ihre Freiheit. sie – ein Segelboot – hat
Deshalb

c. Tiere sind sein Hobby. ein Zoo – sein Zimmer – ist
Deshalb

d. Er ist selten zu Hause. Möbel – findet – nicht – wichtig – er
Deshalb ....

e. Sie braucht keinen Luxus. sie – keinen Computer – auch – hat
Deshalb ....

f. Das Segelboot hat wenig Platz. nicht – bequem – ist – es – sehr
Deshalb ....

g. Er hört keine Musik. hat – kein Radio – er
Deshalb ....

12 Schreiben Sie die Sätze anders. → 9

a. Ich trinke keinen Alkohol. Alkohol trinke ich nicht.
b. Ich brauche keinen Computer. Einen Computer ....
c. Ich habe keine Tiere. Tiere ....
d. Ich brauche keine Unterhaltung. Unterhaltung ....
e. Ich habe kein Krokodil. Ein ....
f. Ich lese keine Bücher. ....
g. Ich habe kein Motorrad. ....
h. Ich bin kein Student. ....
i. Ich habe keine Probleme. ....

13 Ergänzen Sie ein, eine, einen oder –. → 9

a. Jochen Pensler studiert .... Biologie. Sein Zimmer ist .... Zoo. Er hat .... Schlangen, ... Spinnen, ... Mäuse und .... Krokodil. .... Tiere sind sein Hobby, aber sie kosten .... Zeit.

b. Karin Stern ist .... Sozialarbeiterin von Beruf. Ihr Bad ist eigentlich .... Fotolabor. Sie braucht .... Geld für ihre Kameras.

c. Bernd Klose ist .... Reporter. Er findet .... Möbel nicht wichtig. .... Bett hat er nicht, aber er braucht unbedingt .... Schreibtisch.

d. Linda Damke hat .... Segelboot. .... Wohnung braucht sie nicht. Ihr Segelboot bedeutet .... Freiheit.

14 Nomen: Gebrauch mit und ohne Artikel

Ohne Artikel	*Mit Artikel*
Bernd ist **Reporter** von Beruf.	**Ein Reporter** braucht ein Mobiltelefon.
Karin braucht **Geld**.	**Das Geld** ist weg.
Linda braucht **Freiheit**.	**Ihre Freiheit** findet sie wichtig.
Jochen liebt **Tiere**.	**Seine Tiere** sind sein Hobby.

15 Subjekt oder Akkusativ-Ergänzung im Vorfeld

→ § 28

Subjekt im Vorfeld:

Vorfeld	*Verb (1)*	*Mittelfeld*	*Verb (2)*
Bernd	braucht	drei Dinge.	
Ich	suche	eine Uhr.	
Wir	möchten	den Stuhl	kaufen.
Bernd	hat	keinen Wagen.	
Ich	suche	keine Brille.	
Wir	möchten	keine Schuhe	kaufen.

Akkusativergänzung im Vorfeld:

Vorfeld	*Verb (1)*	*Mittelfeld*		*Verb (2)*
Drei Dinge	braucht	Bernd.		
Eine Uhr	suche	ich.		
Den Stuhl	möchten	wir		kaufen.
Einen Wagen	hat	Bernd	nicht.	
Eine Brille	suche	ich	nicht.	
Schuhe	möchten	wir	nicht	kaufen.

16 Negation: nominal → verbal

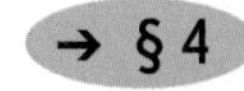

! Bernd hat **keinen** Wagen. → **Einen** Wagen hat Bernd **nicht**.
Wir möchten **keine** Schuhe kaufen. → **Schuhe** möchten wir **nicht** kaufen.

Nomen
e CD, -s
e Digitalkamera, -s
s Ding, -e
e Freiheit
r Fuß, ⸚e
s Haus, ⸚er
e Kamera, -s
r Kiosk, -e
s Krokodil, -e
r Kühlschrank, ⸚e
s Leben
e Maus, ⸚e
s Möbel, -
s Motorrad, ⸚er
r Platz, ⸚e
s Schlafzimmer, -
r Sommer, -
e Sozialarbeiterin, -nen
e Spinne, -n
s Tier, -e
r Tisch, -e
e Unterhaltung, -en
r Wagen, -
r Winter, -
e Wohnung, -en
s Zimmer, -

Verben
bedeuten
finden
geben

Andere Wörter
den
einen
keinen

andere
jeder
jemand
wen

auch nicht
bis
deshalb
gerne
gesund
mehr
noch
nur
okay
selbst
selten
so
überall
unbedingt
viel
wenig
wichtig
zurzeit

Ausdrücke
Eine Wohnung hat jeder.
Andere Leute haben ein Haus.
Die Tiere kosten viel Zeit.
Sie hat wenig Platz.
Einen Geschirrspüler findet sie nicht wichtig.
Der Rest ist nicht so wichtig.
Einen Fernseher hat er auch nicht.
Es gibt eine Matratze und einen Schreibtisch.
Ihr Segelboot bedeutet Freiheit.
Im Sommer ist sie in Deutschland.
Im Winter ist sie in Griechenland.
Manche Menschen haben zum Beispiel ein Krokodil.
Sie braucht Geld für ihre Kameras.
Mehr braucht sie nicht.
Wir haben noch Kartoffeln und Tomaten.
Er arbeitet heute bis acht.
Deshalb ist er selten zu Hause.

Kurssprache
r Hinweis, -e
e Überschrift, -en

formulieren

Was bedeutet das?
Welches Wort gibt den Hinweis?
Formulieren Sie es anders.
Finden Sie weitere Beispiele.

1 Ergänzen Sie der, die oder das. →1

a. die Anzeige
b. .... Wohnung
c. .... Haus
d. .... Apartment
e. .... Zimmer
f. .... Miete
g. .... Platz
h. .... Größe
i. .... Küche
j. .... Bad
k. .... Balkon
l. .... Telefonnummer
m. .... Adresse
n. .... Straße

2 Was passt? →1

Platz ~~Anzeigen~~ Balkon Küche Zimmer Adresse Quadratmeter Haustiere Miete

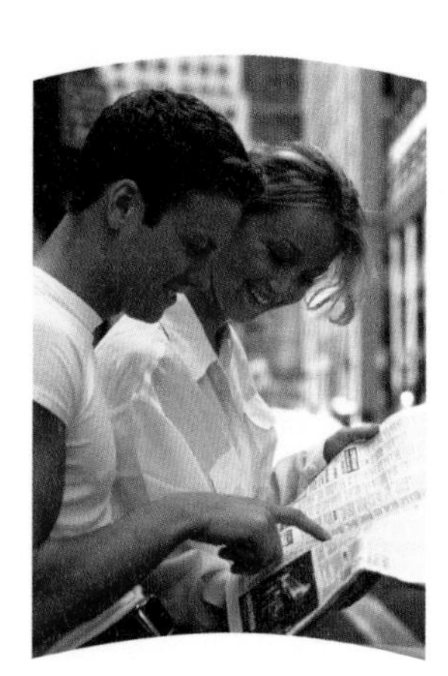

a. Er sucht eine Wohnung. Deshalb möchte er die Anzeigen lesen.
b. Die Wohnung ist schön und hat 150 ....
c. Leider gibt es keinen ....
d. Die .... ist 900 Euro.
e. Das Bad ist klein und hat wenig ....
f. Sie kochen gern. Ihre .... ist sehr groß.
g. Das Haus ist in Frankfurt. Die .... ist Berliner Straße 55.
h. Die Studentin hat keine Katze und keinen Hund. Sie hat keine ....
i. Der Student hat wenig Geld. Er sucht ein ....

3 Was passt zusammen? →3

a. Sag mal, wie heißt du denn?
b. Bist du Student?
c. Wo wohnst du denn jetzt?
d. Sind deine Eltern nett?
e. Die Miete ist 130 Euro.
Möchtest du das Zimmer haben?
f. Wann kannst du kommen?

1. Ja, aber ich möchte mehr Freiheit.
2. Morgen habe ich Zeit.
3. Natürlich möchte ich das Zimmer haben.
4. Noch zu Hause bei meinen Eltern.
5. Ja, ich studiere Biologie.
6. Peter heiße ich. Und du?

4 Ergänzen Sie der oder den. →4

a. ◆ Guten Tag. Ist der Kühlschrank noch da?
⊙ Ja, ... Kühlschrank haben wir noch.
Er kostet nur 200 Euro und ist neu.
◆ Ich möchte .... Kühlschrank kaufen.

b. ◆ Guten Tag. Haben Sie .... Kleiderschrank noch?
⊙ Ja, ... Kleiderschrank ist noch da.
◆ Wie viel kostet er denn?
⊙ .... Kleiderschrank kostet nur 100 Euro.

c. ◆ Guten Tag. Haben Sie .... Schreibtisch noch?
⊙ Ja, ... Schreibtisch haben wir noch.
◆ Wie alt ist er denn?
⊙ .... Schreibtisch ist 130 Jahre alt.

d. ◆ Guten Abend. Ist .... Herd noch da?
⊙ .... Herd haben wir leider nicht mehr.

5 Was passt nicht? →5

a. Computer | Fernseher | Geschirrspüler | ~~Topf~~
b. Segelboot | Schreibtisch | Stuhl | Schreibmaschine
c. Herd | Film | Geschirrspüler | Kühlschrank
d. Minute | Gaskocher | Uhr | Sekunde
e. Radio | Fernseher | Unterhaltung | Telefonbuch
f. Wohnung | Zimmer | Wagen | Haus
g. Löffel | Gabel | Nagel | Messer
h. Bett | Koffer | Tisch | Schrank

6 Ergänzen Sie er, sie, es, ihn. →6

a. Der Stuhl ist sehr bequem, aber er kostet 200 Euro. Vielleicht kaufe ich ihn.
b. Der Topf ist neu, aber .... hat keinen Deckel. Kaufst du ....?
c. Die Uhr kostet nur 5 Euro und .... ist fast neu. Kaufen Sie ....?
d. Der Kühlschrank ist schön, aber .... funktioniert nicht. Frau Fischer kauft .... nicht.
e. Das Radio hat keine Batterie und .... ist nicht schön. Wir kaufen .... nicht.
f. Der Fernseher ist alt, aber .... funktioniert gut. Kauft ihr ....?
g. Die Betten sind bequem und .... kosten zusammen nur 150 Euro. Möchtet ihr .... kaufen?
h. Das Handy ist schön, aber .... kostet 100 Euro. Herr und Frau Fischer möchten .... kaufen.

7 Ergänzen Sie die Pronomen. → 6

a. Der Reporter sucht den Tennisspieler. Er sucht ihn.
b. Der Tennisspieler sucht den Reporter. Er sucht ....
c. Die Frau sucht den Nagel. .... sucht ....
d. Die Krankenschwester sucht das Besteck. .... sucht ....
e. Die Studentin kauft die Bücher. .... kauft ....
f. Das Kind braucht das Messer. .... braucht ....
g. Der Tischler braucht den Hammer. .... braucht ....
h. Die Touristen fragen die Taxifahrer. .... fragen ....
i. Die Musikerin findet Freiheit wichtig. .... findet .... wichtig.
j. Die Reporterinnen finden die Filme gut. .... finden .... gut.
k. Der Student möchte das Zimmer haben. .... möchte .... haben.
l. Frau Fischer will die Schreibmaschine nicht kaufen. .... will .... nicht kaufen.
m. Die Frisörin kann den Mann schnell rasieren. .... kann .... schnell rasieren.

8 Was passt: Wer, wen oder was? Ergänzen Sie. → 6

a. Das ist Herr Nolte. Wer ist das?
b. Er sucht einen Lehrer. Wen sucht er?
c. Das ist ein Hammer. Was ist das?
d. Er braucht den Hammer. Was braucht er?
e. Wir suchen die Lehrerin. .... sucht ihr?
f. Die Lehrerin ist nicht da. .... ist nicht da?
g. Das Buch ist weg. .... ist weg?
h. Frau Stern sucht das Foto. .... sucht Frau Stern?
i. Der Reporter sucht die Sängerin. .... sucht der Reporter?
j. Der Computer ist kaputt. .... ist kaputt?
k. Ich brauche den Computer. .... brauchst du?
l. Sie liebt den Reporter. .... liebt sie?
m. Sie liebt Musik. .... liebt sie?
n. Sie kann den Freund gut verstehen. .... kann sie gut verstehen?
o. Er versteht gut Spanisch. .... versteht er gut?
p. Wir hören den Mann. .... hört ihr?
q. Er kann den Zug hören. .... kann er hören?
r. Er findet die Frau schön. .... findet er schön?
s. Er findet den Löffel nicht schön. .... findet er nicht schön?

9 Ergänzen Sie. → 6

a. In zwanzig Sekunden möchte Herr Noll zwanzig Kartoffeln essen.
Aber kann er sie in zwanzig Sekunden essen ?

b. In zwei Sekunden möchte Frau Nolte die Flasche Mineralwasser trinken.
Aber kann .... *in* ....?

c. In drei Sekunden möchte Frau Stern den Film wechseln.
Aber .... *in* ....?

d. In vierzehn Sekunden möchte Frau Schneider vierzig Zwiebeln schneiden.
Aber .... *in* ....?

e. In dreißig Sekunden möchte der Lehrer seine zwanzig Schüler blind erkennen.
Aber kann .... *in* ....?

f. In vierzig Sekunden möchten die Sekretärinnen vierzehn Briefe schreiben.
Aber .... *in* ....?

g. In zwei Minuten möchte Herr Thien zwölf Touristinnen zeichnen.
Aber kann .... *in* ....?

10 Ergänzen Sie einen, eine, ein oder -. → 6

a. Sie findet *einen* Fernseher, ... Fotoapparat und .... Mobiltelefon wichtig.

b. Der Mann hört .... Katze und .... Hund.

c. Der Tourist fotografiert .... Schlange und .... Verkäuferin.

d. Die Fotografin wechselt .... Film und .... Batterie.

e. Wir suchen .... Tisch, ... Bett und .... Schrank.

f. Sie schreiben .... Brief, ... Ansichtskarten und .... Postkarte.

g. Der Frisör schneidet .... Haare und .... Bärte.

h. Seine Frau schneidet .... Zwiebeln, ... Tomate und .... Karotte.

i. Der Reporter findet .... Sängerin und .... Fotografin interessant.

11 Wie finden die Leute ...? Ergänzen Sie. → 6

Eva Humbold	Werner Bergman
Reporter – interessant	Polizistinnen – nett
Katzen – schön	seinen Hund – prima
Luftballons – toll	Ansichtskarten – interessant
Reisen – herrlich	Segeln – wunderbar
Freiheit – wichtig	Geld – nicht so wichtig
ein Mobiltelefon – nicht so wichtig	aber Kreditkarten – herrlich

Und Sie?	
Frisöre / Studenten / Großväter ...	interessant / nicht so interessant / nett / freundlich / sympathisch ...
Katzen / Hunde / einen Papagei ...	schön / prima ...
Filme / Bücher / Briefmarken ...	toll / interessant ...
Reisen / Telefonieren / Tennis ...	herrlich / wunderbar / spannend ...
Musik / Unterhaltung / Luxus ...	wichtig / nicht so wichtig ...
ein Mobiltelefon / einen Fernseher / ein Radio ...	wichtig / nicht so wichtig ...

a. Eva Humbold *findet* Reporter .... *Katzen* findet sie .... und Luftballons .... toll. .... findet sie .... und .... nicht so wichtig.

b. Werner Bergman .... Polizistinnen .... er .... und .... interessant. .... er .... findet er ...., aber ....

c. Ich finde *(Frisöre)* .... sympathisch. *(Hunde)* .... finde ich .... und *(Filme)* .... finde ich .... *(Telefonieren)* .... finde ich nicht so wichtig, aber *(einen Fernseher)* .... finde ich wichtig.

12 Ergänzen Sie. → 8

a. Das ist Vanessa. Das ist *ihr* Regenschirm. *Er* ist neu. *Sie* zeichnet *ihn*.
b. Das ist Eva. Das ist .... Apfel. .... wiegt zweihundert Gramm. .... fotografiert ....
c. Das ist Uwe. Das ist .... Wagen. .... ist kaputt. .... möchte .... verkaufen.
d. Das sind Benno und Veronika. Das ist .... Koffer. .... ist neu. .... möchten .... packen.
e. Das ist Jörg. Das sind .... Gummistiefel. .... sind sehr bequem. .... braucht .... heute.
f. Das ist Peter. Das ist .... Freundin. .... ist sehr schön. Peter liebt ....
g. Das ist Frau Fischer. .... Geschirrspüler funktioniert nicht. .... ist sehr alt. Aber .... braucht ....
h. Das sind Herr und Frau Nolte. .... Hund ist weg. .... ist erst 1 Jahr alt. .... suchen ....

13 Personalpronomen: Nominativ und Akkusativ

→ § 8

	Nominativ	*Akkusativ*
Maskulinum	**er**	**ihn**
Femininum	**sie**	
Neutrum	**es**	
Plural	**sie**	

Der Stuhl ist schön. — Ich kaufe **den Stuhl**.
Er ist neu. — Ich kaufe **ihn**.
Die Uhr ist schön. — Ich kaufe **die Uhr**.
Sie ist neu. — Ich kaufe **sie**.
Das Telefon ist schön. — Ich kaufe **das Telefon**.
Es ist neu. — Ich kaufe **es**.

Die Schuhe sind schön. — Ich kaufe **die Schuhe**.
Sie sind neu. — Ich kaufe **sie**.

Im Femininum, Neutrum, Plural: Akkusativ = Nominativ

14 Personalpronomen im Satz

→ § 30

Vorfeld	*Verb (1)*	*Mittelfeld*		*Verb (2)*
Der Stuhl	ist		schön.	
Er	ist		schön.	
Frau Fischer	findet	ihn	schön.	
Sie	möchte	ihn		kaufen.
Sie	kauft	ihn.		
Die Uhr	ist		alt.	
Sie	ist		alt.	
Frau Fischer	findet	sie	nicht schön.	
Sie	möchte	sie	nicht	kaufen.
Sie	kauft	sie	nicht.	

15 Fragepronomen für Personen und Dinge

→ § 25c

	Personen	*Dinge*
Nominativ	**Wer** ist das?	**Was** ist das?
	Das ist **Herr Nolte**.	Das ist **ein Hammer**.
Akkusativ	**Wen** sucht er?	**Was** braucht er?
	Er sucht **einen Lehrer**.	Er braucht **einen Hammer**.

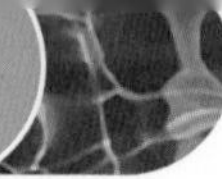

Nomen

e Anzeige, -n
s Apartment, -s
r Balkon, -s/-e
s Besteck, -e
s Bett, -en
e Biologie
s Haustier, -e ➔ Tier
r Herd, -e
e Küche, -n
e Lampe, -n
r Löffel, -
e Mathematik
e Miete, -n
e Physik
r Quadratmeter, - (m^2)
e S-Bahn, -en
e Schreibmaschine, -n
r Schreibtisch, -e
r Stuhl, ¨-e
e Uni, -s = e Universität, -n
e Zeitungsanzeige, -n ➔ Anzeige

Verben

anrufen
bezahlen
funktionieren
kaufen
passen
verkaufen
vermieten

Andere Wörter

ihn

ab
abends
fast
frei
möbliert
neu
nicht mehr
privat
verkauft
zusammen

Ausdrücke

Ab 18 Uhr.
Das Bett ist fast neu.
Das Besteck ist komplett.
Die Schreibmaschine ist noch da.
Der Schreibtisch ist nicht mehr da.
Das Klavier ist schon verkauft.
Sie haben zusammen eine Wohnung.
Sie haben ein Zimmer frei.
Zu vermieten.
Das geht nicht.
Die Anzeige passt.

Kurssprache

e Aufgabe, -n
e Lücke, -n
s Pronomen, -
e Tabelle, -n
r Unterschied, -e

beschreiben
besprechen

Lesen Sie zuerst die Aufgabe.
Welche Wörter passen in die Lücken?
Was sind die Unterschiede in den Texten?

In Deutschland sagt man:	**In Österreich sagt man auch:**	**In der Schweiz sagt man auch:**
der Stuhl	der Sessel	
die Telefonkarte	die Telefonwertkarte	die Taxcard
die Anzeige		die Annonce
der Schreibtisch		das Pult

1 Wie heißen die Wörter richtig? →1

a. die KEMARBRIEF die Briefmarke
b. die BRILSONNENLE ....
c. das GALRE ....
d. der MERHAM ....
e. der SCHRANKKÜHL ....
f. der TELMAN ....
g. der SCHIRMGENRE ....
h. der PICHTEP ....
i. die SEVA ....
j. der GELSPIE ....
k. der FELSTIEMIGUM ....

2 Ergänzen Sie den Plural. →1

a. der Schuh die Schuhe
der Beruf ....
der Brief ....
der Film ....
das Haar ....
der Hund ....
das Jahr ....
der Pilz ....
das Problem ....
der Tag ....
das Tier ....

b. der Topf die Töpfe
der Gruß ....
der Kuss ....
der Stuhl ....
der Strumpf ....
der Bart ....
der Sohn ....
der Saft ....

c. die Vase die Vasen
die Blume ....
die Lampe ....
die Briefmarke ....
die Brille ....
die Karotte ....
die Kiste ....
die Tasche ....
die Tomate ....
die Münze ....
der Junge ....

d. der Stiefel die Stiefel
der Spiegel ....
der Wagen ....
der Löffel ....
das Messer ....
der Lehrer ....
der Deckel ....
der Fernseher ....
der Geschirrspüler ....

3 Ergänzen Sie den Artikel und sch – st – sp. → 3

a. der Tisch
b. die Stadt
c. .... Kühl___rank
d. .... ___ortlehrer
e. .... ___rumpf
f. .... Gummi___iefel
g. .... Regen___irm
h. .... ___uhl
i. .... Pfla___er
j. .... Ta___entuch
k. .... ___inne
l. .... Geschirr___üler
m. .... ___lafzimmer
n. .... ___reibma___ine

4 Welche zwei Antworten passen? ✗ ✗ → 7

a. Kann ich mal den Kugelschreiber haben?
- Ja, gern, den kannst du haben.
- Gern. Hier bitte.
- Moment, die brauche ich gerade.

b. Hast du die Zeitung?
- Ja, die habe ich.
- Ja, gern, die kann er haben.
- Nein, die ist nicht da.

c. Ist das Messer nicht da?
- Nein, das ist nicht da.
- Nein, das suche ich gerade.
- Nein, der ist hier.

d. Wo sind die Löffel?
- Die sind hier.
- Ist das hier?
- Hier sind die.

5 Ergänzen Sie der oder den. → 7

a. Wo ist der Koffer?
Der ist nicht da.

b. Brauchst du den Kugelschreiber?
Nein, den brauche ich nicht.

c. Suchst du den Bleistift?
Ja, ... suche ich.

d. Kaufen sie den Stuhl?
Nein, ... kaufen sie nicht.

e. Ist der Brief nicht da?
Nein, ... ist nicht da.

f. Ist der Kleiderschrank neu?
Ja, ... ist neu. .... kaufen wir.

g. Kauft ihr den Wagen?
Ja, ... kaufen wir morgen. .... ist schnell und gut.

h. Findest du den Computer schön?
Nein, ... finde ich nicht so schön.

i. Schneidest du bitte den Pilz?
Ja, ... kann ich schneiden.

j. Kannst du den Krankenwagen hören?
Ja, natürlich höre ich ....

k. Kannst du den Satz schreiben?
Natürlich kann ich .... schreiben.

6 Ordnen Sie das Gespräch. → 9

- ◆ *Wie* ....
- ⊙ ....
- ◆ ....
- ⊙ ....
- ◆ ....
- ⊙ ....

- Meinst du das da?
- Kaufen wir es?
- Das ist nicht schlecht.
- Ja, das kaufen wir.
- Wie findest du das Regal?
- Ja.

7 Welche zwei Antworten passen?  

a. Suchst du eine Sonnenbrille?
- Nein, ich brauche keine.
- Ja, ich suche einen.
- Ja, ich brauche eine.

b. Wie findest du den Stuhl?
- Die sind schön.
- Den finde ich schön.
- Der ist schön.

c. Ich suche eine Vase.
- Hast du keine?
- Brauchst du eine?
- Meinst du den?

d. Kaufen wir die Lampe?
- Nein, wir brauchen keine.
- Ja, die kaufen wir.
- Nein, wir haben keine.

e. Schau mal, die Uhr ist schön.
- Meinst du die da?
- Ja, die finde ich auch schön.
- Sind da welche?

f. Hast du keine Gummistiefel?
- Nein, ich brauche welche.
- Nein, die sind nicht schön.
- Nein, aber ich kaufe welche.

8 Ergänzen Sie einer, eine, eins oder welche. 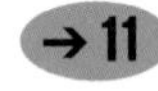

a. ◆ Der Regenschirm ist nicht so schön. ⊙ Kein Problem, hier ist noch *einer* .
b. ◆ Die Töpfe sind nicht so gut. ⊙ Aber hier sind noch ....
c. ◆ Das Messer ist nicht gut. ⊙ Kein Problem, hier ist noch ....
d. ◆ Die Stühle sind kaputt. ⊙ Kein Problem, hier sind noch ....
e. ◆ Der Tisch ist nicht schön. ⊙ Moment, hier ist noch ....
f. ◆ Der Fernseher funktioniert nicht. ⊙ Bitte, hier ist noch ....
g. ◆ Die Gabel ist alt. ⊙ Moment, hier ist noch ....
h. ◆ Den Tisch finden wir nicht schön. ⊙ Kein Problem, hier ist noch ....
i. ◆ Die Bücher sind nicht spannend. ⊙ Moment, hier sind noch ....
j. ◆ Das Buch finde ich nicht spannend. ⊙ Moment, hier ist noch ....
k. ◆ Die Vase ist kaputt. ⊙ Kein Problem, hier ist noch ....

9 Ergänzen Sie. →11

	Nominativ
Da ist	ein Teppich.
Da ist	eine Vase.
Da ist	ein Radio.
Da sind	Töpfe.

	Akkusativ
Ich brauche	einen Teppich.
Ich brauche	eine Vase.
Ich brauche	ein Radio.
Ich brauche	Töpfe.

	Akkusativ
Ich brauche	einen.
Ich brauche	eine.
Ich brauche	eins.
Ich brauche	welche.

a. Bild	*Da ist ein Bild.*	*Ich brauche*	*Ich brauche* ....
b. Stuhl	....	....	....
c. Vasen	....	....	....
d. Tisch	....	....	....
e. Regal	....	....	....
f. Uhr	....	....	....
g. Lampen	....	....	....
h. Tasche	....	....	....

10 Ergänzen Sie. →11

ein · eine · einer · eins · einen

a. Schau mal, da ist .... Regal. Ich brauche ....

b. Hier ist .... Vase. Ich brauche ....

c. Ich brauche .... Teppich und .... Tisch.

d. Brauchst du .... Teppich? Hier ist ....

e. Du suchst doch .... Regenschirm. Hier ist ....

f. Ist das .... Lampe? Ich suche ....

g. Ich brauche .... Feuerzeug. Haben Sie .... ?

h. Ich brauche .... Stuhl. Da ist ....

i. Haben Sie .... Topf? Ich brauche ....

j. Hier gibt es .... Radio. Wir brauchen ....

11 Ordnen Sie das Gespräch. → 11

◆ *Schau* ....

....

⊙ ....

◆ ....

⊙ ....

◆ ....

- Hast du keinen Teppich?
- Schau mal, da ist ein Teppich.
- Hier sind noch welche.
- Aber den finde ich nicht schön.
- Nein, ich habe keinen.
- Ich suche einen.

12 Ergänzen Sie. → 11

keiner · keinen · keine · keins

a. Haben Sie einen Spiegel? – *Nein, ich habe* ....

b. Kaufst du eine Lampe? – *Nein, ich brauche* ....

c. Hast du ein Regal? – *Nein, ich habe* ....

d. Gibt es hier Stühle? – *Nein, hier gibt es* ....

e. Suchst du einen Regenschirm? – *Ja, aber hier ist* ....

f. Ist hier ein Bild? – *Nein, hier ist* ....

g. Brauchst du einen Topf? – *Ja, aber hier ist* ....

h. Die Löffel sind schön. – *Ja, aber ich brauche* ....

i. Brauchen Sie einen Koffer? – *Nein, ich brauche* ....

j. Hast du ein Feuerzeug? – *Nein, ich habe* ....

 13 Pronomen: Nominativ und Akkusativ 

→ § 8, 9

Zum Vergleich:

Definiter Artikel:	**der** Stuhl
Definitpronomen:	**der**
Personalpronomen:	**er**

Indefiniter Artikel:	**ein** Stuhl
Indefinitpronomen:	**einer**
Negativpronomen:	**keiner**

Übersicht:

	Nominativ	*Akkusativ*
Maskulinum	**der**	**den**
	er	**ihn**
	einer	**einen**
	keiner	**keinen**

Der Stuhl ist schön. — Ich kaufe **den Stuhl**.
Der ist schön. — **Den** kaufe ich.
Er ist neu. — Ich kaufe **ihn**.
Hier ist **einer**. — Ich brauche **einen**.
Da ist **keiner**. — Ich brauche **keinen**.

	Nominativ	*Akkusativ*
Femininum	**die**	
	sie	
	eine	
	keine	

Die Uhr ist schön. — Ich kaufe **die Uhr**.
Die ist schön. — **Die** kaufe ich.
Sie ist neu. — Ich kaufe **sie**.
Hier ist **eine**. — Ich brauche **eine**.
Da ist **keine**. — Ich brauche **keine**.

	Nominativ	*Akkusativ*
Neutrum	**das**	
	es	
	eins	
	keins	

Das Telefon ist schön. — Ich kaufe **das Telefon**.
Das ist schön. — **Das** kaufe ich.
Es ist neu. — Ich kaufe **es**.
Hier ist **eins**. — Ich brauche **eins**.
Da ist **keins**. — Ich brauche **keins**.

	Nominativ	*Akkusativ*
Plural	**die**	
	sie	
	welche	
	keine	

Die Schuhe sind schön. — Ich kaufe **die Schuhe**.
Die sind schön. — **Die** kaufe ich.
Sie sind neu. — Ich kaufe **sie**.
Hier sind **welche**. — Ich brauche **welche**.
Da sind **keine**. — Ich brauche **keine**.

14 Rekapitulation: Nomen in Singular und Plural

Singular	*Symbol für Plural*	*Plural*	*So steht es in der Wortliste*
der Spiegel	-	die Spiegel	r Spiegel, -
die Tochter	¨	die T**ö**chter	e Tochter, ¨
der Brief	**-e**	die Brief**e**	r Brief, -e
der Stuhl	**¨e**	die St**ü**hl**e**	r Stuhl, ¨e
das Kind	**-er**	die Kind**er**	s Kind, -er
der Mann	**¨er**	die M**ä**nn**er**	r Mann, ¨er
der Junge	**-n**	die Junge**n**	r Junge, -n
die Frau	**-en**	die Frau**en**	e Frau, -en
das Auto	**-s**	die Auto**s**	s Auto, -s

Besondere Formen:
der Bus, Bus**se**
die Fotografin, Fotografin**nen**
die Firma, Firm**en**
das Datum, Dat**en**
das Zentrum, Zentr**en**
das Praktikum, Praktik**a**

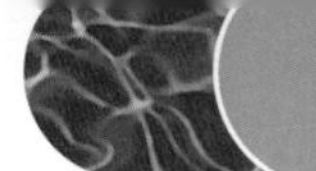

Nomen
r Bleistift, -e
r Fernseher, -
s Foto, -s
e Kiste, -n
r Kuss, ¨-e
s Regal, -e
r Rest, -e
s Segelboot, -e
r Spiegel, -
r Stiefel, -
s Wörterbuch, ¨-er

Verben
finden
leid tun
meinen
schauen

Andere Wörter
einer
eine
eins
keiner
keine
keins
welche

gerade
hässlich
noch
noch nicht
teuer
zu ...

Ausdrücke
Schau mal.
Meinst du den da?
Der Stuhl ist zu alt.
Hier ist noch einer.
Hier sind noch welche.
Einen Spiegel habe ich noch nicht.
Ich brauche keinen.
Kann ich mal den Bleistift haben?
Tut mir leid.
Den brauche ich gerade.
Wie findest du den?
Findest du die Straße?

Kurssprache
betont
markieren
ordnen
vorlesen

Welche Wörter sind betont?
Markieren Sie die Betonung.
Ordnen Sie die Wörter.
Lesen Sie den Text vor.

1 Wie schreibt man es richtig? Welche Wörter schreibt man groß? →1

a. suchstdudiespinne ... *Suchst du die Spinne?*
b. findestdutennisspannend ....?
c. kostetderstuhlnureineneuro ....?
d. stimmtdas ....?
e. kaufstdudiesportschuhe ....?
f. brauchstdudiestrümpfe ....?
g. spielstduklavier ....?
h. bistdustudentin ....?
i. studierstdusport ....?
j. springstduodernicht ....?

2 Ergänzen Sie St, st, Sp, sp. →1

a. Such*st* du die ......inne?
b. Finde...... du Tennis ......annend?
c. Ko......et der ......uhl nur einen Euro?
d. Ja, das ......immt.
e. Kauf...... du ihn?
f. Brauch...... du die ......rümpfe?
g. ......iel...... du Klavier?
h. Bi...... du ......udent?
i. ......udier...... du ......ort?
j. ......ring...... du oder nicht?

3 Ergänzen Sie den Singular oder den Plural. →1

a. Stuhl *Stühle*
b. .... Schränke
c. .... Uhren
d. Schlafsack ....
e. .... Mäuse
f. Schuh ....
g. Topf ....
h. .... Häuser
i. .... Blumen
j. .... Hämmer
k. Sprache ....

4 Ergänzen Sie. →2

a. Balkon ◆ *Wie findest du den Balkon?*
schön ⊙ *Den finde ich schön.*

b. Wohnung ◆ ....?
sehr groß ⊙ ....

c. Bad ◆ ....?
zu klein ⊙ ....

d. Küche ◆ ....?
prima ⊙ ....

e. Tisch ◆ ....?
toll ⊙ ....

f. Stühle ◆ ....?
bequem ⊙ ....

g. Lampen ◆ ....?
schön ⊙ ....

h. Teppich ◆ ....?
zu groß ⊙ ....

i. Regal ◆ ....?
gut ⊙ ....

j. Bild ◆ ....?
hässlich ⊙ ....

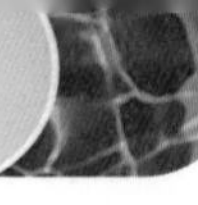

5 Da wohne ich. Lesen Sie den Text links und beschreiben Sie dann Ihre Wohnung / Ihr Zimmer.

→ 2

Meine Adresse: *Ich wohne in Neustadt, Alte Straße 5.*	Meine Adresse: ....
Meine Wohnung: *Es gibt ein Zimmer. Es hat 12 Quadratmeter. Eine Küche habe ich auch, aber die ist sehr klein. Mein Bad ist auch klein.*	Meine Wohnung: ....
Das finde ich gut: *Meinen Balkon. Da bin ich oft im Sommer.*	Das finde ich gut: ....
Meine Unterhaltung: *Ich höre gerne CDs, Jazz und Mozart. Ein Radio habe ich nicht.*	Meine Unterhaltung: ....
Meine Möbel: *Ich habe ein Bett und einen Kleiderschrank. Er ist sehr groß. Es gibt auch einen Schreibtisch, zwei Regale, und 333 Bücher.*	Meine Möbel: ....
Das habe ich auch: *Natürlich habe ich einen Computer und ein Handy. Ein Telefon gibt es nicht.*	Das habe ich auch: ....
Mein Traum: *Ein Haus, 3 Bäder, 5 Zimmer, 1000 Bücher, 2000 CDs und zwei Katzen.*	Mein Traum: ....

6 Vergleichen Sie die zwei Tische und ergänzen Sie. →2

		Bild 1:	Bild 2:
a.	Uhr	*Da ist eine Uhr.*	*Da ist auch eine.*
b.	Zettel	*Da gibt es einen Zettel.*	*Da gibt es auch einen.*
c.	Kugelschreiber	*Da gibt es*	*Da gibt es k* ....
d.	Brille	*Da ist*	*Da ist* ....
e.	Zeitung	*Da gibt es*	*Da gibt es* ....
f.	Buch	*Da ist*	*Da ist* ....
g.	Heft	*Da gibt es*	*Da gibt es* ....
h.	Foto	*Da ist*	*Da ist* ....
i.	Zeichnung	*Da gibt es*	*Da gibt es* ....
j.	Briefe	*Da sind*	*Da sind* ....
k.	Briefmarken	*Da gibt es*	*Da gibt es* ....
l.	Bus	*Da gibt es*	*Da gibt es* ....
m.	Taxi	*Da ist*	*Da ist* ....
n.	Blumen	*Da sind*	*Da sind* ....
o.	Fahrkarten	*Da gibt es*	*Da gibt es* ....

7 Ordnen Sie das Gespräch. →4

- Hallo Jens. Hörst du? Wo bist du?
- ~~Hallo, Walter, hier ist Jens. Ich bin in ...~~
- Wie ist das Wetter da?
- Was ist denn das Problem?
- In Rom bin ich.
- Meine Brille ist kaputt. Zu Hause ist noch eine.
- Wunderbar ist das Wetter hier. Aber ich habe ein Problem.
- Kein Problem, Jens. Ich schicke sie gerne.

◆ *Hallo Walter, hier ist Jens. Ich bin in ...*
⊙ ....
◆ ....
⊙ ....
◆ ....
⊙ ....
◆ ....
⊙ ....

8 Ergänzen Sie den Plural. → 6

a. die Kreditkarte — die Kreditkarten
b. .... Kontaktlinse ....
c. .... Abendkleid ....
d. .... Hotel ....
e. .... Museum ....
f. .... Restaurant ....
g. .... Geschäft ....
h. .... Geschirrspüler ....
i. .... Fernseher ....
j. .... Rasierapparat ....
k. .... Koffer ....
l. .... Zimmer ....
m. .... Schlüssel ....
n. .... Türke ....
o. .... Spanier ....

9 Ergänzen Sie. → 6

~~bin~~ · sind · gibt · finde · suche · kannst · Probleme · Problem · meine · mein · sie · ihn · es · eins · einer · welche · eine · weg

a.
Liebe Inge,
ich bin in Paris. Paris ist wunderbar.
Aber es .... ein ....
.... Rasierapparat ist weg.
Zu Hause ist noch ....
Kannst du .... bitte schicken?
Viele Grüße
Jens

b.
Lieber Udo,
ich bin in Athen. Die Stadt ist sehr
schön, aber ich habe ....
.... Brille ist weg. Zu Hause
ist noch .... Kannst du
.... bitte schicken?
Danke schön und herzliche Grüße
Karin

c.
Liebe Sara,
Rom .... ich wirklich schön.
Die Stadt ist interessant, die Leute
.... wunderbar, aber ich habe ein
Problem. Mein Abendkleid ist
kaputt. Zu Hause ist noch ....
Schickst du .... bitte?
Danke und liebe Grüße
Hannelore

d.
Lieber Peter,
Madrid ist herrlich! Die Restaurants
sind sehr gut. Aber ich habe ein
Problem: Ich .... meine Schecks.
Sie sind .... Zu Hause habe ich
noch .... du sie schicken?
Viele Grüße
Bernd

10 Schreiben Sie Gespräche und variieren Sie. → 6

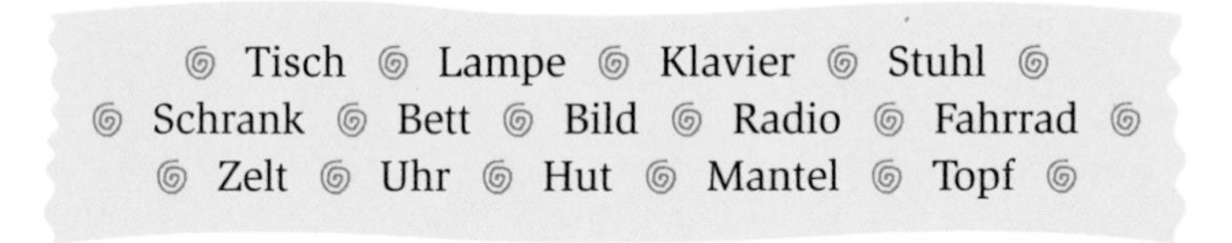

◆ Hier ist ein Tisch. Suchst du vielleicht einen?
⊙ Nein, vielen Dank. Ich brauche keinen.

◆ Hier ist eine Lampe. Suchst du vielleicht eine?
⊙ Nein, vielen Dank. Ich brauche keine.

◆ Hier ist ein Klavier. Suchst du vielleicht eins?
⊙ Nein, vielen Dank. Ich brauche keins.

◆ *Hier* ....
⊙ *Nein,* ....

◆ ....
⊙ ....

◆ ....
⊙ ....

◆ ....
⊙ ....

◆ ....
⊙ ....

◆ ....
⊙ ....

◆ ....
⊙ ....

◆ ....
⊙ ....

◆ ....
⊙ ....

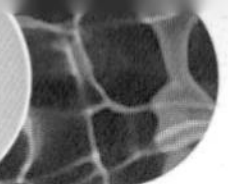

Nomen

s Abendkleid, -er → Kleid
r Autoschlüssel, - → Schlüssel
s Bad, ¨-er
e Europakarte, -n
s Fax, -e
s Geschäft, -e
e Hauptstadt, ¨-e
e Jugendherberge, -n
s Kleid, -er
e Kontaktlinse, -n
e Kreditkarte, -n
s Museum, Museen
r Rasierapparat, -e
s Restaurant, -s
e Rezeption, -en
r Scheck, -s
r Schlüssel, -
s Wohnzimmer, -
r Zimmerschlüssel, -

Andere Wörter

herzlich
hoch
klein
modern

Ausdrücke

Die Wohnung ist klein.
Die Miete ist hoch.
Herzliche Grüße …

Kurssprache

unten
jeweils
Verwenden Sie die Wörter unten auf der Seite.
Schreiben Sie jeweils drei Sätze.

Das kann ich jetzt: ✗

- **Alltagsgegenstände benennen**
- **Über Möbel sprechen**

Das kann ich *gut.*
ein bisschen.
noch nicht so gut.

Da ist ein Nagel und da ist ein Hammer.

⊙ Wie findest du den Stuhl?
◆ Den finde ich schön.

- **Sagen, dass etwas da ist**
- **Sagen, dass etwas nicht da ist**

Das kann ich *gut.*
ein bisschen.
noch nicht so gut.

Die Ansichtskarte ist da.

Aber die Briefmarke ist weg. Ich suche die Briefmarke.

- **Sagen, was ich brauche**
- **Sagen, was ich haben möchte**

Das kann ich *gut.*
ein bisschen.
noch nicht so gut.

Ich brauche ein Pflaster.

Ich möchte ein Videohandy.

- **Sagen, was ich wichtig finde**
- **Sagen, was ich unwichtig finde**

Das kann ich *gut.*
ein bisschen.
noch nicht so gut.

Freiheit finde ich wichtig.

Einen Geschirrspüler finde ich nicht so wichtig.

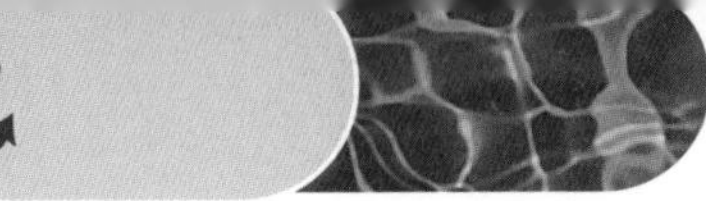

Das kann ich jetzt: ✗

■ **Anzeigen lesen und verstehen**

Das kann ich ◯ *gut.*
◯ *ein bisschen.*
◯ *noch nicht so gut.*

Zimmer in Uni-Nähe zu vermieten, möbliert, 23 m², Miete 300 Euro. Tel. 030/4735812

■ **Preise erfragen**

■ **Preise nennen**

Das kann ich ◯ *gut.*
◯ *ein bisschen.*
◯ *noch nicht so gut.*

Was kostet der Fernseher?

Der Geschirrspüler kostet 299 Euro.

■ **Um etwas bitten**

Das kann ich ◯ *gut.*
◯ *ein bisschen.*
◯ *noch nicht so gut.*

Kann ich mal das Wörterbuch haben?

Können Sie bitte ein Taxi bestellen?

■ **Kurze persönliche Mitteilungen schreiben**

Das kann ich ◯ *gut.*
◯ *ein bisschen.*
◯ *noch nicht so gut.*

Liebe Inge,
meine Autoschlüssel sind weg. Zu Hause sind noch welche.
Kannst du sie bitte schicken?
Dein Jens

Liebe Rebekka,
Samstag brauche ich einen Schlafsack. Du hast doch einen. Kann ich den haben?
Deine Linda

1 Was passt wo? Schreiben Sie. → 1

- die Ampel
- das Schild
- der Motorradfahrer
- die Feuerwehr
- der Fußgänger
- die Radfahrerin
- die Autofahrerin

a. ....

b. ....

c. ....

d. ....

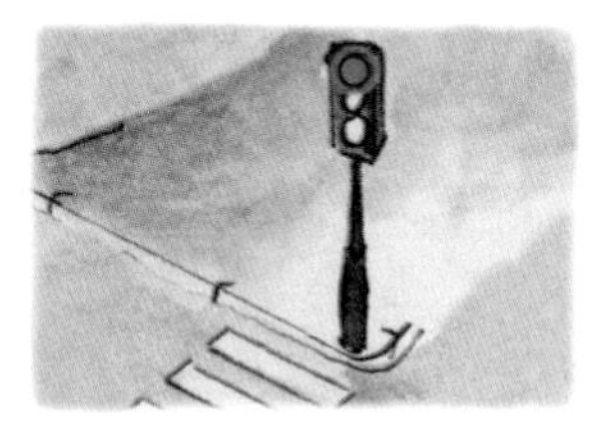
e. ....

f. ....

g. ....

2 Ergänzen Sie die Farben. → 1

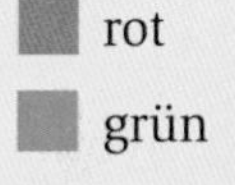
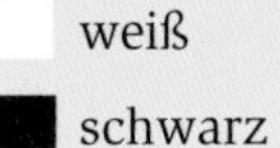

- rot
- grün
- gelb
- blau
- weiß
- schwarz

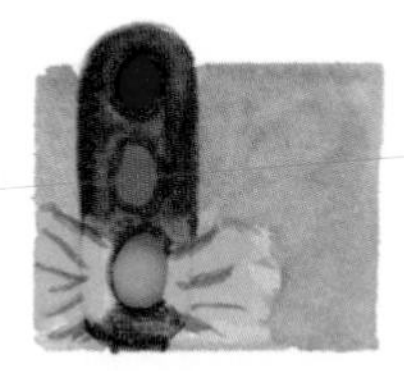
a. Die Ampel ist ....

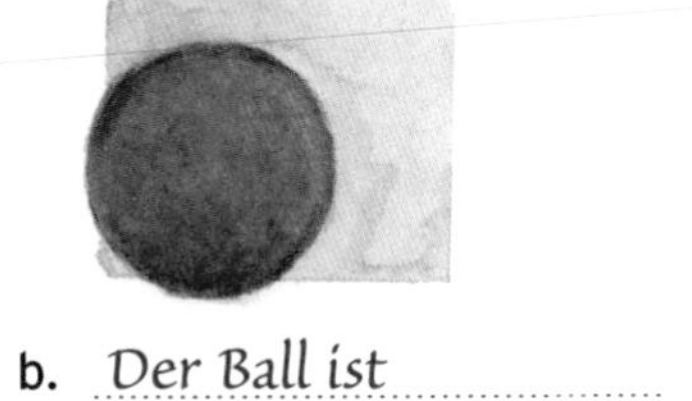
b. Der Ball ist ....

c. Die Katze ist ....

d. Das Auto ist ....

e. Die Banane ist ....

f. Der Pullover ist ....

3 Ergänzen Sie müssen und dürfen. 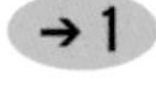 → 1

a. Der Fahrradfahrer *(müssen)* muss warten.
b. Wer *(dürfen)* .... fahren?
c. Die Autos *(dürfen)* .... jetzt fahren.
d. Du *(müssen)* .... hier warten.
e. Wo *(müssen)* .... die Fußgänger warten?
f. Ich *(dürfen)* .... jetzt gehen.
g. Die Feuerwehr *(dürfen)* .... immer fahren.
h. Wann *(müssen)* .... er gehen?
i. Warum *(müssen)* .... wir warten?
j. Du *(dürfen)* .... jetzt fahren.
k. *(dürfen)* .... ihr jetzt gehen?

4 Ergänzen Sie sollen. → 2

a. Wer .... Klavier üben?
b. Die Kinder .... ihre Hausaufgaben machen.
c. .... ich die Brille oder die Schuhe putzen?
d. Du .... jetzt keine Bonbons essen.
e. Wann .... ihr Englisch lernen?
f. Wir .... heute Tennis spielen.

5 Schreiben Sie Sätze. → 2

a. das Mädchen – im Internet surfen – wollen — *Das Mädchen will im Internet surfen.*
b. die Kinder – Englisch lernen – wollen — ....
c. du – jetzt telefonieren – wollen — .... ?
d. wir – heute Pizza essen – wollen — ....
e. ihr – Kaffee oder Tee trinken – wollen — .... ?
f. ich – einen Brief schreiben – wollen — ....

6 Ergänzen Sie die Verben. → 3

A. Sie *wollen* nicht tanzen. Sie *möchten* Tee trinken.
a. Ich .... nicht tanzen. Ich .... Tee trinken.
b. .... ihr nicht tanzen? .... ihr lieber Tee trinken?
c. Frau Bauer .... nicht tanzen. Sie .... lieber Tee trinken.

d. Wir .... nicht tanzen. Wir .... lieber Tee trinken.
e. .... du nicht tanzen? .... du lieber Tee trinken?

B. Sie *können* Pause machen. Sie *müssen* jetzt nicht tanzen.
a. Wir .... Pause machen. Wir .... jetzt nicht tanzen.
b. Ihr .... Pause machen. Ihr .... jetzt nicht tanzen.
c. Ich .... Pause machen. Ich .... jetzt nicht tanzen.
d. .... du Pause machen? .... du jetzt nicht tanzen?
e. Er .... Pause machen. Er .... jetzt nicht tanzen.

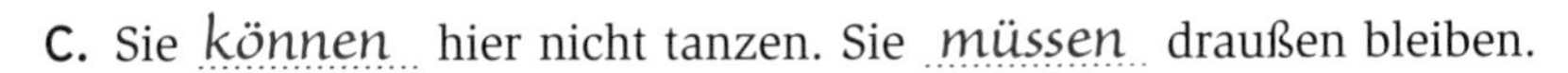

C. Sie *können* hier nicht tanzen. Sie *müssen* draußen bleiben.

a. Der Mann .... hier nicht tanzen. Er .... draußen bleiben.

b. Warum .... ich hier nicht tanzen? Warum .... ich draußen bleiben?

c. Du .... hier nicht tanzen. Du .... draußen bleiben.

d. Ihr .... hier nicht tanzen. Ihr .... draußen bleiben.

e. Warum .... wir hier nicht tanzen? Warum .... wir draußen bleiben?

7 Ergänzen Sie. → 3

	können	wollen	dürfen	müssen	sollen	möchten
ich	*kann*		*darf*		*soll*	
du		*willst*		*musst*		*möchtest*
er/sie/es/man			*darf*			
wir		*wollen*				
ihr	*könnt*		*dürft*		*sollt*	*möchtet*
sie/Sie				*müssen*		

8 Was passt? ✗ → 4

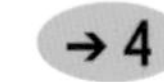

a. ◯ Er kann gut springen.
◯ Er kann nicht springen.

b. ◯ Sie darf nicht springen.
◯ Sie muss springen.

c. ◯ Er will springen.
◯ Er kann nicht springen.

d. ◯ Sie darf nicht springen.
◯ Sie muss springen.

e. ◯ Er soll nicht springen.
◯ Er soll springen.

f. ◯ Sie kann jetzt nicht springen.
◯ Sie will jetzt nicht springen.

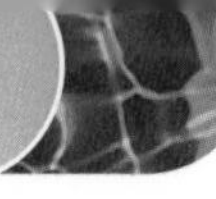

9 Bilden Sie Sätze. → 4

a. Das Mädchen: hoch springen können
Das Mädchen kann hoch springen.

b. Der Junge: tief tauchen können
Der Junge kann

c. Die Sportlehrerin: schnell schwimmen können
Die Sportlehrerin

d. Der Informatiker: schnell arbeiten müssen

e. Der Mann und die Frau: sehr gut tanzen können

f. Die Reporter: den Tennisspieler fotografieren müssen

g. Die Sekretärin: den Brief korrigieren müssen

h. Die Studentin: Chinesisch lernen wollen

i. Werner Sundermann: bald 25 Sorten Mineralwasser erkennen wollen

10 Was passt nicht? Markieren Sie und schreiben Sie dann den Satz. → 6

a. Ansichtskarte | ~~Kreditkarte~~ | E-Mail | Brief schreiben
Man kann eine Ansichtskarte, eine E-Mail und einen Brief schreiben.

b. Fernseher | Pizza | Lampe | Stern bestellen
Man kann

c. Mobiltelefon | Spiegel | Zug | Telefon hören

d. Wasser | Zwiebel | Tomate | Topf kochen

e. Französisch | Blume | Feuerzeug | Gummistiefel suchen

11 Bilden Sie Sätze. → 6

a. die Frau – gut – schwimmen können – aber – sie – nicht so gut – tauchen können

Die Frau kann gut schwimmen, aber sie kann nicht so gut tauchen.

b. das Kind – gut – schwimmen – können – aber – es – nicht – tauchen – können

Das Kind kann ....

c. die Studentin – schnell – zeichnen – müssen – aber – sie – nicht – schnell – zeichnen – können

....

d. der Reporter – wunderbar – surfen – können – aber – er – nicht – segeln – können

....

e. ihr – laut – singen – können – aber – ihr – auch – richtig – singen – müssen

....

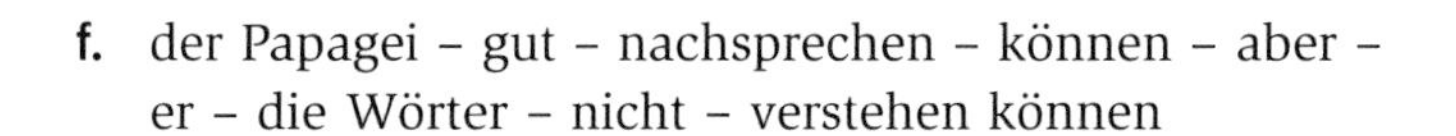

f. der Papagei – gut – nachsprechen – können – aber – er – die Wörter – nicht – verstehen können

....

g. die Kinder – gern – schwimmen – möchten – aber – sie – keine Bademütze – tragen – wollen

....

h. das Mädchen – gern – singen – möchten – aber – man – hier – nicht – laut – sein – dürfen

....

12 Ergänzen Sie nicht oder kein/keine/keinen. → 7

a. Hier darf man .... laut singen.

b. Hier darf man .... Handy benutzen.

c. Man kann hier .... schwimmen.

d. Man muss hier .... Krawatte tragen.

e. Hier kann man .... Regenschirm kaufen.

f. Man darf hier .... tief tauchen.

g. Hier darf man .... Apfel essen.

h. Man muss hier .... tanzen.

13 Bilden Sie Sätze mit **wollen, können, müssen.** → 8

a. Student: Pause machen – lernen

Der Student will Pause machen. Aber er kann keine Pause machen. Er muss lernen.

b. Junge: telefonieren – erst eine Telefonkarte kaufen

Der Junge will .... *Aber er kann nicht* ....
Er muss ....

c. Fotografin: fotografieren – erst den Film wechseln.

.... *Aber* ....
Sie ....

d. Tischler: Tee trinken – arbeiten

.... *Aber* ....
Er ....

e. Sängerin: singen – erst Tee trinken

.... *Aber* ....
Sie ....

14 Bilden Sie Sätze mit **sollen, können, müssen.** → 8

a. Junge: schnell schwimmen – noch trainieren

Der Junge soll schnell schwimmen. Aber er kann noch nicht schnell schwimmen.
Er muss noch trainieren.

b. Studentin: tief tauchen – es noch üben

Die Studentin soll .... *Aber sie kann noch nicht* ....
Sie ....

c. Kinder: richtig rechnen – sie es erst lernen

.... *Aber* ....
Sie ....

d. Mann: schnell reiten – es noch lernen

.... *Aber* ....
Er ....

e. Studenten: genau zeichnen – es noch üben

.... *Aber* ....
Sie ....

15 Konjugation: Modalverben → § 16, 17

	können	**müssen**	**dürfen**	**wollen**	**sollen**	**möchten**
ich	**kann**	**muss**	**darf**	**will**	**soll**	möcht**e**
du	**kannst**	**musst**	**darfst**	**willst**	**sollst**	möcht**est**
er / sie / es / man	**kann**	**muss**	**darf**	**will**	**soll**	möcht**e**
wir	können	müssen	dürfen	wollen	sollen	möchten
ihr	könnt	müsst	dürft	wollt	sollt	möchtet
sie / Sie	können	müssen	dürfen	wollen	sollen	möchten

16 Verbklammer bei Modalverben → § 27

Vorfeld	*Verb (1)*	*Mittelfeld*		*Verb (2)*
	Darf	er		**fahren**?
Er	**muss**		hier	**warten**.
Hier	**darf**	er	nicht	**fahren**.

Verbklammer

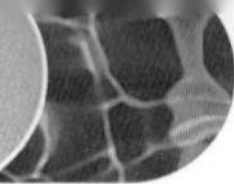

Nomen
e Ampel, -n
e Angst, ¨-e
e Bademütze, -n
e Feuerwehr, -en
r Fußgänger, -
e Fußgängerin, -nen
e Hausaufgabe, -n
e Krawatte, -n
r Motorradfahrer, -
e Pause, -n
e Radfahrerin, -nen
e Ruhe
s Schild, -er
s Spiel, -e
s Stoppschild, -er ➔ Schild
r Teilnehmer, - (Kursteilnehmer)
s Wasser
r Wasserball, ¨-e
r Zahn, ¨-e

Verben
benutzen
bleiben
dürfen
fahren
müssen
putzen
rauchen
schießen
sollen
springen
tragen
wollen

Andere Wörter
man

blau ■
draußen
erst
gelb ■
grün ■
laut
rot ■
schwarz ■
verrückt
weiß □

Ausdrücke
Er will springen.
Er darf springen.
Er darf nicht springen.
Er soll springen.
Er muss springen.
Er hat Angst.
Hier darf man nicht fotografieren.
Sie müssen draußen bleiben.
Er soll seine Zähne putzen.
Man soll hier nicht laut sein.
Hier muss man eine Bademütze tragen.

Kurssprache
e Konjugation, -en
e Negation, -en

1 Ergänzen Sie die Verben. → 1

zerbrechen · bemalen · sehen · betreten · tragen · waschen · sprechen · essen

a. Die Kinder .... eine Katze.

b. Die Jungen .... einen Zug.

c. Die Frauen .... zu laut.

d. Die Männer .... eine Brücke.

e. Die Frauen .... Eis mit Salz.

f. Die Kinder .... einen Horrorfilm.

g. Sie .... das Geschirr.

h. Sie .... keine Schuhe.

2 Was ist positiv? Was ist negativ? Ordnen Sie. → 1

~~Das finde ich sehr gut.~~ · ~~Das geht doch nicht.~~ · Das darf man nicht machen. · Das ist herrlich. · Das schmeckt doch nicht. · Das finde ich scheußlich. · Das ist verboten. · Das ist sehr schön. · Das macht man nicht. · Das finde ich wunderbar. · Das ist toll. · Das ist dumm. · Das finde ich nett. · Das darf man nicht. · Natürlich geht das. · Das ist prima.

☺	☹
Das finde ich sehr gut.	*Das geht doch nicht.*
....	....
....	....
....	....
....	....
....	....
....	....
....	....

3 Ergänzen Sie. → 2

a. essen – Apfel — Curt isst einen Apfel.

b. zerbrechen – Flasche — Vera ....

c. waschen – Apfel — Curt ....

d. sprechen – Englisch — Curt ....

e. betreten – Zimmer — Vera ....

f. tragen – Koffer — Curt ....

g. sehen – Maus — Vera ....

h. vergessen – Tasche — Vera ....

4 Was schreibt der Mann in seiner Kontaktanzeige? r f → Kursbuch S. 85 → 3

a. ◯ Er putzt nie seine Zähne.

b. ◯ Sein Auto wäscht er nie.

c. ◯ Er raucht und trinkt viel.

d. ◯ Er spielt Gitarre.

e. ◯ Horrorfilme sieht er gern.

f. ◯ Sonntags trägt er eine Krawatte.

g. ◯ Museen liebt er sehr.

h. ◯ Er isst immer Pizza und Hamburger.

i. ◯ Geburtstage vergisst er nie.

j. ◯ Er spricht sehr laut.

k. ◯ Er zerbricht dauernd seine Spiegel.

l. ◯ Seine Schuhe putzt er nie.

m. ◯ Er bemalt gern Toilettenwände.

5 Ergänzen Sie. → 3

a. Ich vergesse alle Geburtstage. — Vergisst du auch alle Geburtstage?

b. Ich trage immer Schuhe. — .... du auch immer Schuhe?

c. Ich esse nie Kartoffeln. — .... nie Kartoffeln?

d. Ich zerbreche dauernd meine Brille. — .... dauernd deine Brille?

e. Ich sehe gern Filme. — .... gern Filme?

f. Ich betrete nie den Rasen. — .... nie den Rasen?

g. Ich spreche Deutsch. — .... Deutsch?

h. Ich wasche nicht gern. — .... nicht gern?

6 Ergänzen Sie. → 3

	ich	du	er / sie / es / man	wir	ihr	sie / Sie
essen	*esse*					
vergessen			*vergisst*			
betreten						*betreten*
sprechen		*sprichst*				
zerbrechen					*zerbrecht*	
sehen				*sehen*		
tragen		*trägst*				
waschen			*wäscht*			

7 Ergänzen Sie. → Kursbuch S. 87 → 7

a. Du sollst den .... nicht betreten
Und am Abend sollst du ....
Vitamine sollst du ....
Und .... nicht vergessen

b. .... sollen nicht beim Spiel betrügen
Und wir sollen auch nie ....
Wir sollen täglich .... putzen
Und die Kleidung nicht ....

c. Kinder sollen leise ....
.... darf man nicht zerbrechen
Sonntags trägt man einen ....
.... sind nicht gut

d. Ich .... alle Sterne kennen
meinen Hund mal .... nennen
Nie mehr will ich Strümpfe ....
Tausend Bonbons will .... naschen

e. Ich will keine Steuern ....
Alle .... bunt bemalen
Ohne .... will ich gehen
Ich will nie mehr Tränen ....

f. Ich .... nichts mehr sollen müssen
Ich möchte einen Tiger ....
.... möchte alles dürfen wollen
Alles können - nichts mehr ....

8 Ergänzen Sie. → 7

a. Er *(wollen)* will keine Vitamine essen.
b. Er *(müssen)* .... seine Schuhe putzen.
c. *(möchten)* .... du einen Tiger küssen?
d. Das Kind *(dürfen)* .... den Rasen betreten.
e. *(dürfen)* .... du ein Bonbon naschen?
f. Das Mädchen *(sollen)* .... seine Zähne putzen.
g. Ich *(können)* .... nicht alle Sterne kennen.
h. Der Junge *(möchten)* .... laut sprechen.
i. *(können)* .... du Gitarre spielen?
j. *(wollen)* .... du die Wand bunt bemalen?
k. Wir *(müssen)* .... leider Steuern zahlen.
l. Ich *(sollen)* .... sonntags immer einen Hut tragen.
m. *(müssen)* .... ihr eine Krawatte tragen?

9 Was passt nicht? → 7

a. einen Rasen | ein Haus | ein Restaurant | ~~den Abend~~ | ein Museum **betreten**
b. eine Pizza | Kartoffeln | einen Hamburger | einen Spiegel | einen Apfel **essen**
c. einen Hut | Schuhe | eine Pause | eine Brille | ein Kleid | eine Krawatte **tragen**
d. ein Kleid | die Zukunft | einen Mantel | einen Spiegel | einen Teppich **beschmutzen**
e. die Zähne | die Wohnung | den Herd | das Motorrad | die Stiefel | den Urlaub **putzen**
f. die Haare | die Strümpfe | einen Rasen | die Kartoffeln | das Gesicht **waschen**
g. einen Spiegel | eine Brille | eine Flasche | einen Stuhl | eine Vase | einen Geburtstag **zerbrechen**
h. Mineralwasser | Saft | Tee | Bonbons | Alkohol **trinken**
i. eine Wand | ein Haus | einen Luftballon | Vitamine | eine Postkarte | eine Vase **bemalen**

10 Wie heißen die Wörter? → 7

a. die P a use
b. .... R ... he
c. .... Kr ... watte
d. .... Mobilt ... lefon
e. .... B ... demütze
f. .... Kred ... tkarte
g. .... Ras ... n
h. .... A ... end
i. .... Ter ... in
j. .... Kleid ... ng
k. .... S ... ern
l. .... K ... tze
m. .... T ... äne
n. .... G ... burtstag
o. .... Git ... rre
p. .... T ... ger

11 Schreiben Sie kleine Reime. → 8

- Klavier, Tier, Bier, vier, hier
- Haus, Maus, aus, Blumenstrauß
- Gesicht, nicht, Gewicht
- Haare, Jahre, ich fahre
- Tasche, Flasche, ich nasche
- Schluss, Kuss, ich muss
- fragen, sagen, tragen
- Reis, Preis, weiß

- brauchen, rauchen, tauchen
- Bank, Schrank
- Katze, Matratze
- Bett, nett
- Brief, tief
- Wein, mein, dein
- Schinken, winken
- Butter, Mutter

- Kaffee, Tee
- Schild, Bild
- Schlange, lange
- Sekunde, Hunde
- gehen, sehen
- lachen, machen
- leben, geben
- malen, bezahlen
- schreiben, bleiben

Ein Mann spielt erst Klavier
und dann trinkt er ein Bier.

oder:

Darf ich Sie mal etwas fragen?
Oder können Sie nichts sagen?

12 Konjugation: Verben mit Vokalwechsel → § 15

	sprechen	
	e → i	
ich	spreche	
du		sprichst
er / sie / es / man		spricht
wir	sprechen	
ihr	sprecht	
sie / Sie	sprechen	

	essen	vergessen	zerbrechen	geben	betreten	sehen
ich	esse	vergesse	zerbreche	gebe	betrete	sehe
du	isst	vergisst	zerbrichst	gibst	betrittst	siehst
er / sie / es / man	isst	vergisst	zerbricht	gibt	betritt	sieht
wir	essen	vergessen	zerbrechen	geben	betreten	sehen
ihr	esst	vergesst	zerbrecht	gebt	betretet	seht
sie / Sie	essen	vergessen	zerbrechen	geben	betreten	sehen

	tragen	
	a → ä	
ich	trage	
du		trägst
er / sie / es / man		trägt
wir	tragen	
ihr	tragt	
sie / Sie	tragen	

	waschen	
ich	wasche	
du		wäschst
er / sie / es / man		wäscht
wir	waschen	
ihr	wascht	
sie / Sie	waschen	

Nomen

s Bonbon, -s
e Brücke, -n
r Film, -e
s Gedicht, -e
e Hand, ¨-e
r Horrorfilm, -e → Film
s Hotelzimmer, -
r Hut, ¨-e
e Kleidung
r Kontakt, -e
e Meinung, -en
r Rasen
e Regel, -n
r Regisseur, -e
r Stern, -e
e Steuer, -n
e Strophe, -n
r Termin, -e
r Tiger, -
e Toilettenwand, ¨-e → Wand
e Träne, -n
s Vitamin, -e
e Wand, ¨-e
e Zigarette, -n

Verben

beachten
bemalen
beschmutzen
beten
betreten
betrügen
essen
kennen
küssen
lügen
naschen
nennen
schmecken
sehen
sprechen
vergessen
waschen
zahlen
zerbrechen

Andere Wörter

alle
alles
bunt
dauernd
doch
dumm
einfach
erlaubt
falsch
gefährlich
herrlich
leise
lieb
nichts
nichts mehr
nie
nie mehr
normal
scheußlich
schlimm
so
sonntags
täglich
tausend
verboten

Ausdrücke

Das ist doch verboten.
Das geht doch nicht.
Er zerbricht das Geschirr.
Das Geschirr zerbricht.
Er kann sehr lieb sein.
Er spricht sehr leise.
Sonntags trägt man einen Hut.
So ist das Leben einfach.

In Deutschland sagt man:	**In der Schweiz sagt man auch:**
die Kleidung *(sg.)*	die Kleider *(pl.)*
das Fahrrad	das Velo
bunt	farbig

1 Ergänzen Sie auf und zu. → 1

a. Das Fenster ist ....
Soll ich es .... machen ?

b. Das Fenster ist ....
Soll ich es .... machen ?

c. Die Tür ist ....
Soll ich sie .... machen ?

d. Die Tür ist ....
Soll ich sie .... machen?

e. Der Koffer ist ....
Soll ich ihn .... machen ?

f. Der Koffer ist ....
Soll ich ihn .... machen?

2 Wie heißen die Sätze? → 1

a. dieschülersollendiehausaufgabenvergleichen Die Schüler ....
b. derlehrerwilldenunterrichtbeginnen ....
c. einschülersolldasfensterbezahlen ....
d. dasfensteristzuundeinschülerwillesaufmachen ....
e. dieklasseistlautundkanndenlehrernichthören ....
f. esistsehrwarmunddasfensteristkaputt ....

3 Ergänzen Sie an, aus, auf oder zu. → 3

a. Peter möchte einen Film sehen. Er macht den Fernseher ....
b. Susanne möchte schlafen. Sie macht das Licht ....
c. Eric muss den Akkusativ üben. Er macht sein Deutsch-Buch ....
d. Jochen möchte Kartoffeln kochen. Er macht den Herd ....
e. Werner möchte Mineralwasser trinken. Er macht den Kühlschrank ....
f. Frau M. möchte in Ruhe ein Buch lesen. Sie macht das Radio ....
g. Gerda muss einen Brief schreiben. Sie macht den Computer ....
h. Lisa liest, aber sie soll jetzt schlafen. Deshalb macht sie ihr Buch ....

4 Ergänzen Sie. → 5

a. Der Computer ist noch an. — Machst du ihn bitte aus?

b. Das Zelt ist noch auf. — Kannst du es bitte zumachen?

c. Der Geschirrspüler ist noch an. — Machst ....?

d. Der Geschirrspüler ist noch auf. — Kannst ....?

e. Das Mobiltelefon ist aus. — Kannst ....?

f. Das Fenster ist noch auf. — Du musst ....

g. Das Radio ist noch an. — Machst ....?

h. Der Kühlschrank ist noch auf. — Machst ....?

i. Der Brief ist noch zu. — Du darfst ....

j. Die Waschmaschine ist noch auf. — Machst ....?

k. Die Waschmaschine ist noch an. — Kannst ....?

l. Das Klavier ist noch auf. — Machst ....?

m. Der Herd ist noch an. — Du musst ....

n. Das Telefonbuch ist noch auf. — Kannst ....?

5 Wie ist die Reihenfolge?

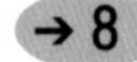

a. nicht – kann – Gerda – schlafen

Gerda ....

b. das – Peter – ausmachen – soll – Licht

Peter ....

c. wieder – Georg – den – schaltet – Fernseher – aus

Georg ....

d. aufmachen – Eric – Fenster – soll – das

Eric ....

e. ganz – möchte – Vera – fahren – schnell

Vera ....

f. nicht – muss – Emil – arbeiten – heute

Emil ....

6 Ergänzen Sie. → 8

a. aufwachen: *ich wache auf* *er wacht auf*
b. ausmachen: ich .... er ....
c. bemalen: ich .... er ....
d. bezahlen: ich .... er ....
e. fahren: ich .... er ....
f. fragen: ich .... er ....
g. haben: ich .... er ....
h. lachen: ich .... er ....
i. machen: ich .... er ....
j. naschen: ich .... er ....
k. packen: ich .... er ....
l. sagen: ich .... er ....
m. schaffen: ich .... er ....
n. schlafen: ich .... er ....
o. tanzen: ich .... er ....
p. tragen: ich .... er ....
q. warten: ich .... er ....
r. waschen: ich .... er ....
s. zumachen: ich .... er ....

7 Ergänzen Sie. → 8

a. aufstehen: ich .... er ....
b. bestellen: ich .... er ....
c. beten: ich .... er ....
d. betreten: ich .... er ....
e. denken: ich .... er ....
f. erkennen: ich .... er ....
g. essen: ich .... er ....
h. geben: ich .... er ....
i. gehen: ich .... er ....
j. kennen: ich .... er ....
k. leben: ich .... er ....
l. lesen: ich .... er ....
m. nennen: ich .... er ....
n. rechnen: ich .... er ....
o. sehen: ich .... er ....
p. vergessen: ich .... er ....
q. verstehen: ich .... er ....
r. wechseln: ich .... er ....
s. zerbrechen: ich .... er ....

8 Ergänzen Sie. → 8

fährt · will · hat · fahren · kann · geht · muss · hat · kommt · darf · ist

a. Das Kind möchte ganz schnell .... Aber das .... nicht. Die Mutter .... nur 80 fahren. Deshalb .... das Kind traurig. Da .... die Mutter 130. Aber dann .... ein Polizeiauto.

b. Lisa .... heute nicht kommen. Sie .... keine Zeit. Sie .... Klavier üben. Bernd .... auch nicht kommen. Er .... keine Lust.

9 Ergänzen Sie. → 9

geht · spricht · schläft · will · wacht · weiß · kann · muss · weiterschlafen

a. Warum .... Florian nicht? Seine Mutter .... es nicht. Florian .... sprechen. Aber er .... heute nicht sprechen.

b. Werner .... auf. Seine Frau .... noch. Er möchte auch ...., aber das .... nicht. Er .... jetzt aufstehen.

10 Kennen, können oder wissen? Ergänzen Sie die richtige Form. → 9

a. Eva ist unsere Freundin. Wir .... sie schon lange. Sie .... sehr gut schwimmen.
b. Max .... eine Krankenschwester. Die .... in 27 Sekunden ein Rad wechseln.
c. Ich .... den Mann nicht. .... du ihn vielleicht?
d. Hier darf man nicht rauchen. .... du das nicht?
e. Einen Tiger .... man nicht küssen. .... ihr das nicht?

f. ◆ Wann .... ihr kommen?
⊙ Wir .... es noch nicht.

g. ◆ Ich .... nicht schlafen.
⊙ Warum .... du nicht schlafen?
◆ Ich .... es nicht.

11 Ergänzen Sie. → 9

	schlafen	fahren	lesen	wissen
ich		*fahre*		
du				
er / sie / es / man				
wir			*lesen*	
ihr				*wisst*
sie / Sie	*schlafen*			

12 Konjugation: Verben mit Vokalwechsel → § 15

	lesen	**schlafen**	**fahren**
ich	lese	schlafe	fahre
du	l**ie**st	schl**ä**fst	f**ä**hrst
er / sie / es / man	l**ie**st	schl**ä**ft	f**ä**hrt
wir	lesen	schlafen	fahren
ihr	lest	schlaft	fahrt
sie / Sie	lesen	schlafen	fahren

13 Konjugation: Unregelmäßiges Verb wissen → § 17

	wissen
ich	**weiß**
du	**weißt**
er / sie / es / man	**weiß**
wir	wissen
ihr	wisst
sie / Sie	wissen

14 Verben mit trennbarem Verbzusatz → § 21

	aufmachen	**zumachen**
ich	mache **auf**	mache **zu**
du	machst **auf**	machst **zu**
er / sie / es / man	macht **auf**	macht **zu**
wir	machen **auf**	machen **zu**
ihr	macht **auf**	macht **zu**
sie / Sie	machen **auf**	machen **zu**

So steht es in der Wortliste:
an · machen
an · sehen
auf · stehen
auf · wachen
aus · machen
fern · sehen
weiter · schlafen
…

15 Verbklammer bei trennbaren Verben → § 21

Vorfeld	*Verb (1)*	*Mittelfeld*		*Verb (2)*
	Soll	er	das Fenster	**aufmachen**?
Er	**soll**		das Fenster	**aufmachen**.
Er	**macht**		das Fenster	**auf**.
Das Fenster	**macht**	er		**auf**.

Verbklammer

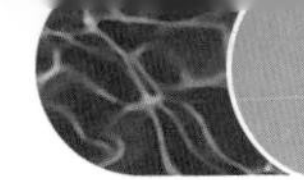

Nomen
r Augenblick, -e
r Babysitter, -
r Besuch, -e
r Drucker, -
s Ende, -n
s Fenster, -
e Klasse, -n
s Licht, -er
e Lust
r Schüler, -
e Tür, -en
r Unterricht, -e

Verben
an · machen
an · sehen
an sein
auf sein
auf · machen
auf · stehen
auf · wachen
aus sein
aus · machen
beginnen
diskutieren
fern · sehen
lesen
schlafen
weiter · schlafen
wissen
zu sein
zu · machen

Andere Wörter
kalt
klar
langsam
los
müde
oft
sofort
warm
wieder

Ausdrücke
Was ist denn los?
Ich weiß es nicht.
Die Pause ist zu Ende.
Es ist zu warm.
Sie macht das Fenster auf.
Er macht das Fenster wieder zu.
Das Licht ist an.
Das Licht ist aus.
Die Tür ist auf.
Die Tür ist zu.
Kannst du bitte das Fenster zumachen?
Klar, ich mache es sofort zu.
Ruhe bitte!
Augenblick!
Er hat keine Lust.

Kurssprache
e Alternative, -n
e Rolle, -n
verteilt

Spielen Sie das Gespräch mit verteilten Rollen.
Diskutieren Sie Alternativen.

1 Wie heißen die Verben? Ergänzen Sie den ersten Buchstaben.

→ 3

a. *g*ehen	e. ....rinken	i. ....pringen	m. ....ingen
b. ....arten	f. ....anzen	j. ....einen	n. ....ssen
c. ....utzen	g. ....ernen	k. ....ragen	o. ....aschen
d. ....elefonieren	h. ....pielen	l. ....ören	p. ....ehen

2 Schreiben Sie die Sätze.

→ 3

a. ersprichtlangsamdensatznach *Er spricht* ....
b. ermachtschnelldaslichtaus ....
c. wannliestduinruhedasbuchweiter .... ?
d. erschreibtglücklichdenbriefweiter ....
e. warummachtihrdennnichtdasfensterzu .... ?
f. wirfüllenschnelleinformularaus ....

3 Welche Antwort passt? → 6

a. „Was liest du?“
b. „Möchtest du etwas naschen?“
c. „Warum schläfst du nicht?“
d. „Sprichst du Englisch?“
e. „Was isst du?“
f. „Kochst du Spaghetti?“

1. „Nein, das ist Reis.“
2. „Ein Buch.“
3. „Ich esse einen Apfel.“
4. „Ja. Hast du Bonbons?“
5. „Ich bin nicht müde.“
6. „Nein, aber ich kann Französisch.“

4 Ergänzen Sie. → 5

a. *du wäschst* — *ihr wascht*
b. *du* .... — *ihr tragt*
c. *du schläfst* — *ihr* ....
d. *du liest* — *ihr* ....
e. *du* .... — *ihr seht*
f. *du* .... — *ihr sprecht*
g. *du zerbrichst* — *ihr* ....
h. *du* .... — *ihr esst*
i. *du vergisst* — *ihr* ....
j. *du* .... — *ihr betretet*
k. *du weißt* — *ihr* ....

5 Ergänzen Sie sch oder ch. → 7

a. Er wa*ch*t auf.
b. Er wä…t a…t Autos.
c. Er ist glückli… .
d. Sie trägt a…tzehn Ta…en.
e. Sie ist …ön und la…t.
f. Die Mäd…en brau…en Li…t.
g. Sie su…en die …lange.
h. Er mö…te Bü…er …reiben und ohne …uhe gehen.
i. Er hat keinen Regen…irm und auch kein Ta…entu… .
j. Sie findet einen Kühl…rank und einen Ge…irrspüler ni…t wi…tig.

6 Ergänzen Sie ein, eine, einen oder – . → 7

a. Jochen hat – Hunger und will ……… Spaghetti kochen.
b. Er findet ……… Topf und ……… Deckel.
c. Jochen sucht ……… Brille; er will ……… Kochbuch lesen.
d. Er braucht ……… Wasser und ……… Salz.
e. Jochen sucht ……… Gabel.
f. Da kommt ……… Schlange, aber er sieht sie nicht.
g. Hat Jochen jetzt ……… Problem?
h. Er macht schnell ……… Fenster und ……… Tür auf.

7 Bilden Sie Sätze. → 9

a. Gehst du morgen schwimmen? ja – morgen – ich – schwimmen gehen wollen
Ja, morgen will ich schwimmen gehen.

b. Gehst du Sonntag essen? ja – Sonntag – ich – essen gehen wollen
………………………………………………

c. Gehst du Montag tanzen? ja – Montag – ich – tanzen gehen wollen
………………………………………………

d. Geht ihr Dienstag Tennis spielen? ja – Dienstag –wir – Tennis spielen gehen wollen
………………………………………………

e. Geht ihr Mittwoch surfen? ja – da – wir – surfen gehen wollen
………………………………………………

8 Ordnen Sie die Gespräche. → 9

a.

- Prima, dann lernen wir am Donnerstag.
- Können wir mal wieder zusammen lernen?
- Könnt ihr denn Mittwoch?
- Ja, Donnerstag können wir gut.
- Und Donnerstag, geht das?
- Ja, gute Idee.
- Mittwoch kann ich gut, aber Karin kann da nicht.

◆ *Können wir mal wieder* ....
⊙ ....
◆ ....
⊙ ....
◆ ....
⊙ ....
◆ ....

b.

- Übermorgen können wir gut.
- Und übermorgen?
- Ja, gern. Wann können Sie denn?
- Morgen. Geht das?
- Tut mir leid. Morgen kann ich nicht und meine Frau kann auch nicht.
- Können wir mal wieder zusammen surfen?

◆ *Können wir mal wieder* ....
⊙ ....
◆ ....
⊙ ....
◆ ....
⊙ ....

9 Welche Antwort passt? X 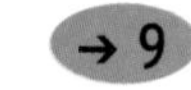

a. Wollen wir zusammen einen Film sehen?
1. ◯ Ja, das möchte ich haben.
2. ◯ Ja, gute Idee!
3. ◯ Ja, ich kann sehr gut sehen.

b. Hast du morgen Zeit?
1. ◯ Nein, morgen kann ich leider nicht.
2. ◯ Ja, das ist interessant.
3. ◯ Das ist sehr gut.

c. Um wie viel Uhr kannst du kommen?
1. ◯ Ich möchte viel Zeit haben.
2. ◯ Meine Uhr ist schön.
3. ◯ Um 8 Uhr. Ist das okay?

d. Können wir uns Sonntag sehen?
1. ◯ Ja, das geht gut.
2. ◯ Danke, ich muss jetzt gehen.
3. ◯ Es geht mir gut.

10 Verben mit Verbativergänzung → § 23j

	essen gehen
ich	gehe essen
du	gehst essen
er / sie / es / man	geht essen
wir	gehen essen
ihr	geht essen
sie / Sie	gehen essen

Ebenso:
schwimmen gehen
surfen gehen
rechnen lernen
schwimmen lernen
…

Vorfeld	*Verb (1)*	*Mittelfeld*		*Verb (2)*
	Wollen	wir	morgen	**essen gehen**?
	Gehen	wir	morgen	**essen**?
Wir	**gehen**		morgen	**essen.**
Morgen	**gehen**	wir		**essen.**

Verbklammer

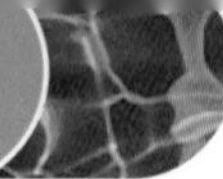

Nomen

r Delfin, -e
e Idee, -n
r Papagei, -en
r Rekorder, -
r Ski, -er
e Zeit

Verben

auf · tauchen
aus · füllen
ein · tauchen
passen
weiter · arbeiten
weiter · lernen
weiter · lesen
weiter · malen
weiter · rechnen
weiter · schreiben
weiter · sprechen
weiter · surfen
weiter · tauchen
weiter · zeichnen

Andere Wörter

ähnlich
also
ein bisschen
einverstanden
übermorgen
um
uns
wie lange

Ausdrücke

Sprichst du Spanisch?
Ich spreche Italienisch.
Ich lerne noch ein bisschen weiter.
Wie lange lernst du noch weiter?
Wollen wir mal wieder zusammen Tennis spielen?
Wann hast du Zeit?
Wann geht es denn?
Um wie viel Uhr?
Um 10 Uhr.
Passt Ihnen 10 Uhr?
Morgen kann ich nicht.
Einverstanden.
Gute Idee!
Also dann bis Sonntag!
Wir sehen uns Sonntag.
Bis dann!

Kurssprache

e Form, -en
bilden

Ergänzen Sie zuerst die Formen.
Bilden Sie Sätze.

1 Bilden Sie Sätze mit wollen und nicht dürfen. → 2

a. er: fotografieren
Er will hier fotografieren. .... *Aber man darf hier nicht fotografieren.*

b. sie: Eis essen
Sie will hier .... *Aber hier darf* .... *kein Eis* ....

c. die Kinder: spielen
Sie .... *Aber man* ....

d. er: telefonieren
Er .... *Aber hier* ....

e. sie: Musik hören
Sie .... *Aber man* .... *keine* ....

2 Welches Verb passt? → 3

das Pferd

der Fisch

essen · telefonieren · parken · hören · füttern · rauchen · trinken · reiten · angeln

a. Im Parkhaus kann man Autos ....
b. Mein Hund hat Hunger. Ich muss ihn ....
c. Ich habe Durst und möchte Wasser ....
d. Handys sind hier nicht erlaubt. Man darf nicht ....
e. Das Radio ist sehr leise. Man kann die Musik nicht ....
f. Das Pferd ist müde. Ich kann es heute nicht mehr ....
g. Es ist warm und ich möchte ein Eis ....
h. Hier darf man keine Fische .... Da steht ein Schild!
i. Wo darf man hier eine Zigarette .... ?

3 Ergänzen Sie. → 5

a. Kannst du bitte die .... ausmachen?
b. Wollen wir morgen zusammen .... fahren?
c. Können wir morgen mal wieder .... spielen?
d. Kannst du bitte meinen .... anrufen?
e. Notieren Sie bitte die ....
f. Könnt ihr bitte alle .... zumachen?
g. Hast du am .... Zeit?
h. Möchtest du um 20 Uhr den .... sehen?

Fenster · Tischtennis · Bruder · Waschmaschine · Fernsehfilm · Telefonnummer · Fahrrad · Wochenende

4 Was passt nicht? → 5

a. eine Sprache | ein Spiel | ~~ein Büro~~ | Mathematik **lernen**
b. einen Freund | einen Schlüssel | die Chefin | einen Mitarbeiter **anrufen**
c. einen Zettel | eine Nachricht | einen Brief | eine Pizza **schreiben**
d. einen Strumpf | die Waschmaschine | den Fernseher | das Radio **anmachen**
e. das Telefon | den Computer | den Fernsehfilm | das Fahrrad **benutzen**
f. die Steuern | das Wetter | 20 Euro | viel Geld **bezahlen**
g. ein Buch | eine Anzeige | eine E-Mail | einen Papagei **lesen**
h. Kartoffeln | Tee | Wasser | Licht **kochen**

5 Was passt zusammen? → 5

a. Wann kommt Peter nach Hause?
b. Fahren Sie morgen nach Hamburg?
c. Ist der Fernseher kaputt?
d. Soll ich das Büro abschließen?
e. Hast du den Schlüssel?
f. Kannst du bitte den Arzt anrufen?
g. Hat Vera am Samstag Zeit?
h. Wann ist Frau Meyer zurück?

1. Sie ist am Montag wieder da.
2. Tut mir leid; ich weiß die Nummer nicht.
3. Nein, da muss sie arbeiten.
4. Ja bitte, und machen Sie auch die Fenster zu.
5. Normalerweise kommt er um 8 Uhr.
6. Ja, wir müssen den Kundendienst anrufen.
7. Nein, ich kann erst übermorgen fahren.
8. Nein, aber vielleicht hat Eva ihn.

6 Wie schreibt man es richtig? Welche Wörter schreibt man groß? → 5

a. PETERKANNSEINENSCHLÜSSELNICHTFINDEN *Peter kann seinen Schlüssel nicht finden.*
b. ICHMUSSMORGENNACHLONDONFLIEGEN ....
c. VERAMÖCHTEAMWOCHENENDESURFEN ....
d. WIRSINDAMMITTWOCHNICHTZUHAUSE ....
e. PETERSOLLSEINETERMINENICHTVERGESSEN ....
f. ICHMÖCHTEMALWIEDERTISCHTENNISSPIELEN ....
g. AMSONNTAGKÖNNENWIRZUSAMMENSCHWIMMENGEHEN ....

....

7 Notieren Sie die Telefonnummern. → 5

a. achtunddreißig siebzehn fünfundvierzig *38 17 45*
b. siebenundneunzig achtundsechzig elf ....
c. fünfundfünfzig dreiundsiebzig zweiundsechzig ....
d. einundzwanzig vierundvierzig neunzig ....
e. neunundsechzig achtundachtzig dreiundsiebzig ....
f. dreizehn achtundvierzig zwölf ....
g. einundneunzig vierundneunzig achtundsiebzig ....

8 Ergänzen Sie. → 5

anrufen · notieren · zumachen · absagen · sprechen · mitkommen

a. Morgen habe ich keine Zeit. Ich muss den Termin ....
b. Ich gehe heute Abend Tennis spielen. Möchtest du .... ?
c. Telefonnummern vergesse ich immer. Deshalb muss ich sie ....
d. Die Fenster sind auf. Kannst du sie bitte .... ?
e. Der Fernseher ist kaputt. Wir müssen den Kundendienst ....
f. Der Papagei ist sehr schön, aber leider kann er nicht ....

9 Schreiben Sie zwei Nachrichten. → 5

a. Schreiben Sie eine Nachricht an einen Freund. Sie möchten mal wieder Pizza essen gehen. Am Freitag geht es nicht, aber am Samstag haben Sie Zeit. Sie wissen auch schon ein Restaurant. Ihr Freund soll anrufen. Sie sind heute zu Hause.

b. Schreiben Sie eine Nachricht an eine Freundin. Sie möchten gerne Tischtennis spielen. Heute Abend haben Sie keine Zeit, aber morgen können Sie gut. Passt es um 10.00 Uhr? Ihre Freundin soll eine E-Mail schreiben.

Lieber ....,

....

....

....

....

....

Bis dann

....

Liebe ....,

....

....

....

....

....

Viele Grüße

....

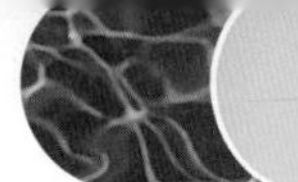

Nomen

r Anruf, -e
s Büro, -s
e Chefin, -nen
r Fernsehfilm, -e
r Kundendienst
r Mitarbeiter, -
e Nachricht, -en
e Notiz, -en
r Notizzettel, -
s Parkhaus, ¨-er
r Schlüssel, -
e Taube, -n
r Turm, ¨-e
e Waschmaschine, -n
s Wochenende, -n

Verben

ab·sagen
ab·schließen
angeln
aus·schalten
fliegen
füttern
mit·kommen
parken
Rad fahren
schließen

Andere Wörter

dringend
geöffnet
geschlossen
heute Abend
nach Hause
schade
zurück

Ausdrücke

Wollen wir schwimmen gehen?
Dann gehen wir essen.
Sie kommen mit.
Von Montag bis Freitag geschlossen.
Ich komme heute Abend um sieben Uhr nach Hause.
Ich muss dringend nach Hamburg fahren.
Ich bin am Montag zurück.
Schade!
Bis morgen!

Kurssprache

e Variante, -n
zu·hören
noch mehr

Schreiben Sie einen Zettel mit kleinen Varianten.
Hören Sie zu.
Finden Sie noch mehr Sätze.

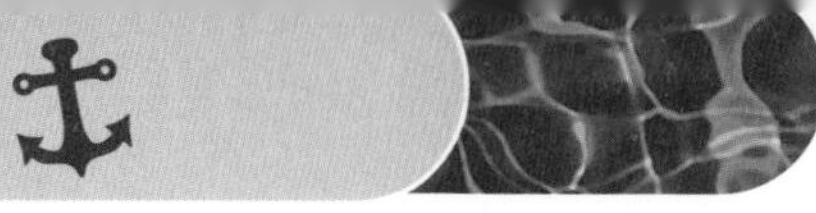

Das kann ich jetzt: 

■ **Mich mit anderen Leuten verabreden**

Das kann ich  *gut.*
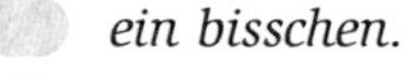 *ein bisschen.*
noch nicht so gut.

◆ Wollen wir zusammen lernen?
⊙ Ja, gerne. Wann geht es denn?
◆ Dienstag kann ich gut. Um 9 Uhr?
⊙ Prima. Also bis Dienstag!

■ **Kurze persönliche Mitteilungen verstehen und schreiben**

Das kann ich *gut.*
ein bisschen.
noch nicht so gut.

Liebe Vera,
Susanne möchte morgen Tennis spielen.
Kannst du da? Ihre Telefonnummer ist
8 40 38 48. Bis dann

Jochen

PS: Der Geschirrspüler ist kaputt.
Kannst du den Kundendienst anrufen?

■ **Einige alltagstypische Probleme verstehen**

Das kann ich  *gut.*
ein bisschen.
noch nicht so gut.

Es ist kalt. Darf ich die Tür zumachen?

Peter liest ein Buch, aber Gerda möchte schlafen.

■ **Ratschläge geben**

Das kann ich *gut.*
ein bisschen.
noch nicht so gut.

Man soll Vitamine essen.

Abends soll man die Zähne putzen.

Das kann ich jetzt: X

- **Das Verhalten von Menschen kommentieren**

Das kann ich ◯ *gut.*
◯ *ein bisschen.*
◯ *noch nicht so gut.*

Jochen raucht nicht.
Das finde ich gut!

Sie betreten die Brücke.
Das ist doch gefährlich!

- **Verstehen und sagen, was verboten ist**
- **Verstehen und sagen, was erlaubt ist**

Das kann ich ◯ *gut.*
◯ *ein bisschen.*
◯ *noch nicht so gut.*

Hier darf man nicht angeln.
Angeln ist hier verboten.

Hier kann man parken.
Parken ist hier erlaubt.

- **Wünsche äußern**
- **Absichten äußern**

Das kann ich ◯ *gut.*
◯ *ein bisschen.*
◯ *noch nicht so gut.*

Möchtest du fernsehen?
Nein, ich möchte lieber lesen.

Ich will ein bisschen schlafen.

- **Eine Bitte äußern**

Das kann ich ◯ *gut.*
◯ *ein bisschen.*
◯ *noch nicht so gut.*

Es ist sehr warm hier.
Können Sie bitte das Fenster aufmachen?

1 Ergänzen Sie der, die, das oder dem. →1

a. Der Teppich liegt auf dem Tisch.
b. .... Buch liegt auf .... Teppich.
c. .... Zeitung liegt auf .... Buch.
d. .... Gitarre liegt auf .... Zeitung.
e. .... Heft liegt auf .... Gitarre.
f. .... Puppe liegt auf .... Heft.
g. .... Ball liegt auf .... Puppe.
h. .... Krawatte liegt auf .... Ball.
i. .... Zettel liegt auf .... Krawatte.
j. .... Schlüssel liegt auf .... Zettel.
k. .... Brille liegt auf .... Schlüssel.
l. .... Bleistift liegt auf .... Brille.

2 So oder so: Ergänzen Sie. →2

a. Die Briefe liegen auf den Fotos. Die Fotos liegen auf den Briefen.
b. Die Bleistifte liegen auf den Zetteln. Die Zettel liegen auf ....
c. Die Hefte liegen auf den Büchern. ....
d. Die Schlüssel liegen auf den Faxen. ....
e. Die Handys liegen auf den Taschentüchern. ....
f. Die Mobiltelefone liegen auf den Kugelschreibern. ....
g. Die Strümpfe liegen auf den Schuhen. ....
h. Die Pullover liegen auf den Mänteln. ....
i. Die Jacken liegen auf den Hüten. ....
j. Die Zeitungen liegen auf den Blumen. ....

3 Ergänzen Sie die Gespräche. →3

a. ◆ Sag mal, wo ist denn mein Schlüssel?
⊙ Das weiß ich nicht. Er ist vielleicht auf dem Tisch.
Oder vielleicht ist er auf ....
Vielleicht ist er auch ....

~~auf - Tisch~~ ◎ Zeitungen ◎ Sofa

b. ◆ Sag mal, wo kann denn meine Brille sein?
⊙ Sie liegt vielleicht ....
Oder vielleicht liegt sie ....
Vielleicht liegt sie auch ....

auf - Schrank ◎ Bücher ◎ Zeitung

c. ◆ Wo ist denn mein Ball?
⊙ Tut mir leid, das weiß ich nicht. Er kann .... liegen.
Oder er kann .... liegen.
Er kann aber auch .... liegen.

auf - Stuhl ◎ Bett ◎ Schuhe

d. ◆ Ich suche mein Mobiltelefon. Wo ist es denn?
⊙ Ich glaube, es liegt ....
Oder vielleicht liegt es ....
Es kann aber auch ....liegen.

◎ auf - Koffer ◎ Tasche ◎ Tickets ◎

4 Was reimt sich? Ergänzen Sie Nomen und Artikel. →4

◎ ~~Tisch~~ ◎ Schild ◎ Tasche ◎ Spiegel ◎ Haus ◎ Brücke ◎ Sofa ◎ Turm ◎ Matratze ◎

a. der Fisch ..der.. ..Tisch..
b. der Wurm ....
c. die Flasche ....
d. die Mücke ....
e. das Mofa ....
f. die Maus ....
g. die Katze ....
h. das Bild ....
i. der Igel ....

5 Ergänzen Sie. →4

◎ auf ◎ über ◎ unter ◎ vor ◎ hinter ◎ neben ◎ zwischen ◎

a. Die Flasche liegt ..unter.. der Tasche.
b. Die Tasche steht .... der Flasche.
c. Der Polizist steht .... dem Baum.
d. Der Igel steht .... dem Spiegel.
e. Der Wurm sitzt .... dem Turm.
f. Der Hund steht .... den Koffern
g. Die Taube sitzt .... den Stühlen.
h. Die Laterne ist .... der Bäckerei.
i. Der Mann sitzt .... der Kiste.
j. Das Bild hängt .... dem Schild.
k. Die Maus sitzt .... dem Haus.
l. Das Schild hängt .... der Tür.
m. Die Mücke sitzt .... der Brücke.

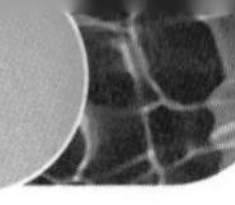

6 Ergänzen Sie. 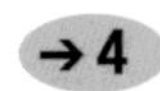

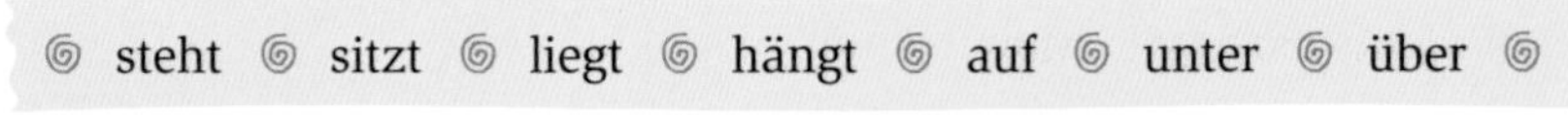

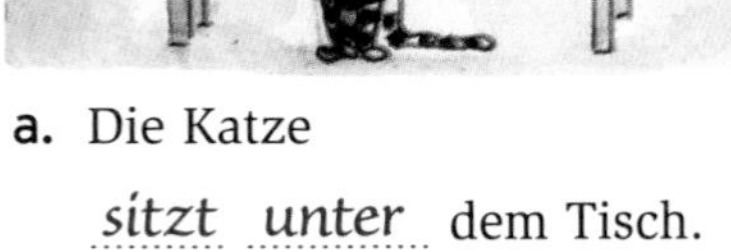

a. Die Katze *sitzt* *unter* dem Tisch.

b. Die Katze .... dem Tisch.

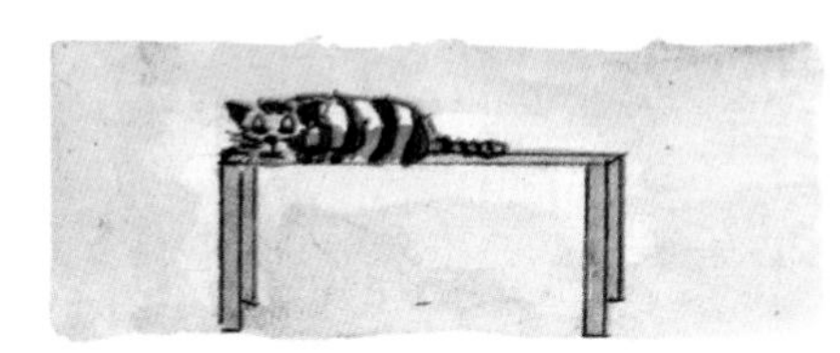

c. Die Katze .... dem Tisch.

d. Die Uhr .... dem Tisch.

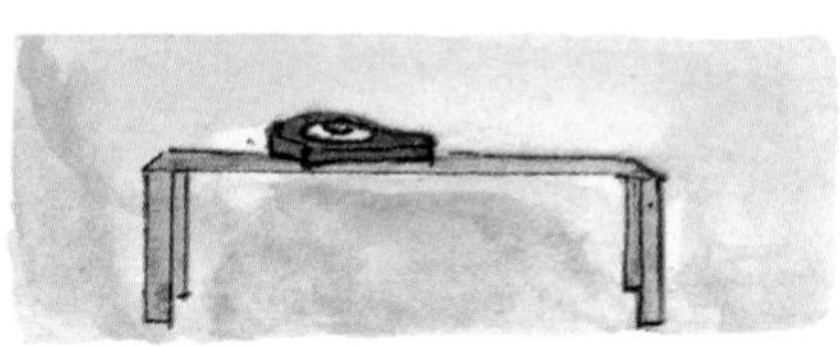

e. Die Uhr .... dem Tisch.

f. Die Uhr .... dem Tisch.

7 Ergänzen Sie der, die, das, den oder dem. 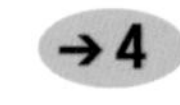

a. *Der* Hund sitzt auf *dem* Kamel.
b. Auf .... Hund sitzt .... Katze.
c. Auf .... Katze sitzt .... Maus.
d. Auf .... Maus sitzt .... Taube.
e. Auf .... Taube sitzt .... Mücke.
f. .... Tasche steht auf .... Tisch.
g. Auf .... Tasche liegt .... Kamera.
h. Auf .... Kamera liegt .... Wörterbuch.
i. Auf .... Wörterbuch liegt .... Mobiltelefon.
j. Auf .... Mobiltelefon liegt .... Spiegel.
k. Auf .... Spiegel liegt .... Uhr.
l. Auf .... Uhr liegen .... Briefe.
m. Auf .... Briefen liegt .... Ansichtskarte.

8 Ergänzen Sie die Artikel. →4

a. Frau Stern steht vor *dem* Herd. Sie will *den* Herd putzen. *Der* Herd ist nicht sauber.
b. Herr Noll will .... Buch lesen. .... Buch ist spannend. Die Katze sitzt auf .... Buch.
c. Frau Nolte steht vor .... Tür. .... Tür ist zu. Sie will .... Tür aufmachen.
d. Die Lehrerin sitzt auf .... Tisch. Der Junge zeichnet die Lehrerin und .... Tisch. .... Tisch ist neu.
e. Frau Schmitt sucht .... Fahrkarte. .... Fahrkarte ist weg. Die Krawatte liegt auf .... Fahrkarte.
f. Die Kinder stehen neben .... Hund. Sie möchten .... Hund waschen. .... Hund ist noch jung.
g. Die Touristen stehen hinter .... Turm. Sie wollen .... Turm fotografieren. .... Turm ist hoch.
h. Linda ist auf .... Segelboot. Sie will .... Boot putzen. .... Boot ist klein.

9 Ergänzen Sie. →4

a. Drei Touristen sitzen auf zwei Stühlen. *(Stuhl)*
b. Vier Mädchen sitzen auf drei .... *(Sofa)*
c. Fünf Jungen liegen auf vier .... *(Bett)*
d. Sechs Teller stehen auf fünf .... *(Tisch)*
e. Sieben Löffel liegen neben sechs .... *(Teller)*
f. Acht Gabeln liegen neben sieben .... *(Messer)*
g. Neun Töpfe stehen auf acht .... *(Herd)*
h. Zehn Frauen stehen vor neun .... *(Spiegel)*
i. Elf Mücken sitzen auf zehn .... *(Regal)*
j. Zwölf Rasierapparate liegen neben elf .... *(Fotoapparat)*
k. Dreizehn Katzen schlafen auf zwölf .... *(Fernseher)*
l. Vierzehn Schuhe liegen zwischen dreizehn .... *(Stiefel)*
m. Fünfzehn Fahrräder stehen neben vierzehn .... *(Motorrad)*
n. 1000 Notizen stehen auf 999 .... *(Notizzettel)*

10 Ergänzen Sie. →6

a. Sie möchte den Computer reparieren.
(Computer → Tisch) Sie stellt den Computer auf den Tisch.
b. Er möchte den Stuhl putzen.
(Stuhl → Balkon) Er stellt .... auf ....
c. Sie möchte den Koffer nicht mehr tragen.
(Koffer → Teppich) Sie stellt .... auf ....
d. Er möchte den Brief lesen.
(Brief → Tisch) Er legt .... auf ....
e. Sie möchte den Fisch essen.
(Fisch → Teller) Sie legt .... auf ....
f. Er möchte den Sohn fotografieren.
(Sohn → Rasen) Er setzt .... auf ....
g. Sie möchte den Teddy waschen.
(Teddy → Stuhl) Sie setzt .... auf ....
h. Er möchte den Text lernen.
(Text → Spiegel) Er hängt .... neben ....

11 Welche zwei Möglichkeiten passen? ✗ ✗ →6

a. einen Mantel
- neben den Spiegel hängen
- auf den Tisch legen
- neben den Schrank stellen

b. ein Bild
- auf den Schreibtisch stellen
- auf den Tisch setzen
- neben den Schrank hängen

c. einen Teppich
- neben den Tisch hängen
- unter den Tisch legen
- auf den Tisch setzen

d. einen Stiefel
- auf den Stuhl setzen
- auf den Teppich legen
- neben den Schrank stellen

e. ein Buch
- auf den Tisch stellen
- auf den Tisch legen
- neben den Herd setzen

f. eine Uhr
- auf den Tisch stellen
- auf den Tisch setzen
- über den Tisch hängen

12 Ergänzen Sie wer, wen, was oder wohin. →7

a. Die Mutter setzt den Sohn auf den Stuhl. — *Wer* setzt den Sohn auf den Stuhl?
Die Mutter setzt den Sohn auf den Stuhl. — *Wen* setzt die Mutter auf den Stuhl?
Die Mutter setzt den Sohn auf den Stuhl. — *Wohin* setzt die Mutter den Sohn?

b. Der Kellner legt den Löffel neben den Teller. — .... legt den Löffel neben den Teller?
Der Kellner legt den Löffel neben den Teller. — *Was* legt der Kellner neben den Teller?
Der Kellner legt den Löffel neben den Teller. — .... legt der Kellner den Löffel?

c. Der Vater setzt den Sohn auf den Tisch. — .... setzt der Vater auf den Tisch?
Der Vater setzt den Sohn auf den Tisch. — .... setzt den Sohn auf den Tisch?
Der Vater setzt den Sohn auf den Tisch. — .... setzt der Vater den Sohn?

d. Der Tischler legt den Nagel neben den Hammer. — .... legt der Tischler den Nagel?
Der Tischler legt den Nagel neben den Hammer. — .... legt der Tischler neben den Hammer?
Der Tischler legt den Nagel neben den Hammer. — .... legt den Nagel neben den Hammer?

e. Die Sekretärin stellt die Blumen neben den Computer. — .... stellt die Sekretärin neben den Computer?
Die Sekretärin stellt die Blumen neben den Computer. — .... stellt die Blumen neben den Computer?
Die Sekretärin stellt die Blumen neben den Computer. — .... stellt die Sekretärin die Blumen?

13 Ergänzen Sie. →7

~~stellt~~ liegen stellt steht stellt stehen legt steht setzt sitzt liegen

a. Frau Schuster *stellt* die Flaschen auf den Balkon.
b. Auf dem Balkon *st*...... der Saft.
c. Sie *st*...... Saft auf den Tisch.
d. Auf dem Geschirrspüler *st*...... der Topf.
e. Sie *st*...... den Topf auf den Herd.
f. Die Teller *st*...... schon auf dem Tisch.
g. Neben den Tellern *l*...... schon zwei Messer und zwei Gabeln.
h. Sie *l*...... die Löffel neben die Messer. Dann schneidet sie Tomaten.
i. Neben den Tomaten *l*...... Kartoffeln.
j. Die Tochter *s*...... auf dem Teppich und *s*...... den Hut auf den Kopf.

14 Ergänzen Sie. →9

a. ◆ Die Regenschirme stehen nicht neben den Gummistiefeln.
◦ *Aber die stellst du doch immer neben die Gummistiefel.*

b. ◆ Der Hut liegt nicht auf dem Schrank.
◦ *Aber den legst du doch immer* ......

c. ◆ Die Schuhe stehen nicht neben dem Sofa.
◦ *Aber die stellst du doch immer* ......

d. ◆ Die Strümpfe liegen nicht neben den Schuhen.
◦ *Aber die* ......

e. ◆ Das Telefonbuch liegt nicht neben dem Telefon.
◦ *Aber das* ......

f. ◆ Meine Brille liegt nicht neben dem Fernseher.
◦ *Aber die* ......

g. ◆ Meine Gitarre steht nicht unter dem Regal.
◦ *Aber die* ......

h. ◆ Mein Geld liegt nicht unter der Matratze.
◦ *Aber das legst du doch immer* ......

15 Artikel und Nomen: Nominativ, Akkusativ, Dativ →§1

	Nominativ	*Akkusativ*	*Dativ*
Maskulinum	**der** Turm	**den** Turm	**dem** Turm
Femininum	**die** Brücke		**der** Brücke
Neutrum	**das** Haus		**dem** Haus
Plural	**die** Häuser		**den** Häuser**n**
	die Autos		**den** Autos

	Nominativ	*Akkusativ*	*Dativ*	*Ebenso:*	
Maskulinum	**ein** Turm	**einen** Turm	**einem** Turm	**keinem**	**meinem** Turm
Femininum	**eine** Brücke		**einer** Brücke	**keiner**	**meiner** Brücke
Neutrum	**ein** Haus		**einem** Haus	**keinem**	**meinem** Haus
Plural	Häuser		Häuser**n**	**keinen**	**meinen** Häusern
	Autos		Autos	**keinen**	**meinen** Autos

16 Präpositionen mit Akkusativ oder Dativ →§13, 14

	Akkusativ *Richtung/Bewegung* Wohin?		**Dativ** *Position/Ruhe* Wo?
Sie stellt die Blumen	**auf den** Tisch.	Die Blumen stehen	**auf dem** Tisch.
Er hängt die Lampe	**über den** Tisch.	Die Lampe hängt	**über dem** Tisch.
Sie legt die Gitarre	**unter das** Regal.	Die Gitarre liegt	**unter dem** Regal.
Er stellt den Wagen	**vor das** Haus.	Der Wagen steht	**vor dem** Haus.
Er legt den Ball	**hinter die** Puppe.	Der Ball liegt	**hinter der** Puppe.
Sie stellt das Fahrrad	**neben die** Tür.	Das Fahrrad steht	**neben der** Tür.
Er hängt die Uhr	**zwischen die** Bilder.	Die Uhr hängt	**zwischen den** Bildern.

17 Verben mit Akkusativ- und Direktivergänzung →§23h

		Akkusativergänzung Wen?/Was?	**Direktivergänzung** *Richtung/Bewegung* Wohin?
hängen	Er hängt	**das Bild**	**über die Tür.**
legen	Sie legt	**den Löffel**	**auf den Tisch.**
setzen	Er setzt	**das Kind**	**auf den Stuhl.**
stellen	Er stellt	**den Wagen**	**vor das Haus.**

18 Verben mit Situativergänzung →§23f

		Situativergänzung *Position/Ruhe* Wo?
hängen	Das Bild hängt	**über der Tür.**
liegen	Der Löffel liegt	**auf dem Tisch.**
sitzen	Das Kind sitzt	**auf dem Stuhl.**
stehen	Der Wagen steht	**vor dem Haus.**

Nomen
e Bäckerei, -en
e Bank, ¨-e
r Baum, ¨-e
r Briefträger, -
r Buchhändler, -
r Camper, -
r Fisch, -e
r Igel, -
r Kellner, -
r Kopf, ¨-e
e Laterne, -n
e Leiter, -n
s Mofa, -s
e Mücke, -n
e Mütze, -n
s Papier, -e
r Pfarrer, -
s Pferd, -e
e Pfütze, -n
e Puppe, -n
r Schrank, ¨-e
s Sofa, -s
r Stall, ¨-e
r Teller, -
r Teppich, -e
s Ticket, -s
s Tuch, ¨-er
r Wurm, ¨-er

Verben
bringen
hängen
legen
liegen
setzen
sitzen
stehen
stellen
werfen

Andere Wörter
dem

auf
hinter
neben
über
unter
vor
zwischen

wo
wohin

Ausdrücke
Wo hängt der Spiegel?
Der Spiegel hängt neben dem Regal.
Wohin hängt sie den Spiegel?
Sie hängt den Spiegel neben die Uhr.

Kurssprache
r Dativ, -e
s Übungsspiel, -e
r Unterrichtsraum, ¨-e
ein·tragen
weiter·machen
z.B. ➔ zum Beispiel

Tragen Sie die Nummern ein.
Dann macht der nächste Teilnehmer weiter.
Er legt z.B. seine Uhr unter einen Stuhl.

1 Was passt zusammen? →1

a. Wohin setzt die Krankenschwester das Kind? 2
b. Wo sitzt das Kind?
c. Wohin stellt die Krankenschwester das Eis?
d. Wo steht das Eis?
e. Wohin stellt der Arzt die Bücher?
f. Wo stehen die Bücher?
g. Wohin hängt die Ärztin den Mantel?
h. Wo hängt der Mantel?
i. Wohin hängen die Besucher die Schirme?
j. Wo hängen die Schirme?
k. Wo arbeiten die Ärzte?
l. Wohin gehen die Ärzte?

1. Es sitzt auf dem Bett.
2. Sie setzt es auf das Bett.
3. Sie stehen im Regal.
4. Sie hängt ihn an den Schrank.
5. Er hängt am Schrank.
6. Sie arbeiten im Krankenhaus.
7. Sie hängen sie ans Bett.
8. Sie stellt es in den Kühlschrank.
9. Sie gehen ins Krankenhaus.
10. Es steht im Kühlschrank.
11. Sie hängen am Bett.
12. Er stellt sie ins Regal.

2 Ergänzen Sie im / ins oder am / ans? →1

a. ◆ Wohin stellst du das Buch? ⊙ *Ins* Regal.
b. ◆ Die Blumen brauchen Licht. ⊙ Stellst du sie *ans* Fenster, bitte?
c. ◆ Wo stehen die Blumen? ⊙ .... Fenster.
d. ◆ Wohin kann ich den Regenschirm hängen? ⊙ .... Bett, bitte.
e. ◆ Wo ist die Jacke? ⊙ .... Schlafzimmer.
f. ◆ Wohin trägst du die Schuhe? ⊙ .... Schlafzimmer.
g. ◆ Wohin hängst du den Spiegel? ⊙ .... Bad.
h. ◆ Wo hängt der Schlüssel? ⊙ .... Nagel.
i. ◆ Wohin hängen die Kinder die Zeichnung? ⊙ .... Klavier.
j. ◆ Wo steht der Stuhl? ⊙ .... Schreibtisch.
k. ◆ Wohin gehst du? ⊙ Ich gehe schlafen. Ich gehe .... Bett.
l. ◆ Wo bist du? ⊙ Ich bin schon .... Bett.

3 Ergänzen Sie. → 2

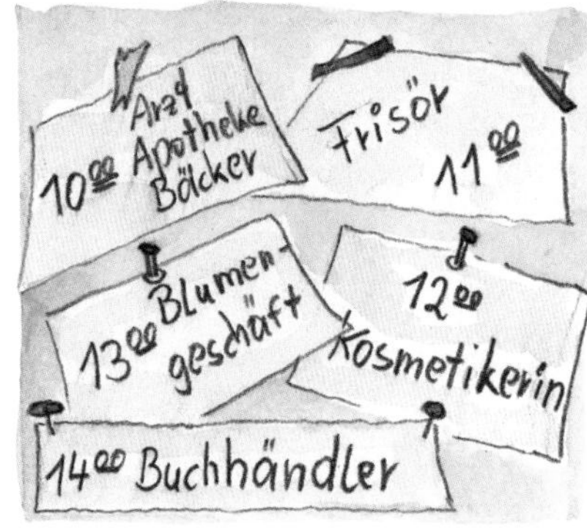

a. zu | bei | von

Sie fährt *zum* Arzt.
Sie ist *beim* Arzt.
Sie kommt *vom* Arzt.

b. zu | in | aus

Sie fährt .... Apotheke.
Sie geht .... Apotheke.
Sie kommt .... Apotheke.

c. zu | bei | aus

Sie fährt .... Bäcker.
Sie ist .... Bäcker.
Sie kommt .... Bäckerei.

d. zu | bei | von

Sie fährt .... Frisör.
Sie ist .... Frisör.
Sie kommt .... Frisör.

e. zu | bei | aus

Sie fährt .... Kosmetikerin.
Sie ist .... Kosmetikerin.
Sie kommt .... Kosmetikgeschäft.

f. zu | in | aus

Sie fährt .... Buchhändler.
Sie ist .... Buchhandlung.
Sie kommt .... Buchhandlung.

4 Ergänzen Sie einem oder einer. → 5

a. Ein Student ist in *einer* Buchhandlung.
b. Eine Studentin ist in .... Computergeschäft.
c. Eine Polizistin steht an ....Straße.
d. Ein Polizist steht an .... Autobahn.
e. Eine Sanitäterin fährt zu .... Brücke.
f. Ein Sanitäter fährt zu .... Apotheke.
g. Ein Unfall ist bei .... Kran.
h. Zwei Unfälle sind bei .... Ampel.
i. Ein Mädchen kommt von .... Arzt.
j. Eine Frau kommt von .... Kosmetikerin.
k. Ein Hotel ist neben .... Brücke.
l. Zwei Hotels sind neben .... Museum.
m. Ein Kran steht hinter .... Container.
n. Zwei Kräne stehen hinter .... Haus.
o. Ein Tourist fährt mit .... Taxi.
p. Eine Touristin fährt mit .... Bus.
q. Eine Ärztin steht zwischen .... Bett und .... Lampe.
r. Ein Animateur steht unter .... Brücke.
s. Eine Animateurin steht unter .... Schild.
t. Ein Arzt ist auf .... Parkplatz.
u. Eine Ärztin ist auf .... Schiff.

5 Was passt wo? → 5

die Autobahn	der Arm	die Notaufnahme
....	....	....
....	....	....
....	....	....
	....	....
	....	

der Verkehr · die Hand · das Krankenhaus · die Brust · der Krankenpfleger · der Kopf · die Haut · die Brücke · die Ärztin · die Straße · das Gesicht · die Krankenschwester

6 Ordnen Sie die Sätze. → Kursbuch S. 111 → 5

- Mit Tempo 100 fährt das Rettungsteam zum Krankenhaus zurück.
- Dort liegt ein Personenwagen unter einem Container.
- Die Sanitäter heben den Mann aus dem Rettungswagen und bringen ihn in die Notaufnahme.
- Dann untersucht die Ärztin das Unfallopfer.
- Zwei Feuerwehrmänner brechen die Tür auf.
- Sie fahren zum Hamburger Hafen.
- In der Notaufnahme klingelt das Telefon.
- Die Sanitäter heben den Mann auf eine Trage und schieben sie in den Notarztwagen.
- Die Notärztin und die Sanitäter rennen zum Notarztwagen.

a. *In der Notaufnahme* ....

b. ....

c. ....

d. ....

e. ....

f. ....

g. ....

h. ....

i. ....

7 Welche Antwort passt? Ergänzen Sie. → Kursbuch S. 111 → 5

Vorne neben dem Fahrer und dem Krankenpfleger · Zum Notarztwagen · ~~In der Notaufnahme~~ · Einige Autofahrer machen die Straße nicht frei · Vor dem Eingang

Abschnitt 1:

a. Wo klingelt das Telefon? *In der Notaufnahme.*

b. Wohin rennen die Notärztin und die Sanitäter? ....

c. Wo steht der Notarztwagen? ....

d. Wo sitzt die Ärztin? ....

e. Warum schimpft der Fahrer? ....

Abschnitt 2:

◎ Hinten bei einem Kran ◎ Unter einem Container ◎
◎ ~~Vor einem Tor~~ ◎ Am Kopf, am Arm und an den Händen ◎
◎ Sie brechen die Tür auf ◎ Ein Mann in Uniform ◎ Am Unfallort ◎

a. Wo muss der Rettungswagen zuerst halten? *Vor einem Tor.*
b. Wer macht das Tor auf? ....
c. Wo ist der Unfallort? ....
d. Wo hält der Rettungswagen? ....
e. Wo liegt der Golf? ....
f. Was machen die Feuerwehrmänner? ....
g. Wo blutet der Fahrer? ....

Abschnitt 3:

◎ Auf die Brust drücken ◎ Auf eine Trage ◎ ~~Zur Seite~~ ◎
◎ Das Unfallopfer ◎ In den Notarztwagen ◎

a. Wohin schiebt die Ärztin die Leute? *Zur Seite.*
b. Wen untersucht sie? ....
c. Wohin heben die Sanitäter das Unfallopfer? ....
d. Was dürfen die Sanitäter nicht tun? ....
e. Wohin schieben die Sanitäter die Trage? ....

Abschnitte 4 und 5:

◎ In der Notaufnahme ◎ ~~Mit Tempo 100~~ ◎
◎ Sie steigt aus ◎ Zum Krankenhaus zurück ◎

a. Wie schnell fährt der Rettungswagen auf der Autobahn? *Mit Tempo 100.*
b. Wohin fährt das Rettungsteam mit dem Opfer? ....
c. Wo warten die Sanitäter bereits? ....
d. Was macht die Ärztin? ....

Abschnitt 6:

◎ Doktor Hildegard Becker ◎ Von der Zentrale ◎ ~~Nach 35 Minuten~~ ◎
◎ Hart, aber sie liebt ihn ◎ Im Hafenkrankenhaus ◎

a. Wann ist der Einsatz zu Ende? *Nach 35 Minuten.*
b. Woher kommen die Anrufe? ....
c. Wie heißt die Notärztin? ....
d. Wo arbeitet die Notärztin? ....
e. Wie findet sie ihren Job? ....

8 Wie viele Wörter erkennen Sie? →5

D	A	T	I	V	U	L	O	L	L	B	A	B	A	B
Z	G	Ü	N	X	Q	P	Z	T	O	R	P	E	R	E
M	B	R	Ü	C	K	E	O	L	A	U	N	R	Q	M
A	W	I	M	K	E	R	R	Ü	H	S	E	I	T	E
H	U	N	V	O	R	S	I	C	H	T	S	C	Z	S
A	Z	P	I	V	R	O	S	N	A	M	Z	H	E	N
K	R	A	N	K	E	N	H	A	U	S	R	T	O	D
E	G	U	R	B	Ä	E	K	O	S	Z	Y	N	P	I
N	O	T	A	U	F	N	A	H	M	E	N	I	F	B
D	A	O	N	Ö	L	W	S	A	Q	I	R	U	E	Ü
J	O	B	E	B	R	A	G	F	A	H	R	E	R	R
A	B	A	C	A	N	G	H	E	N	U	N	T	E	O
W	E	H	M	U	G	E	I	N	G	A	N	G	U	F
H	A	N	D	M	I	N	Z	E	T	R	A	U	L	U
U	L	D	E	N	E	M	S	C	H	M	E	R	Z	C

9 Was passt wo? →5

laufen – setzen – sagen – heben – ~~stellen~~ – springen – schimpfen – tanzen – sprechen – fragen – schieben – rennen

legen	gehen	rufen
stellen	....	....
....	....	....
....	....	....
....	....	....

10 Schreiben Sie die Buchstaben in die Zeichnung. →7

a. Das Flugzeug fliegt über die Bäume.
b. Peter liegt unter dem Baum.
c. Peter steht neben dem Baum.
d. Peter sitzt im Baum.
e. Peter steht vor dem Baum.
f. Peter sitzt auf dem Baum.
g. Peter steht am Baum.
h. Peter steht hinter dem Baum.
i. Peter steht zwischen den Bäumen.

11 Ergänzen Sie. →7

Wo? Wohin? Woher?

die der den das dem

a. .... steht der Notarztwagen? Vor .... Eingang.
b. .... sitzt der Krankenpfleger? Neben .... Ärztin.
c. .... kommt die Ärztin? Aus .... Notaufnahme.
d. .... fährt der Rettungswagen? In .... Hafen.
e. .... ist der Unfall? Bei .... Kran.
f. .... liegt der Personenwagen? Unter .... Container.
g. .... kommen die Sanitäter? Aus .... Rettungswagen.
h. .... liegt der Mann? Auf .... Trage.
i. .... bringen die Sanitäter das Opfer? In .... Krankenhaus.
j. .... blutet der Mann? An .... Händen.
k. .... geht die Ärztin? In .... Notaufnahme.

12 Bewegung B oder Ruhe R? Was passt? →7

a. B Er geht nach Hause.
b. R Sie steht vor dem Spiegel.
c. Er liegt auf dem Sofa.
d. Sie sitzt auf dem Stuhl.
e. Er läuft zum Wagen.
f. Sie stellt die Blumen auf den Tisch.
g. Er kommt aus der Küche.
h. Die Uhr hängt über der Tür.
i. Sie rennen zum Notarztwagen.
j. Der Wagen hält vor dem Tor.
k. Er bleibt im Bett.
l. Sie reist nach Italien.
m. Er setzt den Hut auf den Kopf.
n. Sie wirft den Ball ins Wasser.
o. Er ist auf dem Balkon.
p. Sie heben den Mann auf die Trage.
q. Sie schiebt die Leute zur Seite.

13 Ergänzen Sie. →7

	halten	laufen
ich		
du	hältst	
er/sie/es/man		läuft
wir		
ihr		
sie/Sie		

14 Präpositionen mit Akkusativ oder Dativ → § 13, 14

	Akkusativ *Richtung/Bewegung* Wohin? →→→→ ◎	**Dativ** *Position/Ruhe* Wo? ◎
in	Sie setzt die Puppe **in die** Kiste.	Die Puppe sitzt **in der** Kiste.
ins = in das	Sie legt das Kind **ins** Bett.	
im = in dem		Das Kind liegt **im** Bett.
an	Er hängt das Bild **an die** Wand.	Das Bild hängt **an der** Wand.
ans = an das	Er stellt die Leiter **ans** Regal.	
am = an dem		Die Leiter steht **am** Regal.

15 Präpositionen mit Dativ → § 13

aus	Sie kommt **aus dem** Haus.
bei	Der Unfall ist **bei den** Containern.
beim = bei dem	Der Briefträger steht **beim** Buchhändler.
mit	Sie fährt **mit dem** Auto.
nach	**Nach der** Ampel fährt sie rechts.
von	Der Anruf kommt **von der** Zentrale.
vom = von dem	Er holt die Stühle **vom** Balkon.
zu	Die Ärztin geht **zu dem** Unfallopfer.
zum = zu dem	Sie geht **zum** Arzt.
zur = zu der	Er fährt **zur** Bank.

16 Direktiv-, Situativ- und Herkunftsergänzung → § 23e/f/g

	Direktiv Wohin?
Er geht	**zum** Arzt.
Sie fährt	**zur** Praxis.

	Situativ Wo?
Er ist	**beim** Arzt.
Sie sitzt	**in der** Praxis.

	Herkunft Woher?
Er kommt	**vom** Arzt.
Sie kommt	**aus der** Praxis.

17 Konjugation: Verben mit Vokalwechsel, tun → § 15

	halten **a → ä**		**laufen** **au → äu**		**tun**
ich	halte		laufe		tue
du		hältst		läufst	tust
er/sie/es/man		hält		läuft	tut
wir	halten		laufen		tun
ihr	haltet		lauft		tut
sie/Sie	halten		laufen		tun

Nomen

e Apotheke, -n
r Arm, -e
r Arzt, ¨-e
e Ärztin, -nen
e Arztpraxis, Arztpraxen
→ Praxis
r Augenarzt, ¨-e → Arzt
r Autofahrer, - → Fahrer
s Bein, -e
r Bericht, -e
r Besucher, -
e Blumenhändlerin, -nen
e Brust, ¨-e
e Buchhandlung, -en
r Doktor, -en
r Eingang, ¨-e
r Fahrer, -
e Fahrt, -en
r Feuerwehrmann, ¨-er
s Frisörgeschäft, -e
r Hafen, ¨-
s Hafenkrankenhaus, ¨-er
r Haken, -
r Hals-Nasen-Ohren-Arzt,
¨-e → Arzt
r Job, -s
r Kinderwagen, -
e Kosmetikerin, -nen
s Kosmetikgeschäft, -e
s Krankenhaus, ¨-er
r Krankenpfleger, -
r Lebensretter, -
e Notärztin, -nen
→ Ärztin
r Notarztwagen, -
e Notaufnahme, -n
s Opfer, -
r Personenwagen, -
e Praxis, Praxen
e Reaktion, -en
r Sanitäter, -
s Schiff, -e
r Schirm, -e
r Schmerz, -en
e Sprechstunde, -n
s Tempo
r Tod
s Unfallopfer, -
→ Opfer
r Unfallort, -e → Ort
e Uniform, -en
r Verkehr
e Vorsicht
r Zahnarzt, ¨-e
e Zahnarztpraxis,
Zahnarztpraxen
→ Praxis
e Zentrale, -n

Verben

auf·brechen
aus·steigen
bluten
drücken
entscheiden
halten
heben
klingeln
laufen
reißen
rennen
rufen
schieben
schimpfen
tun
untersuchen
weh tun
weiter·fahren
zurück·fahren

Andere Wörter

am → an
an
ans → an
aus
bei
beim → bei
im → in
in
ins → in
mit
nach
vom → von
von
zu
zum → zu
zur → zu
beide
direkt
eben
einige
einmal
hart
hinten
kurz
leicht
manchmal
nächste
niemand
noch nichts
schwer
später
tot
unverletzt
verletzt
vorne

Ausdrücke

Er ist gerade beim Augenarzt.
Sie kommt eben vom Hals-Nasen-Ohren-Arzt.
Sein Bein tut weh.
Die Uhr zeigt acht Uhr vierundzwanzig.
Einige Autofahrer machen die Straße nicht frei.
Sie kann noch nichts tun.
Er ist leicht verletzt.
Er ist schwer verletzt.
Manchmal entscheiden Sekunden.
Wann kommt der nächste Anruf?
Die beiden Männer schieben die Trage in den Wagen.
Sie sagt nur kurz: ...

In Deutschland sagt man:	**In Österreich sagt man auch:**	**In der Schweiz sagt man auch:**
die Arztpraxis	die Ordination	
der Briefträger		der Pöstler
der Fahrer		der Chauffeur
das Krankenhaus	das Spital	das Spital
klingeln	läuten	läuten
laufen	rennen	

Kurssprache

r Textabschnitt, -e
durch·lesen
wählen

Lesen Sie den Text einmal schnell durch.
Formulieren Sie Fragen zu den Textabschnitten.
Jeder wählt eine Situation.

1 Schreiben Sie Gespräche. →1

~~ein Eis~~ ~~mein Geburtstag~~ ~~Kaffee~~ eine Pizza ein Hamburger eine Suppe ein Bier ein Film meine Party Tee Essen

◆ Darf ich Sie zu einem Eis einladen? ⊙ Ja, zu einem Eis gerne. Vielen Dank.
◆ Ich möchte dich zu meinem Geburtstag einladen. ⊙ Danke schön. Wann ist denn dein Geburtstag?
◆ Ich lade dich für Samstag zum Kaffee ein. ⊙ Oh, das ist sehr nett. Ich komme gerne.

a. ◆ *Darf ich Sie* ....? ⊙ ....
b. ◆ *Ich möchte dich* .... ⊙ ....
c. ◆ *Ich lade dich* .... ⊙ ....
d. ◆ *Darf ich Sie* ....? ⊙ ....
e. ◆ *Ich möchte dich* .... ⊙ ....
f. ◆ *Ich lade dich* .... ⊙ ....

2 Sagen Sie es anders. →3

a. Können Sie bitte noch ein Besteck bringen? *Bringen Sie bitte noch ein Besteck.*
b. Können Sie bitte einen Salat mitbringen? *Bringen Sie bitte einen Salat mit.*
c. Kommt ihr bitte? *Kommt bitte.*
d. Kommt ihr mit, bitte? *Kommt bitte mit.*
e. Können Sie bitte das Fenster schließen? ....
f. Können Sie bitte die Tür abschließen? ....
g. Könnt ihr bitte ruhig stehen? ....
h. Könnt ihr bitte aufstehen? ....
i. Können Sie bitte fahren? ....
j. Können Sie bitte weiterfahren? ....
k. Könnt ihr bitte die Übung machen? ....
l. Könnt ihr bitte die Übung weitermachen? ....
m. Können Sie bitte den Fernseher ausmachen? ....
n. Können Sie bitte den Fernseher anmachen? ....
o. Könnt ihr bitte ein Taxi rufen? ....
p. Könnt ihr mich bitte bis Sonntag anrufen? ....
q. Können Sie bitte auf den Baum steigen? ....
r. Können Sie bitte einsteigen? ....
s. Können Sie bitte aussteigen? ....

3 Was passt zusammen? →5

a. Sie holt ihre Kreditkarte
b. Er bringt den Papagei
c. Der Stuhl steht
d. Sie hängt das Bild
e. Wir stellen die Blume
f. Der Papagei sitzt
g. Montags fährt er immer
h. Er nimmt das Bild
i. Er hängt den Mantel

1. von der Wand.
2. im Käfig.
3. in die Vase.
4. von der Bank.
5. zur Bank.
6. an die Wand.
7. in den Schrank.
8. neben dem Tisch
9. in den Käfig.

4 Ergänzen Sie die Formen von **nehmen**. →5

a. Fahren wir mit dem Bus oder .... wir ein Taxi?
b. Herbert .... die Kreditkarte aus der Handtasche.
c. Der Fahrkartenautomat .... keine Münzen.
d. Wir müssen ein paar Dinge in den Keller bringen; ich .... die Leiter und du .... den Stuhl.
e. Darf ich den Papagei aus dem Käfig ....?
f. .... Sie einen Kaffee oder Tee, Frau Schmidt?
g. Es sind etwa sechs Kilometer bis zum Zoo. Warum .... ihr nicht den Bus?
h. Im Urlaub habe ich keine Probleme mit meinem Hund. Meine Mutter .... ihn immer.
i. Ich .... morgens immer Vitamine.

5 Ergänzen Sie. →6

a. Wann kommst du? *Komm doch bald, bitte.*
b. Wann rufst du an? *Ruf doch bald an, bitte.*
c. Wann schreibst du? ....
d. Wann kochst du? ....
e. Wann grillst du? ....
f. Wann telefonierst du? ....
g. Wann bezahlst du? ....
h. Wann holst du die Zeitung? ....
i. Wann stehst du auf? ....

6 Ergänzen Sie die Formen. →6

~~wartet~~ ◎ ~~warte~~ ◎ antwortet ◎ antworten ◎ betreten ◎ betretet ◎ vergiss ◎ vergessen ◎ essen ◎ esst ◎ nehmen ◎ nehmt ◎ sprich ◎ sprechen ◎ sprich … nach ◎ sprecht … nach ◎ zerbrechen ◎ zerbrich ◎ lest ◎ lesen ◎ lesen … weiter ◎ lies … weiter ◎ tragt ◎ tragen ◎ waschen ◎ wascht ◎ fahr ◎ fahrt ◎ fahrt … weiter ◎ fahren … weiter ◎ halte ◎ haltet ◎ schlafen ◎ schlaf

a.	Warten Sie bitte.	*Wartet* bitte.	*Warte* bitte.
b.	.... Sie bitte.	.... bitte.	Antworte bitte.
c.	.... Sie bitte den Rasen nicht.	.... bitte den Rasen nicht.	Betritt bitte den Rasen nicht.
d.	.... Sie den Termin nicht.	Vergesst bitte den Termin nicht.	.... bitte den Termin nicht.
e.	.... Sie bitte.	.... bitte.	Iss bitte.
f.	.... Sie das Geld bitte.	.... das Geld bitte.	Nimm das Geld, bitte.
g.	.... Sie leise, bitte.	Sprecht leise, bitte.	.... leise, bitte
h.	Sprechen Sie bitte nach.	.... bitte	.... bitte ....
i.	.... Sie bitte nichts.	Zerbrecht bitte nichts.	.... bitte nichts.
j.	.... Sie bitte.	.... bitte.	Lies bitte.
k.	.... Sie bitte	Lest bitte weiter.	.... bitte ....
l.	.... Sie das, bitte.	.... das, bitte.	Trag das, bitte.
m.	.... Sie das, bitte.	.... das, bitte.	Wasch das, bitte.
n.	Fahren Sie bitte.	.... bitte.	.... bitte.
o.	.... Sie bitte	.... bitte	Fahr bitte weiter.
p.	Halten Sie bitte.	.... bitte.	.... bitte.
q.	.... Sie bitte.	Schlaft bitte.	.... bitte.

7 Ergänzen Sie. →6

a.	den Teller aus dem Geschirrspüler nehmen	*Nimmst du bitte den Teller aus dem Geschirrspüler?*
b.	das Besteck aus dem Geschirrspüler nehmen	*Nimm bitte das Besteck aus dem Geschirrspüler.*
c.	den Topf vom Herd nehmen	.... *du bitte* .... ?
d.	den Saft aus dem Kühlschrank nehmen	.... *bitte* ....
e.	eine Flasche Wasser aus dem Keller holen	.... *du bitte* .... ?
f.	einen Stuhl vom Balkon holen	.... *bitte* ....
g.	die Flasche auf den Tisch stellen	.... *du bitte* .... ?
h.	die Gläser auf den Tisch stellen	.... *bitte* ....
i.	den Joghurt aus dem Kühlschrank nehmen	.... *du bitte* .... ?
j.	die Gläser aus dem Schrank nehmen	.... *bitte* ....

k. die Pizza auf den Teller legen .... du bitte ....?
l. das Besteck neben den Teller legen .... bitte ....
m. das Geschirr in die Küche bringen .... du bitte ....?
n. die Flasche in den Keller bringen .... bitte ....

8 Ordnen Sie die Gespräche. →8

- Und wann kommt er hier an?
- Oh! Ist der Zug heute nicht pünktlich?
- ~~Entschuldigung. Ich möchte nach Wuppertal. Bin ich hier richtig auf Bahnsteig 9?~~
- Heute ist die Ankunft um 18.40 Uhr.
- Nein, leider nicht. Der hat 10 Minuten Verspätung.
- Ja, klar. Ihr Zug fährt auf Gleis 9.

a. ◆ Entschuldigung. Ich möchte nach Wuppertal. Bin ich hier richtig auf Bahnsteig 9?
⊙ ....
◆ ....
⊙ ....
◆ ....
⊙ ....

- Und wie viel Uhr ist es denn jetzt, bitte?
- ~~Verzeihung. Wann fährt denn der Zug nach München ab?~~
- Das ist gut. Vielen Dank.
- Jetzt ist es erst 17.20 Uhr. Sie haben noch 20 Minuten Zeit.
- Die Abfahrt ist um 17.40 Uhr.

b. ◆ Verzeihung. Wann fährt denn der Zug nach München ab?
⊙ ....
◆ ....
⊙ ....
◆ ....

9 Ergänzen Sie. → 9

◎ im ◎ ins ◎ in der ◎ in die ◎ in den ◎

a. Die Frau steigt .... Taxi.
Sie sitzt .... Taxi.
Der Fahrer soll .... Luisenstraße fahren.
Sie sucht das Geld .... Handtasche.
Sie kann nicht .... Blumenladen gehen.

◎ an den ◎ am ◎ an der ◎ ans ◎ an die ◎

b. Der Taxifahrer soll .... Blumenladen halten.
Er soll auch .... Bank halten.
Werner soll das Bild .... Wand hängen.
Die Gitarre stellt er .... Sofa.
Er hängt seinen Mantel .... Haken.

◎ zum ◎ zu den ◎ zur ◎

c. Der Fahrer fährt .... Bank.
Dann soll er .... Flughafen fahren.
Dann fährt er .... Taxis am Bahnhof zurück.

◎ beim ◎ bei den ◎ bei der ◎

d. Die Ärztin steht .... Unfallopfer.
Die Leute stehen .... Ärztin.
Die Sanitäter stehen .... Feuerwehrmännern.

◎ von den ◎ von der ◎ vom ◎

e. Der Notarztwagen fährt .... Notaufnahme zum Unfallort.
Der Notarztwagen fährt .... Unfallort zum Krankenhaus.
Die Notarztwagen fahren immer .... Unfallorten zu den Krankenhäusern.

10 Bilden Sie Sätze mit durch. → 10

a. Mann – gehen – Eingang *Der Mann geht durch den Eingang.*
b. Hund – rennen – Pfütze ....
c. Krankenwagen – fahren – Tor ....
d. Kinder – laufen – Wald ....
e. Einbrecher – kommen – Keller ....
f. Lehrerin – schauen – Brille ....
g. Katze – springen – Fenster ....

11 Ergänzen Sie für, gegen oder ohne. →10

a. Er fährt mit Tempo 30 .... einen Baum.
b. Sie hat kein Geld .... den Taxifahrer.
c. Er hat keine Zeit .... ein Gespräch.
d. Er geht nie .... seinen Hund in den Wald.
e. Er wirft den Ball .... die Wand.
f. Sie geht nie .... ein Buch ins Bett.
g. Die Ärztin kann .... ihren Beruf nicht leben.
h. Sie sieht schlecht und läuft deshalb manchmal .... eine Laterne.
i. Im Keller ist kein Platz .... den Tisch.
j. Sie kauft Blumen .... ihre Mutter.
k. Der Maler stellt die Leiter .... den Balkon.
l. Man sieht ihn nie .... seinen Koffer.

12 Ergänzen Sie. →10

sitzen um den Topf ◎ ~~rennt um einen Igel~~ ◎ läuft sie um den See ◎ laufen um den Tisch ◎ laufen um die Bank ◎ läuft sie um den Teller ◎ laufen um den Fisch

a. Die Kinder rennen um den Spiegel.
Die Katze *rennt um einen Igel.*

b. Die Mücken ....
Dann fliegen sie um einen Kopf.

c. Die Kellner sitzen um den Tisch.
Die Katzen ....

d. Die Hunde ....
Die Mäuse laufen um den Schrank.

e. Die Sportlerin trinkt Tee.
Dann ....

f. Die Maus kommt aus dem Keller.
Dann ....

g. Die Leute essen heute Fisch.
Die Katzen ....

13 Präpositionen mit Akkusativ → § 13

durch	Er geht **durch den** Wald.
für	Die Wurst ist **für den** Hund.
gegen	Er fährt **gegen den** Baum.
ohne	Er schläft **ohne den** Teddy.
um	Sie gehen **um das** Haus.

14 Übersicht: Präpositionen mit lokaler Bedeutung

vor

neben

an

hinter

von ... nach

unter

in

auf

über

gegen

aus

zu

um

durch

zwischen

15 Konjugation: Verben mit Vokalwechsel → § 15

	werfen e → i		**nehmen** e → i	
ich	werfe		nehme	
du		w**i**rfst		n**imm**st
er/sie/es/man		w**i**rft		n**imm**t
wir	werfen		nehmen	
ihr	werft		nehmt	
sie/Sie	werfen		nehmen	

16 Imperativ → § 20

	gehen	**warten**	**schlafen**	**werfen**	**nehmen**	**anrufen**
Sie	Gehen Sie.	Warten Sie.	Schlafen Sie.	Werfen Sie.	Nehmen Sie.	Rufen Sie an.
du	Geh.	Wart**e**.	Schlaf.	Wirf.	**Nimm**.	Ruf an.
ihr	Geht.	Wart**e**t.	Schlaft.	Werft.	Nehmt.	Ruft an.

Nomen
e Ankunft
e Ansage, -n
r Anschluss, ¨-e
s Bahnhofscafé, -s ➔ Café
r Bahnsteig, -e
r Blumenladen, ¨ ➔ Laden
e Decke, -n
s Ehepaar, -e
r Einbrecher, -
e Einladung, -en
s Essen, -
r Flughafen, ¨
r Gast, ¨-e
s Getränk, -e
s Glas, ¨-er
r ICE ➔ (Intercity Express)
r Käfig, -e
r Kartoffelsalat, -e ➔ Salat
r Keller, -
r Ketchup
r Laden, ¨
r Museumsplatz ➔ Platz
e Party, -s
r Platz, ¨-e
r Raum, ¨-e
r See, -n
r Senf
r Sportler, -
e Station, -en
e Suppe, -n
e Tafel, -n
r Taxifahrer, -
r Teddy, -s
r Tomatensalat, -e ➔ Salat
e Vase, -n
e Verspätung, -en
r Wald, ¨-er
e Wasserflasche, -n ➔ Flasche
e Wurst, ¨-e

Verben
ab·fahren
an·kommen
bekommen
ein·kaufen
ein·laden
grillen
heiraten
holen
joggen
mit·bringen
nehmen
ein·steigen
weg·rennen

Andere Wörter
durch
für
gegen
ohne
um

bloß
noch einmal
pünktlich

Ausdrücke
Er möchte sie zum Essen einladen.
Sie heiraten am Freitag.
Zu der Party kommen 20 bis 50 Leute.
Bitte bringt bloß kein Geschenk mit.
Kommt doch bitte schon um sechs.
Rufen Sie bitte morgen an.
Können Sie bitte morgen anrufen?
Stell bitte die Blumen auf den Tisch.
Der Zug kommt pünktlich an.
Der Zug kommt mit Verspätung an.
Die Frau steigt in ein Taxi.

Kurssprache
r Imperativ, -e
e Imperativform, -en
s Kurstreffen, -
e Präposition, -en

um·formen
vor·bereiten
vor·schlagen

Formen Sie die Imperative um.
Bereiten Sie ein Kurstreffen vor.
Einer schlägt etwas vor.

1 Schreiben Sie die Sätze unter die Zeichnungen. →1

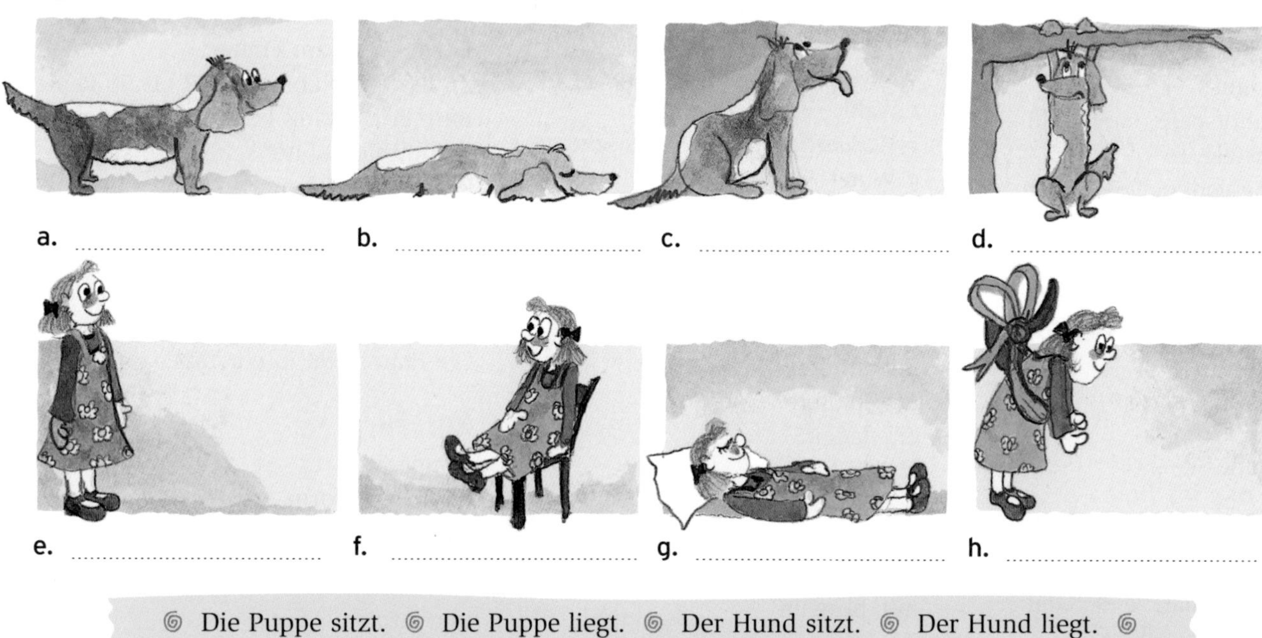

a. ....
b. ....
c. ....
d. ....
e. ....
f. ....
g. ....
h. ....

Die Puppe sitzt. Die Puppe liegt. Der Hund sitzt. Der Hund liegt. Die Puppe hängt. Die Puppe steht. Der Hund hängt. Der Hund steht.

2 Ergänzen Sie. →1

	setzen	sitzen	stellen	stehen	legen	liegen
ich	*setze*					
du		*sitzt*				
er/sie/es/man			*stellt*			
wir				*stehen*		
ihr					*legt*	
sie/Sie						*liegen*

3 Ergänzen Sie m, n oder r. →1

a. Vor *eine*... Telefonzelle steht eine Touristin.
b. Links hat sie *eine*... Koffer und *eine*... Hut in der Hand.
c. Rechts trägt sie *ihre*... Mantel und *ihre*... Hund auf *de*... Arm.
d. In *ihre*... Mantel findet sie ihre Telefonkarte.
e. Sie geht mit *ihre*... Telefonkarte in die Telefonzelle.
f. Leider funktioniert das Telefon nicht, aber jetzt sieht sie vor *eine*... Bäckerei ein Mädchen mit *eine*... Mobiltelefon.
g. Sie geht zu *de*... Mädchen und fragt: „Darf ich vielleicht mit *dein*... Mobiltelefon telefonieren?“

4 Was passt? Ergänzen Sie. →4

zum · ~~um~~ · zur · mit · von · am · geradeaus · bei

a. Soll ich hier rechts *um* die Ecke gehen?
b. Kann ich .... dem Bus 33 bis zum Dom fahren?
c. Ist es weit bis .... Schloss?
d. Ist das Museum .... Marktplatz?
e. Ist das Rathaus weit .... hier?
f. Ist es weit bis .... Burg?
g. Soll ich den Weg immer .... gehen?
h. Ist der Turm .... den Brücken?

5 Schreiben Sie zwei Gespräche. →4

◆ • Guten Tag. | Guten Morgen. | Guten Abend.
 • Kann ich Ihnen helfen? | Was kann ich für Sie tun? | Kann ich etwas für Sie tun?
⊙ • suche: Restaurant | Computerladen | Buchhandlung • einen | eine | eins empfehlen können?
◆ • Restaurant – Rathaus | Dom | Museum | Brücke • sehr gut | prima | toll
⊙ • weit bis Rathaus | Dom | Museum | Brücke?
◆ • links | rechts um die Ecke • das zweite | dritte | vierte Haus links | rechts.
⊙ • Ich danke Ihnen. | Haben Sie vielen Dank. | Danke schön.

Gespräch 1
◆ *Guten Tag. Kann ich Ihnen helfen?*
⊙ *Ich suche ein Restaurant. Können Sie mir eins empfehlen?*
◆ *Ja, das Restaurant am Rathaus ist sehr gut.*
⊙ *Ist es weit bis zum Rathaus?*
◆ *Nein. Gehen Sie links um die Ecke, es ist das zweite Haus links.*
⊙ *Ich danke Ihnen.*

Gespräch 2
◆ ....
⊙ ....
◆ ....
⊙ ....
◆ ....
⊙ ....

Gespräch 3
◆ ....
⊙ ....
◆ ....
⊙ ....
◆ ....
⊙ ....

6 Wie heißen die Nomen? →5

◎ praxis ◎ ~~zelle~~ ◎ platz ◎ haus ◎
◎ hof ◎ theke ◎ garten ◎ bad ◎
◎ haltestelle ◎ geschäft ◎
◎ information ◎ bahn ◎ büro ◎

a. die Telefonzelle
b. der Bahn
c. das Rat
d. die Arzt
e. das Schwimm
f. der Kinder
g. der Sport
h. die Bus
i. die Apo
j. das Reise
k. die Straßen
l. die Touristen
m. das Computer

7 Schreiben Sie. →5

a. 1. Weg → Es ist der erste Weg rechts.
b. 2. Weg ← Sehen Sie den zweiten Weg links?
c. 3. Straße → Es ist die dritte .
d. 4. Straße ← Sehen Sie ?
e. 5. Haus → Es ist .
f. 6. Haus ← Sehen Sie ?
g. 7. Straße → Es ist .
h. 8. Weg → Sehen Sie ?
i. 9. Haus ← Es ist .

8 Schreiben Sie. →5

◎ ~~geradeaus~~ ◎ geradeaus ◎ rechts ◎ rechts ◎ rechts ◎ rechts ◎ links ◎ links ◎
◎ links ◎ links ◎ die erste Straße ◎ die erste Straße ◎ die zweite Straße ◎
◎ die zweite Straße ◎ die dritte Straße ◎ die Blumenstraße ◎ die zweite Straße ◎
◎ bis zur Bushaltestelle ◎ bis zur Kirche ◎ nach der Bushaltestelle ◎ nach der Kirche ◎

a. ◆ Wie komme ich zur Post?
⊙ Gehen Sie hier geradeaus und dann .... Nehmen Sie dann .... Noch ein Stück .... Dann sehen Sie .... die Post.

b. ◆ Verzeihung, wie komme ich zur Blumenstraße?
⊙ Das ist einfach. Gehen Sie ....
.... nehmen Sie ....
.... Und dann ....
.... Das ist ....

c. ◆ Guten Tag. Gibt es hier eine Apotheke?
⊙ Kein Problem. Da gehen Sie hier ....
....
nehmen Sie ....
Da sehen Sie .... eine Apotheke.

9 Ergänzen Sie die Formen der Verben. →5

◎ ~~fahren~~ ◎ nehmen ◎ aussteigen ◎ sein ◎ umsteigen ◎ brauchen ◎

a. Am Montag um acht Uhr *fährt* Herr Wagner zur Arbeit.
b. Zuerst .... er die Straßenbahn bis zur Haltestelle Marktplatz.
c. Von da .... er etwa zehn Minuten bis zum Goetheplatz.
d. Dort muss er von der Straßenbahn in die U-Bahn ....
e. An der Haltestelle Blumenweg .... er ....
f. Und dann .... er schon da.

◎ haben ◎ fahren ◎ sein ◎ abbiegen ◎ aussteigen ◎ ankommen ◎ gehen ◎

g. Frau Wagner hat einen Termin beim Arzt.
h. Sie .... mit dem Zug.
i. Um 9 Uhr .... sie am Hauptbahnhof ....
j. Dort .... sie ....
k. Sie .... zu Fuß.
l. Nach dem Bahnhofsplatz .... sie nach links in die Königsstraße ....
m. Bis zur Arztpraxis .... es dann nur noch ein paar Minuten.

◎ fahren ◎ steigen ◎ halten ◎ aussteigen ◎ vorbeigehen ◎ ankommen ◎

n. Die Kinder fahren am Mittwoch mit dem Bus zum Schwimmbad.
o. Um 3 Uhr .... sie in den Bus.
p. An der Haltestelle Lagunenweg müssen sie ....
q. Der Bus .... hundert Meter nach der Brücke.
r. Sie .... am Tennisplatz ....
s. Nach fünf Minuten .... sie am Schwimmbad ....

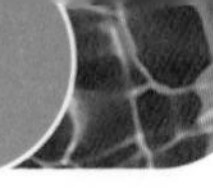

10 Ordnen Sie das Gespräch. →8

- Gut. Neben der Post links. Haben Sie vielen Dank. Auf Wiedersehen.
- Natürlich, es gibt viele Radwege um den See und auch durch den Wald.
- Gut. Der See ist sehr schön. Kann man da auch gut Fahrrad fahren?
- ~~Guten Tag. Wir würden gerne hier in der Nähe wandern. Gibt es Wanderwege hier?~~
- Bei der Fahrradvermietung, gleich links neben der Post.
- Ja, Sie können zum Beispiel um den See wandern.
- Prima. Und wo kann man hier Fahrräder mieten?

◆ *Guten Tag. Wir würden gerne hier in der Nähe wandern. Gibt es Wanderwege hier?*

⊙ ....

◆ ....

⊙ ....

◆ ....

⊙ ....

◆ ....

11 Personalpronomen im Dativ: mir, Ihnen → § 8

Nominativ	*Dativ*
ich	**mir**
Sie	**Ihnen**

Ich suche ein Hotel. Können Sie **mir** helfen?
Suchen Sie ein Hotel? Ich kann **Ihnen** den Weg erklären.

12 Verben mit Dativergänzung → § 23c

danken	Ich danke Ihnen.
empfehlen	Können Sie mir ein Hotel empfehlen?
erklären	Können Sie mir den Weg erklären?
geben	Geben Sie mir bitte einen Kaffee.
helfen	Können Sie mir helfen?
schmecken	Schmeckt es Ihnen?
zeigen	Ich zeige Ihnen den Weg.
…	

13 Konjugation: würde

		Zum Vergleich:
ich	würd**e**	möcht**e**
du	würd**est**	möcht**est**
er/sie/es/man	würd**e**	möcht**e**
wir	würd**en**	möcht**en**
ihr	würd**et**	möcht**et**
sie/Sie	würd**en**	möcht**en**

Ich würde gern/möchte gern 2 Nächte bleiben.
Würdest du gern schwimmen gehen?
Sie würde gern Tennis spielen.
Wir würden gern ins Café gehen.
Würdet ihr gern reiten?
Sie würden gern das Zimmer nehmen.

14 Ordinalzahlen → § 11

eins:	der **erste** Weg
zwei:	die zwei**te** Straße
drei:	das **dritte** Haus
vier:	die vier**te** Kreuzung
fünf:	die fünf**te** Ampel
sechs:	der sechs**te** Weg
sieben:	das **siebte** Schild
acht:	das ach**te** Haus
…	…

zwanzig:	der zwanzig**ste** Brief
dreißig:	die dreißig**ste** Flasche
hundert:	das hundert**ste** Auto
tausend:	der tausend**ste** Stuhl
…	…

Nomen

r Ausflug, ¨-e
e Burg, -en
e Bushaltestelle, -n ➔ Haltestelle
s Café, -s
s Computergeschäft, -e ➔ Geschäft
r Dom, -e
s Doppelzimmer, - ➔ Zimmer
e Ecke, -n
s Einzelzimmer, - ➔ Zimmer
e Entschuldigung, -en
e Fahrradvermietung, -en
s Frühstück, -e
e Halbpension
e Haltestelle, -en
e Hauptstraße, -n
r Internet-Anschluss, ¨-e ➔ Anschluss
r Kindergarten, ¨-
e Kirche, -n
s Konzert, -e
e Konzertkarte, -n
e Kreuzung, -en
s Lokal, -e
e Nacht, ¨-e
e Nähe
e Post
s Rathaus, ¨-er
r Regen
s Reisebüro, -s
s Schloss, ¨-er
e Schule, -n
s Schwimmbad, ¨-er
e Sehenswürdigkeit, -en
r Sportplatz, ¨-e
e Straßenbahn, -en
e Straßenbahnhaltestelle, -n ➔ Haltestelle
s Stück, -e
e Telefonzelle, -n
r Tennisplatz, ¨-e
e Touristeninformation, -en
e Übernachtung, -en
e Ursache, -n
e Vollpension
r Wanderweg, -e ➔ Weg
r Weg, -e

Verben

baden
besuchen
danken
empfehlen
entschuldigen
erklären
helfen
wandern

Andere Wörter

also
bar
bis zu
danach
dorthin
ganz
geradeaus
leicht
links
rechts
still
vorbei
weit
zuerst

erste
zweite
dritte
vierte
...

Ausdrücke

Entschuldigen Sie bitte.
Entschuldigung, können Sie mir helfen?
Wie kann ich Ihnen helfen?
Was kann ich für Sie tun?
Besuchen sie auf jeden Fall den Dom.
Wie komme ich zum Dom?
Können Sie mir den Weg erklären?
Ist es weit bis dorthin?
Es ist gleich um die Ecke / ganz in der Nähe / nicht weit von hier.
Gehen Sie am Sportplatz vorbei.
Noch ein Stück geradeaus.
Zuerst geradeaus, bis zur Kreuzung und dann rechts.
Haben Sie ein Zimmer frei?
Ich würde gern zwei Nächte bleiben.
Ganz einfach.
Ja, genau.
In Ordnung.
Ja, gerne.
Keine Ursache.

Kurssprache

auf·schreiben
erweitern
folgend

Schreiben Sie die Gespräche auf.
Erweitern Sie das Gespräch.
Sie können folgende Ausdrücke benutzen.

In Deutschland sagt man:	**In Österreich sagt man auch:**	**In der Schweiz sagt man auch:**
die Haltestelle	die Station	die Station
die Telefonzelle		die Telefonkabine

1 Wie heißen die Fragen? →1

Die Frau *(a.)* möchte putzen. Aber auf dem Boden liegt *(b.)* ein Buch. Das legt sie *(c.)* auf den Tisch. Neben dem Regal steht *(d.)* eine Flasche. Die stellt sie *(e.)* in den Kühlschrank. Ihr Mann schläft *(f.)* vor dem Fernseher.

a. *Was möchte sie tun?*

b. ....?

c. ....?

d. ....?

e. ....?

f. ....?

2 Welche drei Wörter passen? ✗ ✗ ✗ →4

a. **buchen** — ✗ einen Flug ✗ eine Unterkunft ○ Nacht ✗ eine Übernachtung

b. **übernachten** — ○ in einem Hotel ○ in einem Internet-Anschluss ○ in einem Zelt ○ in einer Telefonzelle

c. **nachschlagen** — ○ Licht ○ ein Wort ○ eine Bedeutung ○ Telefonnummern

d. **anfordern** — ○ einen Prospekt ○ ein Formular ○ Informationen ○ Freiheit

e. **anklicken** — ○ einen Link ○ Luft ○ eine Hoteladresse ○ eine Bilddatenbank

f. **einkaufen** — ○ im Supermarkt ○ am Kiosk ○ im Geschäft ○ im Museum

g. **mieten** — ○ eine Region ○ einen Wagen ○ ein Fahrrad ○ ein Haus

h. **drucken** — ○ eine Internet-Seite ○ ein Buch ○ einen Text ○ einen Pullover

i. **anreisen** — ○ mit dem Krankenwagen ○ im Flugzeug ○ mit der Bahn ○ mit Bussen

j. **schicken** — ○ Blumen ○ Kontakt ○ Prospekte ○ Briefe

k. **besuchen** — ○ eine Veranstaltung ○ ein Konzert ○ ein Theater ○ den Fahrplan

l. **besichtigen** — ○ den Dom ○ eine Kirche ○ einen Einwohner ○ Sehenswürdigkeiten

m. **schreiben** — ○ an die Touristeninformation ○ an Wörter ○ an einen Freund ○ an Verwandte

n. **ansehen** — ○ einen Lageplan ○ den Stadtplan ○ Prospekte ○ Sommer

3 Ergänzen Sie. →4

a. Ich möchte einen Flug buchen. — *Ja, gute Idee. Buch einen Flug.*

b. Wir würden gern im Zelt übernachten. — *Ja, die Idee ist gut. Übernachtet im Zelt.*

c. Ich möchte die Wörter nachschlagen. — *Ja, gute Idee.* ....

d. Wir möchten einen Prospekt anfordern. — *Ja, die Idee ist gut.* ....

e. Ich würde gern den Link anklicken. — *Ja, gute Idee.* ....

f. Wir möchten auf dem Markt einkaufen. — *Ja, die Idee ist gut.* ....

g. Wir würden gern mit der Bahn reisen. — *Ja, gute Idee.* ....

h. Ich möchte den Prospekt in Ruhe ansehen. — *Ja, die Idee ist gut.* ....

i. Ich würde gern das Konzert besuchen. — *Ja, gute Idee.* ....

j. Wir möchten die Kirche besichtigen. — *Ja, die Idee ist gut.* ....

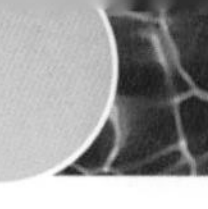

4 Ergänzen Sie. → 8

den · dem · die · der · den

a. Herr Fischer geht von .... Haltestelle nach Hause.
b. Erst geht er an .... Hotels vorbei.
c. Dann biegt er nach .... Schild links ab.
d. Jetzt ist er in .... Kantstraße.
e. Da ist sein Haus. Seine Wohnung ist neben .... Museum.
f. Frau Maier geht aus .... Haus. Sie will zur Haltestelle.
g. Erst geht sie geradeaus bis zu .... Tennisplätzen.
h. An .... Kreuzung geht sie über .... Straße.
i. Dann nimmt sie .... erste Straße links.
j. Da ist die Haltestelle, direkt vor .... Blumengeschäft.

5 Ergänzen Sie. → 8

~~Brille~~ → ~~Haare~~ → Arm → Hand → Flasche → Schirm → Klavier → Jacke → Mantel → Handtasche → Kiste → Koffer → Lampe → Fenster → Flughafen.

Eine Mücke sitzt auf einer Brille.

a. Die Mücke fliegt *von der Brille* *auf die Haare.*
b. Dann fliegt sie *von den Haaren* *auf* ....
c. Dann fliegt sie *vo... Arm* *auf* ....
d. Dann fliegt sie *von* .... *auf* ....
e. Dann fliegt sie *von* .... *auf* ....
f. Dann fliegt sie *vo* .... *auf* ....
g. Dann fliegt sie *vo* .... *auf* ....
h. Dann fliegt sie *vo* .... *auf* ....
i. Dann fliegt sie *vo* .... *auf* ....
j. Dann fliegt sie *von* .... *auf* ....
k. Dann fliegt sie *von* .... *auf* ....
l. Dann fliegt sie *vo* .... *auf* ....
m. Dann fliegt sie *von* .... *auf* ....
n. Dann fliegt sie *vo* .... *zu... Flughafen.*

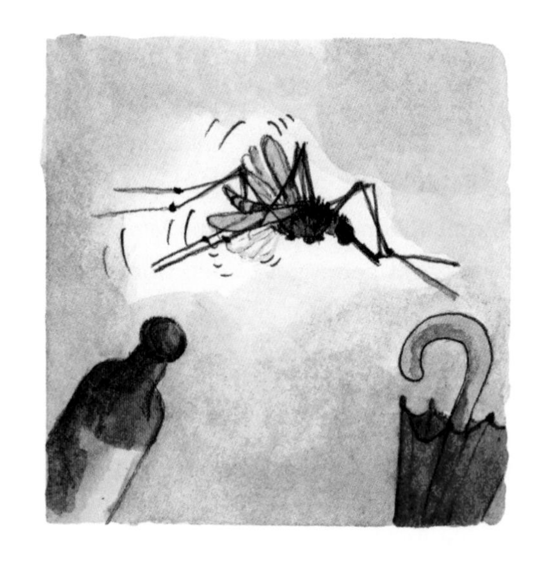

6 Wie fliegt die Mücke zurück? Beschreiben Sie. → 8

Vom Flughafen auf das Fenster, *vom Fenster* ...., ...,
........, ..., ...,
........, ..., ...,
........, ..., ...,
........, ...

7 Eine Wegbeschreibung. Schreiben Sie den Text neu. → 8

Geh am Baum vorbei. Dann läufst du über die Brücke. Du musst bis zum See gehen. Geh dann um den See und nimm den Weg geradeaus bis zur Kreuzung. Dann läufst du durch den Wald bis zum Schild.
Nach dem Schild biegst du rechts ab. Geh bis zu den Blumen. Zwischen den Blumen erkennst du einen Koffer. Den kannst du öffnen. Im Koffer ist …

Geht am Baum vorbei. Dann lauft ihr über die Brücke. Ihr müsst …

8 Lesen Sie die Einladung und schreiben Sie eine Antwort.
(Sie können die Sätze rechts ordnen und als Beispiel verwenden.) → 8

Einladung

Lieber Uwe,
zu meinem Geburtstag am Sonntag lade ich Dich herzlich ein.
Wir feiern diesmal um 18 Uhr im Haus am See.
Kannst Du kommen?
Kommst Du allein oder mit Freunden?
Würdest Du einen Salat oder Würstchen mitbringen? Bitte antworte mir bis Samstag.
Herzliche Grüße
Deine Eva

- Viele Grüße und noch mal herzlichen Dank.
- Gerne bringen wir einen Salat mit.
- Dein Uwe
- Ja, am Sonntag um 18 Uhr passt es gut. Da kann ich kommen.
- ~~Liebe Eva,~~
- Ich würde gerne mit Michael, einem Freund, kommen. Du kennst ihn.
- vielen Dank für die Einladung.
- Bis Sonntag

Liebe Eva,

Nomen

e Abfahrt, -en
e Anreise, -n ➔ Reise
r August
e Autobahn, -en
e Autobahn-Abfahrt, -en ➔ Abfahrt
r Bauernhof, ⸚e
e Bilddatenbank, -en
e Bitte, -n
e Bundesstraße, -n
s Clubhaus, ⸚er
e Dame, -n
s Erlebnis, -se
r Fakt, -en
e Geburtstagsfeier, -n
r Hauptbahnhof, ⸚e ➔ Bahnhof
e Hoteladresse, -n ➔ Adresse
e Internet-Seite, -n
r Juli
r Kilometer, -
s Kinderzimmer, - ➔ Zimmer
e Kultur, -en
e Kurve, -n
r Lageplan, ⸚e ➔ Plan
e Linie, -n
r Link, -s
r Parkplatz, ⸚e
r Plan, ⸚e
r Prospekt, -e
e Region, -en
e Richtung, -en
r Stadtplan, ⸚e ➔ Plan
e Tankstelle, -n
s Theater, -
r Tourismus
e Unterkunft, ⸚e
e Veranstaltung, -en
e Wegbeschreibung, -en

Verben

ab·biegen
ab·stellen
an·fordern
an·klicken
buchen
drucken
feiern
mieten
schicken
übernachten
weiter·gehen

Andere Wörter

diesmal
hoffentlich
ein paar
ungefähr
wie groß
wie viele
wie weit

Ausdrücke

Wie groß ist die Stadt?
Wie viele Einwohner hat die Stadt?
Wie weit ist es von ... bis ...?
Sehr geehrte Damen und Herren, ...
Bitte schicken Sie mir Informationen über ...
Ich möchte meinen Geburtstag diesmal im Wald feiern.
Hoffentlich kannst du kommen.
Du nimmst den Bus Linie 31.
Da kannst du dein Auto abstellen.
Dann muss man zu Fuß gehen.
In ein paar Minuten kommst du an.

Kurssprache

e Gruppe, -n
berichten
bitten
nach·schlagen
unbekannt

Schlagen Sie unbekannte Wörter im Wörterbuch nach.
Bitten Sie um Informationen.
Arbeiten Sie in kleinen Gruppen.
Berichten Sie im Kurs.

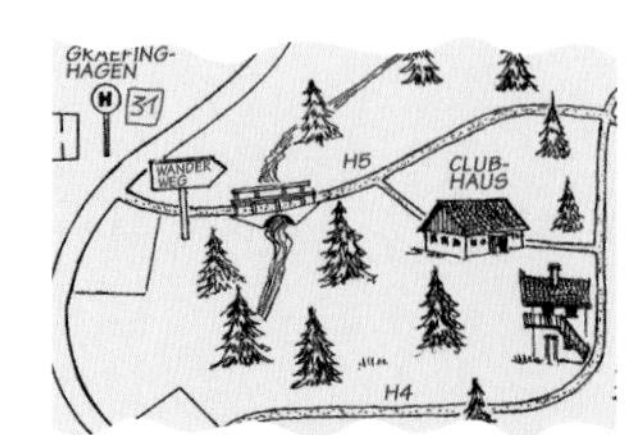

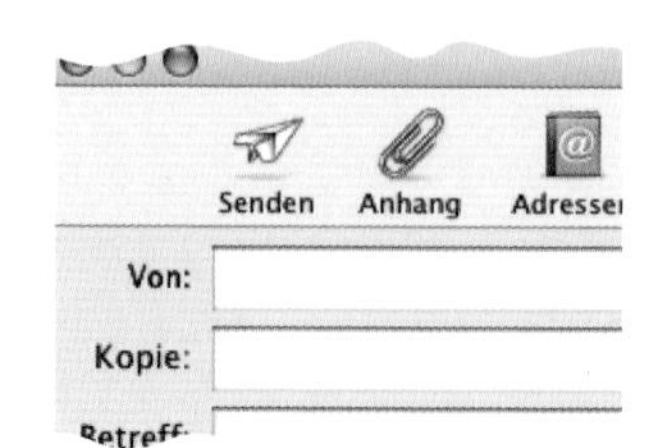

Das kann ich jetzt: ✗

- **Nach dem Weg fragen**
- **Einen Weg beschreiben**

Das kann ich  *gut.*
 *ein bisschen.*
 *noch nicht so gut.*

Entschuldigung, wie komme ich zur Post?

Also, Sie gehen geradeaus, die zweite Straße rechts, dann die nächste Straße links, dann sehen Sie schon die Post.

- **Die Position von Personen und Gegenständen genauer beschreiben**

Das kann ich  *gut.*
 *ein bisschen.*
 *noch nicht so gut.*

Der Mann sitzt auf der Kiste.

Das Schild hängt neben der Tür.

- **Richtungen beschreiben**
- **Beschreiben, wohin man etwas stellt, setzt, legt oder hängt**

Das kann ich  *gut.*
 *ein bisschen.*
 *noch nicht so gut.*

Das Taxi fährt zum Flughafen.

Ich stelle das Buch ins Regal.

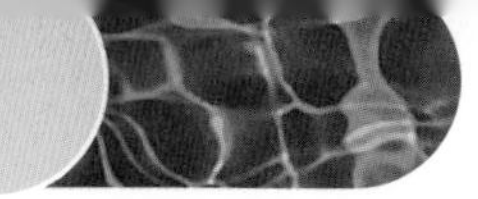

Das kann ich jetzt: X

- **Im Hotel nach Zimmern und Preisen fragen**
- **Um Erklärung und Hilfe bitten**

Das kann ich ◯ *gut.*
◯ *ein bisschen.*
◯ *noch nicht so gut.*

Guten Tag. Ich suche ein Zimmer. Was kostet das?

Wo gibt es hier ein Restaurant?

- **Jemanden einladen**
- **Uhrzeiten angeben**

Das kann ich ◯ *gut.*
◯ *ein bisschen.*
◯ *noch nicht so gut.*

Ich möchte Sie gerne Sonntag zum Essen einladen. Haben Sie Zeit?

Es ist schon elf Uhr.
Die Gäste kommen um zwölf.

- **Andere Personen bitten etwas zu tun**
- **Vorschläge machen**

Das kann ich ◯ *gut.*
◯ *ein bisschen.*
◯ *noch nicht so gut.*

Hol bitte die Milch aus dem Kühlschrank.
Kannst du bitte die Milch aus dem Kühlschrank holen?

Besuchen Sie doch mal das Museum.

1 Schreiben Sie die Antworten. →1

a. Duscht er? – Nein, aber er hat geduscht.
b. Weint er? – Nein, aber er ....
c. Lacht sie? – ....
d. Spielt sie? – ....
e. Lernt sie? – ....
f. Arbeitet er? – ....
g. Putzt sie? – ....
h. Tanzt er? – ....
i. Rechnet sie? – ....
j. Packt er? – ....

2 Ordnen Sie und ergänzen Sie. →1

~~Balkon~~ ◎ ~~Apfel~~ ◎ ~~Deckel~~ ◎ Bad ◎ Topf ◎ Karotte ◎ Haare ◎ Wohnung ◎ Tasse ◎ Haus ◎ Gesicht ◎ Hände ◎ Teller ◎ Büro ◎ Arme ◎ Wäsche ◎ Geschirr ◎ Geschäft ◎ Küche ◎ Abendkleid ◎ Herd ◎ Jacke ◎ Messer ◎ Schuhe ◎ Gabeln ◎ Löffel ◎ Zähne ◎ Besteck ◎ Strümpfe

putzen	waschen	spülen
den Balkon	den Apfel	den Deckel
....	....	....
....	....	....
....	....	....
....	....	....
....	....	....
....	....	....
....	....	....
....	....	....
....	....	....

 Ergänzen Sie. 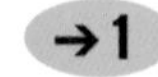

Infinitiv	Präsens (er / sie / es / man)	Perfekt (er / sie / es / man)
lernen	lernt	hat gelernt
weiterlernen	lernt weiter	hat weitergelernt
naschen		hat genascht
weiternaschen		
duschen		
spülen		
spielen		
weiterspielen		
kochen		
packen		hat gepackt
auspacken		
aufräumen		
putzen		hat geputzt
weiterputzen		
tanzen		
baden		hat gebadet
warten		hat gewartet
arbeiten		
angeln		hat geangelt
wechseln		
füttern		hat gefüttert
feiern		

4 Ergänzen Sie. 

Fragst du? *Ich habe schon gefragt.*
Soll ich fragen oder *hast du schon gefragt?*
Fragt er? *Er hat schon gefragt.*
Fragt ihr? *Wir haben schon gefragt.*
Sollen wir fragen oder *habt ihr schon gefragt?*

a. Antwortest du? *Ich* …………………………… .
b. Soll ich antworten oder *hast* …………………………… ?

c. Antwortet er? Er ....
d. Antwortet ihr? Wir ....
e. Sollen wir antworten oder habt ....?
f. Spülst du? ....
g. Soll ich spülen oder ....?
h. Spült er? ....
i. Spült ihr? ....
j. Sollen wir spülen oder ....?
k. Räumst du auf? ....
l. Soll ich aufräumen oder ....?
m. Räumt er auf? ....
n. Räumt ihr auf? ....
o. Sollen wir aufräumen oder ....?

5 Variieren Sie. Ergänzen Sie jeweils zwei Antworten. → 2

Hast du schon gekocht?
Nein, ich möchte später kochen.
Nein, ich möchte heute nicht kochen.
Ja, ich habe schon gekocht.
Nein, ich habe noch nicht gekocht.

a. Hast du schon gespült?
Nein, ich möchte später ....
Ja, ich habe schon ....

b. Habt ihr schon geputzt?
....
....

c. Hast du schon gepackt?
....
....

d. Habt ihr schon ausgepackt?
....
....

e. Hast du schon eingekauft?
....
....

f. Habt ihr schon aufgeräumt?
....
....

6 Wie heißen die Sätze im Perfekt? → 3

a. Sie kocht. *Sie hat gekocht.*
Sie kocht Reis. *Sie hat Reis gekocht.*
Sie kocht heute Reis. *Sie hat heute Reis gekocht.*

b. Sie putzt. ....
Sie putzt die Schuhe. ....
Sie putzt draußen die Schuhe. ....

c. Er packt. ....
Er packt den Koffer. ....
Er packt schnell den Koffer. ....

d. Sie packt aus. ....
Sie packt den Spiegel aus. ....
Sie packt vorsichtig den Spiegel aus. ....

e. Er packt ein. ....
Er packt das Geschenk ein. ....
Er packt vorsichtig das Geschenk ein. ....

f. Er räumt auf. ....
Er räumt den Schreibtisch auf. ....
Er räumt im Arbeitszimmer ....
den Schreibtisch auf. ....

7 Ergänzen Sie. → 4

a. Machst du bitte das Fenster auf?
Das habe ich schon aufgemacht.

b. Kannst du bitte die Tür zumachen?
Die habe ich schon zugemacht.

c. Machst du bitte die Lampe im Wohnzimmer an?
Die ....

d. Kannst du bitte das Licht in der Küche ausmachen?
....

e. Schaltest du bitte den Drucker an?

....

f. Kannst du bitte den Computer im Kinderzimmer ausschalten?

....

g. Der Schlüssel ist nicht da. Suchst du ihn bitte?

....

h. Besucht Uwe seinen Freund heute?

Den ....

i. Ruf doch noch mal an, versuch es doch noch mal bitte.

Das ....

j. Schließt du die Fenster, bitte?

....

k. Kannst du die Tür abschließen?

....

l. Kannst du die Garage aufschließen?

....

m. Ich möchte noch ein Bild malen.

Eins ....

n. Wir möchten noch eine Wand bemalen.

....

8 Ergänzen Sie. →6

Infinitiv	Präsens er / sie / es / man	Perfekt er / sie / es / man
schießen	*schießt*	*hat geschossen*
	schließt	
	schließt ab	
	streicht an	
	trinkt	
werfen	*wirft*	
lesen		
graben		
waschen		

9 Ergänzen Sie. →7

hat gewaschen · hat gegraben · hat angerufen · hat getrunken · ~~hat gelesen~~ · hat geworfen · hat geschrieben · hat angestrichen · hat abgeschlossen

a. Liest sie das Buch? *Das Buch hat sie schon gelesen.*
b. Schreibt er den Brief? ....
c. Ruft sie ihren Freund an? ....
d. Trinkt er den Kakao? ....
e. Wirft sie den Ball? ....
f. Wäscht er das Kind? ....
g. Streicht sie die Wand an? ....
h. Schließt er die Garage ab? ....
i. Gräbt er die Löcher? ....

10 Schreiben Sie die Sätze. →7

a. anstreichen – die Wand
Sie streicht die Wand an.
Sie soll die Wand anstreichen.
Sie hat die Wand angestrichen.

b. ausmachen – den Fernseher
Er macht ....
Er soll ....
Er hat ....

c. aufräumen – das Zimmer
Sie räumt ....
Sie soll ....
Sie hat ....

d. abschließen – die Tür
Sie schließt ....
Sie soll ....
Sie hat ....

e. anrufen – den Arzt
Er ruft ....
Er ....
Er ....

f. absagen – den Termin
Sie sagt ....
Sie ....
Sie ....

g. abstellen – das Auto
Sie stellt ....
Sie ....
Sie ....

h. aufbrechen – die Tür
Er bricht ....
Er ....
Er ....

11 Ergänzen Sie das Perfekt. → 8

a. fahren — ist gefahren
abfahren — ist abgefahren
zurückfahren — ist zurückgefahren

b. fliegen — ......
abfliegen — ......
weiterfliegen — ......

c. laufen — ......
zurücklaufen — ......
weiterlaufen — ......

d. kommen — ......
ankommen — ......
zurückkommen — ......

e. schwimmen — ......
weiterschwimmen — ......

f. springen — ......
zurückspringen — ......

12 Ergänzen Sie. → 8

ich	habe	geduscht	ich	bin	gelaufen
du	hast	geduscht	du	bist	gelaufen
er / sie / es	hat		er / sie / es		
wir			wir		
ihr			ihr		
sie / Sie			sie / Sie		

13 Perfekt: Struktur → § 18a

Infinitiv		haben/sein		*Partizip II*
kochen	Er	**hat**	Kartoffeln	**gekocht**.
fahren	Er	**ist**	nach Berlin	**gefahren**.

Perfekt mit sein:
abfahren, ankommen, aufstehen, aussteigen, bleiben, fahren, fliegen, gehen, kommen, laufen, reisen, segeln, schwimmen, wandern ...

14 Perfekt: Konjugation → § 18a

	kochen	fahren
ich	habe gekocht	bin gefahren
du	hast gekocht	bist gefahren
er/sie/es/man	hat gekocht	ist gefahren
wir	haben gekocht	sind gefahren
ihr	habt gekocht	seid gefahren
sie/Sie	haben gekocht	sind gefahren

15 Perfekt: Partizip-II-Formen → § 18b

schwache Verben				...	**t**
			ge	...	**t**
		...	**ge**	...	**t**
besuchen	Er hat			besuch	**t**
kochen	Er hat		**ge**	koch	**t**
arbeiten	Er hat		**ge**	arbeit	**et**
aufräumen	Er hat	auf	**ge**	räum	**t**
einschalten	Er hat	ein	**ge**	schalt	**et**

starke Verben				...	**en**
			ge	...	**en**
		...	**ge**	...	**en**
bekommen	Er hat			bekomm	**en**
trinken	Er hat		**ge**	tr**u**nk	**en**
schreiben	Er hat		**ge**	schr**ie**b	**en**
abschließen	Er hat	ab	**ge**	schl**oss**	**en**
abfahren	Er ist	ab	**ge**	fahr	**en**

Perfekt bei starken Verben/Perfekt mit sein: So steht es in der Wortliste:

Infinitiv	*3. Person Singular Präsens*	*Perfekt*
schlafen	schläft	hat geschlafen
fahren	fährt	ist gefahren
abfahren	fährt ab	ist abgefahren

Übersicht über die Stammformen der starken Verben: → S. 216

Nomen
s Abendessen, -
r Alltag
s Arbeitszimmer, -
s Fernsehprogramm, -e
r Garten, ¨
r Kakao
s Loch, ¨er
r Nachmittag, -e
e Rechnung, -en
e Tätigkeit, -en
r Traum, ¨e
r Vormittag, -e

Verben
an·schalten
an·schauen
an·streichen, streicht an, hat angestrichen
auf·räumen
aus·packen
duschen
graben, gräbt, hat gegraben
mit·arbeiten
schalten
spülen
versuchen
weiter·suchen

Andere Wörter
gestern
vormittags

Ausdrücke
Bernd hat gestern Nachmittag im Garten gearbeitet.
Seine Eltern haben mitgearbeitet.
Nach dem Abendessen hat er weitergearbeitet.
Die Freundin hat Anna am Vormittag besucht.
Sie hat es vormittags schon am Telefon versucht.
Sie hat ins zweite Fernsehprogramm geschaltet.
Sie hat die Wand angestrichen.
Sie hat die Tür abgeschlossen.
Sie ist zu spät gekommen.

Kurssprache
r Infinitiv, -e
s Perfekt
s Präsens
unterstreichen, unterstreicht, hat unterstrichen
weiter·fragen
fehlend
pantomimisch

Ergänzen Sie die fehlenden Wörter.
Spielen Sie pantomimisch eine Tätigkeit vor.
Ein Nachbar antwortet und fragt weiter.

1 Wann? Ordnen Sie. →1

frühmorgens um 4 Uhr	
um 7 Uhr morgens	

- ~~frühmorgens um 4 Uhr~~
- um Mitternacht
- sehr spät am Abend
- ~~um 7 Uhr morgens~~
- um 12 Uhr
- um 7 Uhr abends
- um 3 Uhr nachmittags
- um 20 Uhr
- um 9 Uhr vormittags
- um 1 Uhr nachts

2 Wie lange? Ordnen Sie. →1

10 Sekunden	
10 Minuten	

- eine Viertelstunde
- ~~10 Sekunden~~
- ein Wochenende
- ein Jahr
- eine Stunde
- zwei Nächte
- einen Tag
- ~~10 Minuten~~
- zwei Stunden
- drei Tage

3 Ergänzen Sie wann oder wie lange. →1

a. *Wann* stehen Sie auf? – Frühmorgens um vier.
b. *Wie lange* frühstücken Sie? – Eine halbe Stunde.
c. .... frühstücken Sie? – Um acht Uhr.
d. .... haben Sie Mittagspause? – Eine Stunde.
e. .... haben Sie Mittagspause? – Um 13 Uhr.
f. .... isst du zu Mittag? – Um zwölf.
g. .... schläfst du nach dem Mittagessen? – Eine Viertelstunde.
h. .... hast du Feierabend. – Um 17 Uhr.
i. .... arbeitest du am Freitag? – Nur sechs Stunden.
j. .... machst du Urlaub? – Im Juli.
k. .... machst du Urlaub? – Einen Monat.
l. .... musst du wieder arbeiten? – Am Montag.
m. .... arbeitest du heute? – Zehn Stunden.
n. .... schläfst du normalerweise? – Acht Stunden.
o. .... schläfst du am Wochenende? – Zwölf Stunden.

4 Ergänzen Sie. → 2

	haben		sein	
	Perfekt	**Präteritum**	**Perfekt**	**Präteritum**
ich	*habe gehabt*	*hatte*	*bin gewesen*	*war*
du		*hattest*		*warst*
er/sie/es/man	*hat gehabt*		*ist gewesen*	
wir		*hatten*		*waren*
ihr		*hattet*		*wart*
sie/Sie	*haben gehabt*		*sind gewesen*	

5 Ergänzen Sie. → 2

a. Gestern *hatte* ich viel Arbeit und wenig Zeit. Heute *habe* ich wenig Arbeit und viel Zeit.

b. Gestern *war* er noch ledig. Jetzt *ist* er verheiratet.

c. Früher .... die Familie nur eine 3-Zimmer-Wohnung. Jetzt .... sie viel Platz in ihrem Haus.

d. Gestern .... die Autoschlüssel weg. Heute .... die Motorradschlüssel nicht da.

e. Gestern .... ihr nur eine halbe Stunde Pause. Deshalb .... ihr heute schon um drei Feierabend.

f. 10 Jahre .... ihr keine Kinder. Und jetzt .... ihr Zwillinge!

g. Gestern .... ich in Salzburg. Heute .... ich in München.

h. Am Anfang .... die Studenten keine Freunde. Jetzt .... sie viele Freunde.

i. .... ihr gestern in den USA? - .... ihr morgen auf den Bahamas?

j. Heute Morgen um acht .... ihr müde. Jetzt ist es Mitternacht und ihr .... noch wach.

k. Gestern .... du deine Kamera, aber leider keinen Film. Heute .... du viele Filme, aber deine Kamera funktioniert nicht.

6 Bilden Sie Sätze im Perfekt. → 2

a. die Mutter: putzen — *Sie hat geputzt.*
am Vormittag — *Sie hat am Vormittag geputzt.*
die Wohnung — *Sie hat am Vormittag die Wohnung geputzt.*
zwei Stunden — *Sie hat am Vormittag zwei Stunden die Wohnung geputzt.*

b. der Vater: kochen — *Er hat* ....
am Sonntag — *Er* ....
Suppe — *Er* ....
zwei Stunden — *Er* ....

c. die Mutter: aufräumen ....
nach dem Mittagessen ....
die Küche ....
eine Stunde ....

d. der Vater: spülen ....
nach dem Mittagessen ....
die Töpfe ....
eine Stunde ....

e. die Großmutter: bügeln ....
nach dem Kaffee ....
ihr Abendkleid ....
eine halbe Stunde ....

f. der Großvater: lesen ....
am Sonntagnachmittag ....
die Zeitung ....
zwei Stunden ....

g. die Tochter: schreiben ....
am Sonntagabend ....
Briefe ....
zwei Stunden ....

7 Ordnen Sie. → 5

nie · selten · fast nie · oft · ~~immer~~ · sehr oft · manchmal · ~~fast immer~~ · sehr selten

immer · *fast immer* · .... · .... · .... · .... · .... · .... · ....

8 Was passt nicht? →5

a. den Hund | das Kind | ~~die Puppe~~ | die Zwillinge **wecken**
b. den Kaffee | den Saft | die Tomaten | das Mineralwasser **trinken**
c. das Baby | das Klavier | die Katze | den Fisch **füttern**
d. den Teller | die Tasse | den Topf | den Deckel **füllen**
e. das Schlafzimmer | das Kinderzimmer | den Schreibtisch | den Alltag **aufräumen**
f. das Buch | die Zeitung | den Brief | das Telefon **lesen**
g. den Brief | den Freund | das Buch | die Notiz **schreiben**
h. die Kinder | das Licht | das Radio | den Computer **ausmachen**
i. die Wohnung | das Haus | die Tür | den Schuh **abschließen**

9 Finden Sie die Nomen. →5

~~BAUER~~JINXFRÜHSTÜCKMSTRUGARTENISMASCHINETRDLMPSCHULEQZAUNDOKUHLRBIENDEJDSESSELAYC
MTASSEKHUHNMVFRPSWÄSCHEAXÜBVCORDNUNGÄLHFTSCHALTERQZMVMITTAGESSENZTFLALLTAGÜOZ
NACHMITTAGVDREVORMITTAGDOUPÄMBVXGLÜCKÖÄARBEIT

1. Bauer
2. ....
3. ....
4. ....
5. ....
6. ....
7. ....
8. ....
9. ....
10. ....
11. ....
12. ....
13. ....
14. ....
15. ....
16. ....
17. ....
18. ....
19. ....

10 Ordnen Sie die Sätze. → Kursbuch S. 135 →5

a. ☐ Um sieben Uhr frühstückt Familie Renken zusammen.
b. 1 Frühmorgens melken Herr und Frau Renken die Kühe.
c. ☐ Abends schläft Herr Renken fast immer vor dem Fernseher ein.
d. ☐ Um zwei Uhr sind die Töchter aus der Schule zurück.
e. ☐ Nach dem Frühstück macht Herr Renken den Stall sauber.
f. ☐ Abends melken Herr und Frau Renken meist bis sieben.
g. ☐ Um zwei Uhr essen die Renkens mit ihren Töchtern zu Mittag.
h. ☐ Nach der Stallarbeit repariert Herr Renken die Maschinen.
i. ☐ Nach dem Abendbrot macht Herr Renken oft noch Büroarbeit.
j. ☐ Nach dem Mittagessen schläft Herr Renken normalerweise eine Stunde.

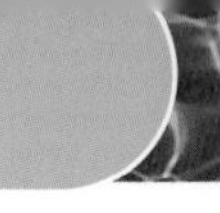

11 Welcher Text passt? ✗ → Kursbuch S. 135 → 5

Tipp: Welche Stellen in den Texten unten passen nicht zum Text im Kursbuch? – Markieren Sie.

a. Die Renkens leben auf dem Bauernhof. Heute ist ihre Arbeit nicht mehr so anstrengend, denn sie haben eine Melkmaschine. Aber ihr Arbeitstag beginnt immer noch früh am Morgen. Der Sohn ist Student in Münster. Die Töchter gehen noch zur Schule. Also machen die Eltern die Arbeit alleine. Vormittags räumt Frau Renken die Wohnung auf, macht sauber und wäscht. Herr Renken geht vormittags in den Stall. Dann bringt er Maschinen in Ordnung und macht Feldarbeit. Abends sieht Herr Renken manchmal mit seiner Frau Fußball im Fernsehen. Danach arbeitet er oft noch am Computer. Dabei schläft er fast immer ein.

b. Die Renkens leben auf dem Bauernhof. Früher war ihr Alltag sehr anstrengend. Heute hilft die Melkmaschine. Aber sie müssen morgens immer noch früh aufstehen. Sie machen die Arbeit alleine, denn die Töchter gehen noch zur Schule und der Sohn studiert. Nach dem Frühstück füttert Frau Renken die Tiere. Am Vormittag putzt Frau Renken, räumt auf und wäscht, Herr Renken macht den Stall sauber. Dann repariert er die Maschinen und arbeitet auf dem Feld. Am Abend bügelt Frau Renken oder näht. Ihr Mann macht oft noch Büroarbeit am Computer. Später sehen sie zusammen fern, aber dabei schläft Herr Renken fast immer ein.

c. Die Renkens leben auf dem Bauernhof. Heute müssen sie nicht mehr so schwer arbeiten, aber sie können morgens nie lange schlafen. Ihre Töchter gehen noch zur Schule, der Sohn studiert Jura in Münster. Die Eltern müssen die Arbeit alleine machen. Nach dem Frühstück macht Frau Renken Hausarbeit und wäscht. Herr Renken arbeitet am Vormittag im Stall, später auf dem Feld. Er repariert auch die Maschinen. Am Abend bügelt Frau Renken und macht oft noch Büroarbeit. Dann sitzen die Renkens vor dem Fernseher. Dabei schläft ihr Mann fast immer ein.

12 Was passt zum Text? → Kursbuch S. 135 → 5

Morgens um Viertel nach vier			die Mädchen	aufgestanden.
Nach einer Tasse Kaffee		Herr und Frau Renken	in den Stall	gegangen.
Um Viertel vor sieben		Frau Renken	zusammen	eingeschlafen.
Um sieben Uhr morgens	ist	Familie Renken	den Bus	geweckt.
Um halb acht	sind	die Mädchen	die Wohnung	gefrühstückt.
Am Vormittag	hat	die Renkens	Tee	genommen.
Am Nachmittag	haben	Herr Renken und die Mädchen	im Garten	gearbeitet.
Um vier Uhr			die Hühner	getrunken.
Nach dem Tee		Herr Renken	schon oft vor dem Fernseher	aufgeräumt.
Um halb sechs			die Kühe von der Weide	geholt.
Am Abend				gesucht.

a. *Morgens um Viertel nach vier sind Herr und Frau Renken aufgestanden.*
b. *Nach einer Tasse Kaffee* ....
c. ....
d. ....
e. ....
f. ....

g. ....

h. ....

i. ....

j. ....

k. ....

13 Welche Antwort passt? Ergänzen Sie. →6

- Da haben wir Tee getrunken.
- Nein, sie ist schon zu alt.
- Der war lang, wie gewöhnlich.
- An der Universität in Münster.
- ~~Um Viertel nach vier~~
- In der Waschmaschine war sie.
- Danach repariere ich die Maschinen und arbeite auf dem Feld.
- Wir schaffen das in einer Stunde.
- Gewöhnlich kommt sie um zwei zurück, zusammen mit ihrer Schwester.
- Geputzt habe ich, wie immer, und aufgeräumt.
- Rechtsanwalt möchte er werden.

a. Wann sind Sie heute Morgen aufgestanden?
Um Viertel nach vier.

b. Wie war Ihr Arbeitstag heute?
....

c. Sie melken mit der Melkmaschine. Wie lange dauert das?
....

d. Hilft Ihre Mutter noch bei der Arbeit?
....

e. Was will Ihr Sohn werden?
....

f. Was haben Sie heute Vormittag in der Wohnung gemacht, Frau Renken?
....

g. Wo haben Sie die Katze gefunden?
....

h. Was machen Sie nach der Stallarbeit, Herr Renken?
....

i. Wann kommt Ihre Tochter Imke normalerweise aus der Schule?
....

j. Wo studiert Ihr Sohn?
....

k. Was haben Sie heute Nachmittag um vier gemacht?
....

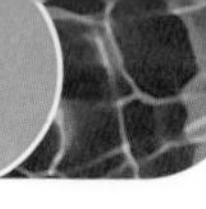

14 Wie viel Uhr ist es? Ergänzen Sie. →7

a. **13:00**

Es ist *dreizehn* Uhr.

Es ist *ein* Uhr.

Es ist *eins.*

b. **13:15**

Es ist *dreizehn* Uhr *fünfzehn.*

Es ist *ein* Uhr *fünfzehn.*

Es ist *Viertel nach eins.*

c. **13.30**

Es ist .... Uhr ....

Es ist .... Uhr ....

Es ist *halb zwei.*

d. **13.45**

Es ist .... Uhr ....

Es ist .... Uhr ....

Es ist *Viertel vor zwei.*

e. **14: 15**

Es ist .... Uhr ....

Es ist .... Uhr ....

Es ist ....

f. **15.30**

Es ist .... Uhr ....

Es ist .... Uhr ....

Es ist ....

g. **16.45**

Es ist .... Uhr ....

Es ist .... Uhr ....

Es ist ....

h. **17.30**

Es ist .... Uhr ....

Es ist .... Uhr ....

Es ist ....

15 Perfekt und Präteritum von sein und haben

→ § 19

	Perfekt		*Präteritum*	
	sein	**haben**	**sein**	**haben**
ich	bin gewesen	habe gehabt	war	hatte
du	bist gewesen	hast gehabt	warst	hattest
er / sie / es / man	ist gewesen	hat gehabt	war	hatte
wir	sind gewesen	haben gehabt	waren	hatten
ihr	seid gewesen	habt gehabt	wart	hattet
sie / Sie	sind gewesen	haben gehabt	waren	hatten

Man verwendet bei sein *und* haben *oft Präteritum statt Perfekt.*

16 Präsens, Perfekt und Präteritum im Satz

→ § 27–30

Vorfeld	*Verb (1)*	*Mittelfeld*				*Verb (2)*
		Subjekt	*Zeitangabe*	*Ortsangabe*	*Ergänzung*	
Sie	**schläft**		bis 7 Uhr.			
Um 7 Uhr	**steht**	sie				**auf.**
Sie	**wäscht**		um 8 Uhr		die Wäsche.	
Sie	**macht**		um 9 Uhr	in der Küche	das Frühstück.	
Um 10 Uhr	**ist**	sie			fertig.	
Um 11 Uhr	**fährt**	sie				**ab.**
Sie	**hat**		bis 7 Uhr			**geschlafen.**
Um 7 Uhr	**ist**	sie				**aufgestanden.**
Sie	**hat**		um 8 Uhr		die Wäsche	**gewaschen.**
Sie	**hat**		um 9 Uhr	in der Küche	das Frühstück	**gemacht.**
Um 10 Uhr	**war**	sie			fertig.	
Um 11 Uhr	**ist**	sie				**abgefahren.**

Verbklammer

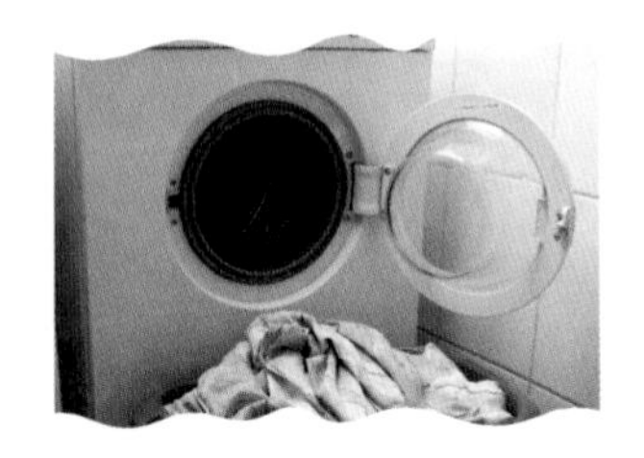

Nomen

s Abendbrot
r Arbeitstag, -e ➔ Tag
r Arzttermin, -e ➔ Termin
r Bauer, -n
e Bäuerin, -nen
e Büroarbeit, -en ➔ Arbeit
r Feierabend, -e
s Feld, -er
s Fernsehen
s Gemüse
s Glück
e Hausarbeit, -en ➔ Arbeit
s Huhn, ¨-er
r Hühnerstall, ¨-e ➔ Stall
s Interview, -s
r/s Joghurt
e Journalistin, -nen
e Kuh, ¨-e
r Landwirt, -e
e Lieblingsmannschaft, -en
r Mai
e Maschine, -n
r Mittag
s Mittagessen, -
e Mittagspause, -n
r Mittagsschlaf
e Mitternacht
s Obst
e Ordnung, -en
r Rechtsanwalt, ¨-e
e Reparatur, -en
r Schalter, -
s Schwein, -e
e Serie, -n
r Sessel, -
e Stallarbeit, -en ➔ Arbeit
e Tasse, -n
r Urlaub, -e
s Viertel, -
e Viertelstunde, -n
e Wäsche
e Woche, -n

Verben

aus·sehen, sieht aus, hat ausgesehen
dauern
ein·schlafen, schläft ein, ist eingeschlafen
frühstücken
lächeln
mit·helfen, hilft mit, hat mitgeholfen
produzieren
sauber machen
sterben, stirbt, ist gestorben
wecken
weg·laufen, läuft weg, ist weggelaufen
werden, wird, ist geworden

Andere Wörter

alle
bestimmt
doch
extra
fertig
früh
frühmorgens
gewöhnlich
lang
meistens
morgens
nachmittags
nachts
plötzlich
samstags
spät
wach
werktags

Ausdrücke

Wie sieht der Alltag auf dem Bauernhof aus?
Wann sind Sie heute Morgen aufgestanden?
Was haben Sie heute Mittag gemacht?
Wann haben Sie zu Mittag gegessen?
Wann haben Sie zu Abend gegessen?
Immer muss man etwas in Ordnung bringen.
Zum Glück war der Schalter auf „Aus“.
Doch immer noch beginnt der Tag früh für einen Landwirt.
Sie waren zu Besuch bei ihrer Schwester.
Der Sohn ist Rechtsanwalt geworden.
Um Viertel vor sieben hat sie die Mädchen geweckt.
Er bleibt wach bis zum Ende.

Kurssprache

r Abschnitt, -e
e Einleitung, -en
e Liste, -n
s Präteritum
r Teil, -e
e Vermutung, -en
e Zeile, -n
überlegen
übernehmen, übernimmt, hat übernommen

1 Ergänzen Sie. →1

a. Der Mann *hat* von einem Flugzeug *geträumt*.
b. Alle Passagiere ....
c. Nur er .... wach.
d. Eine Stewardess ....
e. Aber sie .... nichts ....
f. Der Mann .... ein Glas Wasser ....
g. Danach .... er ....
h. Dann .... er die Tür ....
i. Er ....
j. Dann .... er wie ein Vogel neben dem Flugzeug ....

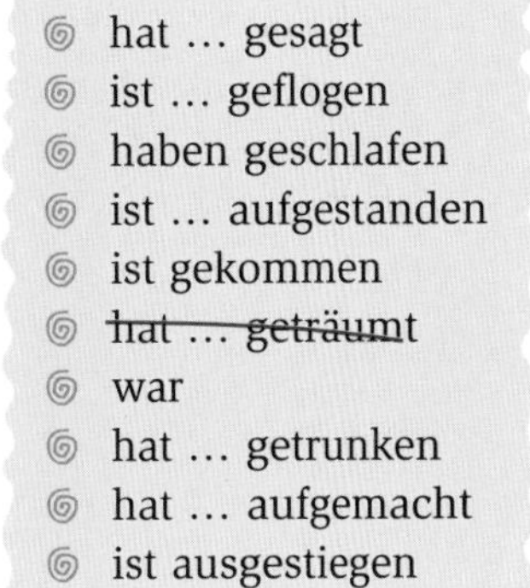
- hat ... gesagt
- ist ... geflogen
- haben geschlafen
- ist ... aufgestanden
- ist gekommen
- ~~hat ... geträumt~~
- war
- hat ... getrunken
- hat ... aufgemacht
- ist ausgestiegen

2 Was passt zusammen? →1

a. Wie hat dein Traum angefangen? 2
b. Hast du im Flugzeug geschlafen?
c. Was hat die Stewardess gebracht?
d. Hat die Stewardess etwas gesagt?
e. Was hast du mit der Tür gemacht?
f. Ist an der Tür etwas passiert?
g. Bist du wirklich geflogen?
h. Hattest du im Traum keine Angst?

1. Ein Glas Wasser.
2. Zuerst war ich in einem Flugzeug.
3. Nein, Angst hatte ich nicht. Der Traum war sehr schön.
4. Nein, alle Passagiere haben geschlafen, aber ich war wach.
5. Ja, neben dem Flugzeug, das war toll.
6. Nein, sie hat kein Wort gesprochen.
7. Die habe ich geöffnet.
8. Nein, ich bin einfach ausgestiegen.

3 Was hat die Frau geträumt? Schreiben Sie die Sätze im Perfekt. →1

a. Ich reise. *Sie ist gereist.* ....

b. Ich wandere um einen See. *Sie* ....

c. Dann komme ich zu einem Schloss. *Dann* ....

d. Ich betrete einen Turm. *Sie* ....

e. Dort höre ich Musik. *Dort* ....

f. Ich gehe zu einer Tür. *Sie* ....

g. Dann mache ich sie auf. *Dann* ....

h. Ich sehe ein Fenster. *Sie* ....

i. Das öffne ich. *Das* ....

j. Ich steige durch das Fenster. *Sie* ....

k. Dann mache ich eine Kerze an. *Dann* ....

l. Da erkenne ich einen Mann. *Da* ....

m. Er spielt wunderschön Saxophon. *Er* ....

n. Ich tanze. *Sie* ....

o. Dabei singe ich leise. *Dabei* ....

p. Dann fliegt der Turm. *Dann* ....

q. Ich fliege mit. *Sie* ....

r. Plötzlich klingelt ein Mobiltelefon. *Plötzlich* ....

s. Ich wache auf. *Sie* ....

t. Es ist mein Handy. *Es* ....

4 Ergänzen Sie **hat** oder **ist**. 

a. Er *ist* ins Bett gegangen.

b. Er .... sofort eingeschlafen.

c. Er .... geträumt.

d. Er .... auf einer Wiese gewesen.

e. Er .... fotografiert.

f. Er .... eine Waschmaschine gesehen.

g. Die .... gesprochen.

h. Aber er .... nichts verstanden.

i. Plötzlich .... die Waschmaschine ein Zug gewesen.

j. Er .... eingestiegen.

k. Der Zug .... abgefahren.

l. Er .... von einem Gorilla einen Luftballon gekauft.

m. Der .... geplatzt.

n. Da .... er aufgewacht.

o. Er .... noch ein bisschen im Bett geblieben.

p. Später .... er aufgestanden.

5 Schreiben Sie die Sätze im Präsens und im Perfekt. →3

a. zuerst – im Park laufen

Zuerst laufe ich im Park. .... Zuerst bin ich im Park gelaufen. ....

b. dann – zum Bäcker gehen

Dann gehe ich zum Bäcker. .... Dann bin ich zum Bäcker gegangen. ....

c. danach – frühstücken

Danach .... Danach ....

d. später – das Geschirr spülen

Später .... Später ....

e. zuerst – die Waschmaschine füllen

....

f. dann – die Wäsche waschen

....

g. danach – die Wäsche aufhängen

....

h. danach – die Wäsche bügeln

....

i. zuerst – einkaufen

....

j. dann – das Gemüse waschen

....

k. danach – das Gemüse schneiden

....

l. später – das Gemüse kochen

....

m. zuerst – zum Kiosk fahren

....

n. dann – die Zeitung kaufen

....

o. danach – die Zeitung lesen

....

p. später – die Zeitung wegwerfen

....

6 Erfinden Sie eine Traumgeschichte. →4

Ich	bin	mit einem Motorrad mit einem Segelboot mit einem Flugzeug ...	durch einen Wald durch eine Wüste über eine Wiese über ein Feld auf einem Fluss ...	gefahren. geflogen. gesegelt. ...
Auf einmal Plötzlich	ist sind	ein Tiger eine Schlange eine Polizistin Krokodile Vögel ...	aus dem Wald aus dem Fluss von einem Baum von einer Brücke ...	gekommen. gesprungen. ...
Aber Doch	er sie es sie	war waren	ganz freundlich, ganz lieb, sehr nett, ...	
denn	er sie es sie	hatte hatten	keinen Hunger. keine Zähne. keine Brille. kein Messer. ...	
Dann	sind	wir	zu einem Schwimmbad zu einem Kaufhaus in einen Garten ...	gegangen. gelaufen. gefahren. ...
Dort Da	haben	wir	zusammen	gesprochen. gespielt. gesungen. getanzt. ...
Plötzlich Auf einmal	war	das Schwimmbad das Kaufhaus der Garten ...	ein Bahnhof ein Hafen ein Flughafen ...	
und	der Tiger die Schlange die Polizistin die Krokodile die Vögel ...	ist sind	mit meinem Flugzeug mit meinem Segelboot mit einem Zug ...	abgefahren. weggeflogen. ...
Dann Dabei	habe	ich	Musik eine Gitarre ein Klavier eine Sängerin ...	gehört.
Da	bin	ich	aufgewacht.	
Neben meinem Bett In meinem Zimmer ...	war	der Fernseher das Radio der Radio-Wecker ...	an.	

Ich bin mit einem Segelboot über ein Feld gesegelt. ....
Auf einmal ....
Aber ....
denn ....
Dann ....
Dort ....
Plötzlich ....
und ....
Dann ....
Da ....
Neben meinem Bett ....

7 Was passt zusammen? →5

a. Möchtest du weiterschlafen? ◯
b. Wann hat der Wecker geklingelt? ◯
c. Willst du frühstücken? ◯
d. Wo ist denn der Hund? ◯
e. Soll ich zum Bäcker gehen? ◯
f. Was gibt es zum Frühstück? ◯
g. Warum haben wir keine Brötchen? ◯

1. Nein, ich habe keinen Hunger.
2. Kaffee, Wurst und Brötchen.
3. Ja, ich möchte noch im Bett bleiben.
4. Der Hund hat sie gefressen.
5. Nein, wir haben noch Brötchen.
6. Um sieben Uhr.
7. Er ist in der Küche.

8 Ergänzen Sie. →6

Stunde · Stunden · Uhr · Uhren

a. Wie viel *Uhr* ist es?
b. Meine .... ist leider kaputt.
c. In seinem Wohnzimmer hängen drei ....
d. Meine Tochter kommt in zwei .... nach Hause.
e. Der Zug fährt um 18 ....; wir haben noch eine .... Zeit.
f. Sie arbeitet täglich fünf .... im Büro.
g. Meine .... ist weg; hast du sie gesehen?
h. Ich war gestern zwei .... im Schwimmbad.
i. Kannst du mit deiner .... ins Wasser gehen?
j. Der Film dauert drei ....
k. Ich warte schon seit einer ....!

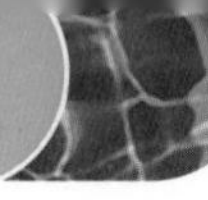

9 Wie spät ist es? Ergänzen Sie. → 6

a.	6:16	*sechs Uhr sechzehn*	*sechzehn Minuten nach sechs*
b.	7:17	*sieben Uhr*	nach
c.	8:21	*acht Uhr*	nach
d.	10:05	*zehn Uhr*	nach
e.	11:14	*elf Uhr*	nach
f.	15:08	*fünfzehn Uhr*	nach drei
g.	17:24	*siebzehn Uhr*	nach
h.	21:18	*einundzwanzig Uhr*	nach
i.	11:50	*elf Uhr*	*zehn Minuten vor zwölf*
j.	6:55	*sechs Uhr*	vor
k.	9:48	*neun Uhr*	vor
l.	17:51	*siebzehn Uhr*	vor
m.	22:58	*zweiundzwanzig Uhr*	vor

10 Welcher Text passt? → Kursbuch S. 139 → 8

a. Britta und ihre Eltern frühstücken. Es gibt Eier, aber das Salz steht nicht auf dem Tisch. Dann kommt Markus. Er war gestern im Kino und hatte danach einen Unfall mit dem Auto. Deshalb hat er eine Wunde am Auge. Seine Freundin Corinna ist auch verletzt.

b. Markus hat das Frühstück gemacht und isst ein Ei. Er war gestern in der Disco, aber er ist früh nach Hause gekommen. Der Abend war langweilig, denn er hat seine Freundin Corinna nicht getroffen. Deshalb hat er auch nicht getanzt. Seine Mutter findet das traurig.

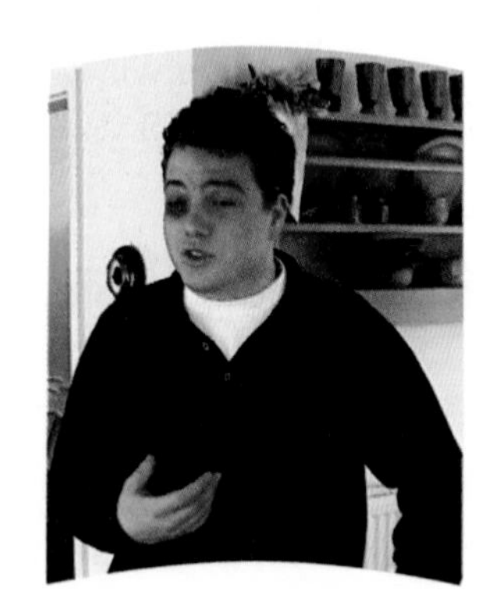

c. Markus kommt zu spät zum Frühstück. Er hat eine Wunde am Auge. Das ist gestern Abend in der Disco passiert. Ein Typ hat mit Markus' Freundin getanzt und sie geküsst. Markus war natürlich nicht einverstanden. Deshalb hat er „den Tarzan gespielt". Und er hat gewonnen.

11 Was passt zusammen? → 8

a. Willst du noch eine Tasse Tee? 
b. Kann ich ein Ei haben? 
c. Ist Markus zu Hause? 
d. Hat Markus gefrühstückt? 
e. Möchtest du ein Ei? 
f. Wie geht es Corinna? 

1. Tut mir leid, aber wir haben keins mehr.
2. Ja, ich hatte noch keins.
3. Nein, er hat noch nichts gegessen.
4. Nein danke, ich möchte nichts mehr trinken.
5. Ich habe sie seit Tagen nicht mehr gesehen.
6. Ich habe ihn noch nicht gesehen.

12 Wie heißen die Sätze im Perfekt? Ergänzen Sie. → 8

a. Sie fotografiert einen Vogel. *Sie hat einen Vogel fotografiert.*
b. Er telefoniert im Büro. *Er hat* ....
c. Sie repariert den Fernseher. ....
d. Er rasiert drei Luftballons. ....
e. Sie buchstabiert den Nachnamen. ....
f. Er notiert die Telefonnummer. ....
g. Sie studiert in Berlin. ....
h. Er trainiert immer morgens. ....
i. Der Fernseher funktioniert nicht. ....
j. Was passiert hier? .... ?

13 Ordnen Sie. → 9

März – Oktober – Mai – Dezember – ~~Januar~~ – April – Juni – September – Februar – Juli – November – August

Januar ....
....

14 Ergänzen Sie. → 9

a. der 1.1. — am 1.1. — vom 1.1. bis zum 2.1.
der erste Januar — *am ersten Januar* — *vom ersten bis zum zweiten Januar*

b. der 2.2. — am 2.2. — vom 2.2. bis zum 3.2.
.... — .... — ....

c. der 3.3. — am 3.3. — vom 3.3. bis zum 4.3.
.... — .... — ....

d. der 4.4. — am 4.4. — vom 4.4. bis zum 5.4.
.... — .... — ....

e. der 5.5. — am 5.5. — vom 5.5. bis zum 6.5.
.... — .... — ....

f. der 6.6. — am 6.6. — vom 6.6. bis zum 7.6.
.... — .... — ....

g. der 7.7. — am 7.7. — vom 7.7. bis zum 8.7.
.... — .... — ....

15 Perfekt: Partizip II ohne -ge → § 18b

schwache Verben		...	t
verwenden	Er hat	verwend	**et**
erzählen	Er hat	besuch	**t**
reparieren	Er hat	reparier	**t**

starke Verben		...	en
bekommen	Er hat	bekomm	**en**
vergessen	Er hat	vergess	**en**
zerbrechen	Er hat	zerbroch	**en**

16 Uhrzeit → § 12

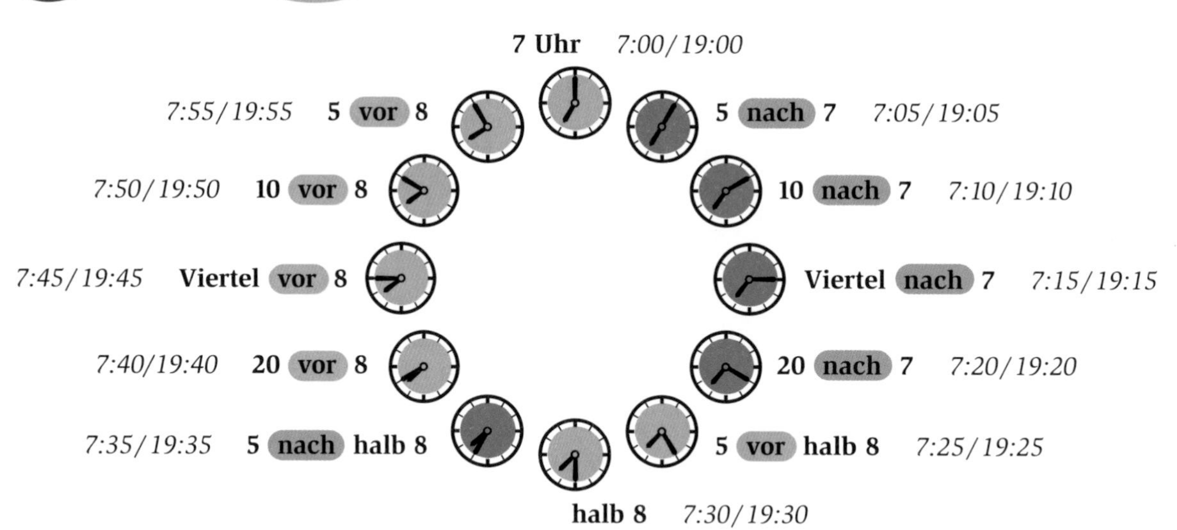

- ◆ **Wie spät** ist es?
- ⊙ Es ist Viertel nach acht.

- ◆ **Wann** steht er auf? / **Um wie viel Uhr** steht er auf?
- ⊙ **Um** Viertel nach acht.

17 Datum → § 11

Welcher Tag / welches Datum ...?	**Wann ...?**
Heute ist **der erste** Januar.	Er kommt **am ersten** Januar.
Morgen ist **der zweite** Januar.	Sie kommt **am zweiten** Januar.
Heute ist **der einundzwanzigste** Mai.	Er hat **am einundzwanzigsten** Mai Geburtstag.
Morgen ist **der zweiundzwanzigste** Mai.	Sie ist **am zweiundzwanzigsten** Mai geboren.

Nomen

r April
s Auge, -n
r Bäcker, -
s Brötchen, -
r Dezember
e Disco, -s
s Ei, -er
r Februar
s Flugzeug, -e
r Gorilla, -s
r Gott, ⸚er
r Januar
r Juni
s Kamel, -e
r Liebling, -e
r März
r November
r Oktober
r Park, -s
r Passagier, -e
e Rente, -n
s Salz
r September
e Stewardess, -en
r Tagesablauf, ⸚e
r Typ, -en
e Uhrzeit, -en
r Vogel, ⸚
r Wecker, -
e Wiese, -n
s Wort, -e
e Wunde, -n
e Wüste, -n

Verben

ein·steigen, steigt ein, ist eingestiegen
fressen, frisst, hat gefressen
passieren, ist passiert
provozieren
weg·fliegen, fliegt weg, ist weggeflogen

Andere Wörter

ihm

heiß
langweilig
seit
unheimlich
vorher
wenigstens

Ausdrücke

Auf einmal war der Hund weg.
Vielleicht ist er gar nicht da.
Sie ist mit ihm in die Küche gegangen.
Seit wann ist Herr Busch in Rente?
Seit dem 14. Oktober.
Wie spät ist es?
Du kannst doch wenigstens dein Ei essen.
Du hast eine Wunde am Auge.

Kurssprache

e Geschichte, -n
e Reihenfolge, -n
erfinden
nach·erzählen
gemeinsam

Erzählen Sie den Traum nach.
Erfinden Sie gemeinsam eine Geschichte.
Bringen Sie die Sätze in die richtige Reihenfolge.

In Deutschland sagt man:	**In Österreich sagt man auch:**	**In der Schweiz sagt man auch:**
das Brötchen	die Semmel	
das Frühstück		das Morgenessen

1 Ergänzen Sie. →1

a. Herr Maus *ist um acht aufgestanden* .
b. Bis halb neun .... er ....
c. Dann .... die Katze ....
d. Danach .... er eine halbe Stunde ....
e. Nach dem Frühstück .... er ....
............................, ...
und ....
f. Um zwölf .... das Mittagessen ....
g. Um halb eins .... er ....
h. Um eins ....
i. Von zwei bis sechs .... er ....
....
j. Um sechs .... er ....
k. Zuerst .... er ....
l. Dann .... er ....
m. Später .... er .... , ... und Musik ....
n. Gegen elf .... er ....

- ~~um acht: aufstehen~~
- bis halb neun: duschen
- dann: die Katze füttern
- danach eine halbe Stunde: frühstücken
- nach dem Frühstück: die Zähne putzen, das Geschirr spülen und die Wäsche waschen
- um zwölf: das Mittagessen kochen
- um halb eins: zu Mittag essen
- um eins: ins Büro fahren
- von zwei bis sechs: am Computer arbeiten
- um sechs: nach Hause fahren
- zuerst: das Abendbrot machen
- dann: die Wohnung aufräumen
- später: bügeln, tanzen und Musik hören
- gegen elf: zu Bett gehen

2 Ordnen Sie die Infinitive und ergänzen Sie die Partizipien. →1

klingeln · wandern · wecken · benutzen · aufwachen · frühstücken · lächeln · lachen · feiern · beschmutzen · putzen · bügeln · machen · füttern · schicken · platzen · brauchen · einpacken · dauern · segeln

*kling**eln***	*gekling**elt***	*wand**ern***	*gewand**ert***		
....	....	....	....		
....	....	....	....		
....	....	....	....		
*we**cken***	*ge**weckt***	*benu**tzen***	*benu**tzt***	*aufwa**chen***	*aufgewa**cht***
....	....	....	....	....	....
....	....	....	....	....	....
....	....	....	....	....	....

3 Ergänzen Sie. →3

hängen	*hängt*	*gehangen*	hängen	....	*gehängt*
stehen	....	....	stellen	....	....
liegen	....	....	legen	....	....
sitzen	....	....	setzen	....	....

4 Ergänzen Sie. →3

a. ◆ Wo **hängt** denn das Bild? Hat es nicht immer über dem Sessel *gehangen* ?
⊙ Doch, aber gestern habe ich es über das Sofa *gehängt* .

b. ◆ Wo **steht** denn das Fahrrad? Hat es nicht immer an der Tür *gestanden* ?
⊙ Stimmt, aber ich habe es gestern an die Wand *gestellt* .

c. ◆ Wo **liegt** denn der Teppich? Hat er nicht immer vor dem Schreibtisch *gelegen* ?
⊙ Richtig, aber ich habe ihn vor den Schrank *gelegt* .

d. ◆ Wo **sitzt** denn dein Papagei? Hat er nicht immer vor dem Fenster *gesessen* ?
⊙ Doch, aber heute Morgen habe ich ihn in den Käfig *gesetzt* .

e. ◆ Wo **steht** denn das Sofa? Hat es nicht immer im Wohnzimmer .... ?
⊙ Stimmt, aber gestern habe ich es ins Kinderzimmer ....

f. ◆ Wo **steht** denn der Herd? Hat er nicht immer in der Küche .... ?
⊙ Doch, aber ich habe ihn in den Keller ....

g. ◆ Wo **hängen** denn die Töpfe ? Haben sie nicht immer über dem Regal .... ?
⊙ Richtig, aber ich habe sie über den Herd ....

h. ◆ Wo **liegt** denn das Besteck? Hat es nicht immer im Küchenschrank .... ?
⊙ Stimmt, aber ich habe es ins Regal ....

i. ◆ Wo **ist** denn der Schreibtisch? Hat er nicht immer vor dem Fenster .... ?
⊙ Richtig, aber ich habe ihn gestern an die Wand ....

j. ◆ Wo **hängen** denn die Fotos? Haben sie nicht immer über dem Schreibtisch .... ?
⊙ Du hast Recht, aber ich habe sie gestern ins Schlafzimmer ....

k. ◆ Wo **steht** denn der Mini-Fernseher? Hat er nicht immer im Schlafzimmer .... ?
⊙ Richtig, aber gestern habe ich ihn in die Küche ....

l. ◆ Wo **stehen** denn die Blumen? Haben sie nicht immer am Fenster .... ?
⊙ Doch, aber ich habe sie auf den Balkon ....

m. ◆ Wo **sitzt** denn deine Puppe? Hat sie nicht immer auf dem Sofa .... ?
⊙ Stimmt, aber ich habe sie gerade auf die Bank ....

5 Ergänzen Sie. →4

wäscht · gelegen · sitzt · gewaschen · geschrieben · trinkt · ~~gelesen~~ · ~~liest~~ · gegessen · gestanden · getrunken · stehen · isst · schreibt · gesessen · liegt

a.	lesen	Die Zeitschrift hat sie schon *gelesen*. Jetzt *liest* sie ein Buch.
b.	essen	Die Pizza hat sie schon .... Jetzt .... sie einen Apfel.
c.	schreiben	Die Karte hat sie schon .... Jetzt .... sie einen Brief.
d.	trinken	Den Saft hat sie schon .... Jetzt .... sie Wasser.
e.	waschen	Ihr Gesicht hat sie .... Jetzt .... sie ihre Haare.
f.	liegen	Sie hat im Bett .... Jetzt .... sie auf dem Sofa.
g.	sitzen	Sie hat auf dem Balkon .... Jetzt .... sie am Schreibtisch.
h.	stehen	Sie hat am Bahnsteig .... Jetzt .... sie an der Haltestelle.

6 Ergänzen Sie. →5

gern · mit · essen · gestern · trinke · hätten

a. ◆ Wollt ihr eine Bratwurst ....?
⊙ Wir .... lieber einen Hamburger.

b. ◆ Möchtest du .... eine Cola haben?
⊙ Ich .... lieber einen Eistee.

c. ◆ Ich möchte Pommes Frites .... Ketchup.
⊙ Hast du nicht .... schon Pommes Frites gegessen?

7 Ordnen Sie das Gespräch. 

a. [ ] ◆ Gut, dann können wir jetzt abfahren.
b. [ ] ⊙ Schön, dann können wir ja jetzt wirklich abfahren.
c. [1] ◆ Hast du die Taschen schon ins Auto gestellt?
d. [ ] ⊙ Nein, noch nicht. Ich muss noch die Garage abschließen.
e. [ ] ⊙ Ja, die stehen schon zwei Stunden im Auto.
f. [ ] ◆ Das brauchst du nicht. Die habe ich schon abgeschlossen.

8 Ergänzen Sie. →6

a. Hast du den Flughafen angerufen? – Ja, den habe ich vorhin *angerufen*.
b. Hast du schon das Taxi bestellt? – Nein, das will ich gleich *bestellen*.
c. Soll ich das Licht im Schlafzimmer ausmachen? – Das brauchst du nicht; das habe ich schon ....
d. Schaltest du den Fernseher aus oder soll ich den ....?
e. Hast du den Kühlschrank abgestellt? – Ja, den habe ich gerade ....
f. Hast du auch die Kühlschranktür aufgemacht? – Nein, die muss ich noch ....
g. Hast du die Fahrräder in den Keller gebracht? – Nein, die will ich später in den Keller ....
h. Hast du schon die Kellerfenster zugemacht? – Nein, die muss ich noch ....
i. Muss ich den Hund noch zu deiner Mutter bringen oder hast du ihn schon zu ihr ....?
j. Hast du die Balkontür schon abgeschlossen oder soll ich die ....?
k. Hast du die Kellertür abgeschlossen? – Natürlich habe ich die schon ....
l. Hast du den Kellerschlüssel unter die Matratze gelegt? – Ja, den habe ich natürlich unter die Matratze ....
m. Hast du den Rasierapparat in den Koffer getan oder muss ich den noch in den Koffer ....?
n. Packst du die Fahrkarten ein oder soll ich die ....?

9 Ergänzen Sie. →8

a. ◆ Gehst du bitte heute Nachmittag auf die Bank?
⊙ Kannst du nicht *gehen*? Ich bin schon heute Vormittag auf die Bank *gegangen*.

b. ◆ Schneidest du bitte die Kartoffeln?
⊙ Kannst du sie nicht ....? Ich habe schon die Karotten und die Wurst ....

c. ◆ Schließt du bitte die Kellertür ab?
⊙ Kannst du sie nicht ....? Ich habe schon die Haustür ....

d. ◆ Schreibst du bitte die Ansichtskarte?
⊙ Kannst du sie nicht ....? Ich habe schon sechs Ansichtskarten ....

e. ◆ Liest du bitte den Brief?
⊙ Kannst du ihn nicht ....? Ich habe schon sieben Briefe ....

f. ◆ Das Baby weint. Stehst du bitte auf?
⊙ Kannst du nicht ....? Ich bin schon so oft ....

g. ◆ Bringst du bitte unseren Sohn ins Bett?
⊙ Kannst du ihn nicht ins Bett ....? Ich habe schon unsere Tochter ins Bett ....

10 Ordnen Sie das Gespräch. → 8

a. ◆ Nein, das braucht ihr nicht. Wir können ja später helfen.
b. ⊙ Könnt ihr bitte mal in der Küche helfen?
c. ◆ Und nach dem Film stellen wir es in den Schrank.
d. ◆ Das geht gerade nicht so gut, denn wir sehen fern.
e. ⊙ Gut, also spülen wir jetzt das Geschirr.
f. ⊙ Ihr seht fern, aber wir sollen alleine spülen!

11 Bilden Sie Sätze. → 8

a. Familie Schneider – im – samstags – feiern – Garten
Familie Schneider feiert samstags im Garten.

b. die Bauern – jeden – auf die – Tag – Felder – gehen
Die Bauern gehen jeden Tag ....

c. die Eltern – oft – frühstücken – auf dem Balkon
Die Eltern .... *oft* ....

d. ein – Vogel – fliegt – ein Fenster – gegen – manchmal
Ein Vogel .... *manchmal* ....

e. er – oft – Küche – der – in – bügelt
Er .... *oft* ....

f. eine – er – Stunde – liest – dem – Balkon – auf
Er .... *eine Stunde* ....

g. die – schläft – immer – Katze – dem – vor – Fernseher
Die Katze .... *vor dem Fernseher.*

h. die – Kinder – Wohnzimmer – spielen – wollen – jetzt – im
Die Kinder .... *jetzt* ....

i. die – Kinder – heute – auf – spielen – nicht – der – Nachmittag – Straße – sollen
Die Kinder .... *auf der Straße.*

j. sie – will – unter – immer – Sternen – den – schlafen
Sie will ....

k. tanzt – im – heute – Regen – sie

Sie ....

l. sie – später – Segelboot – will – auf – einem – wohnen

Sie will .... *wohnen.*

m. unter – oft – er – der – singt – Dusche

Er ....

n. er – abends – Stadt – fährt – in – die

Er ....

12 Ergänzen Sie ge oder –. → 9

Er / sie hat …
Er / sie ist …

a. an......kommen
b. be......kommen
c. auf......brochen
d. zer......brochen
e. zu......hört
f. be......gonnen
g. an......macht
h. aus......macht
i. ein......packt
j. ent......schieden
k. ein......stiegen
l. ab......fahren
m. weg......fahren
n. ein......schlafen
o. weiter......fahren
p. auf......wacht
q. auf......macht
r. zu......macht
s. ab......schlossen
t. aus......stiegen
u. be......malt
v. an......strichen
w. ver......kauft
x. ver......dient
y. ver......gessen
z. auf......räumt
aa. fern......sehen
bb. er......zählt
cc. nach......sprochen
dd. weiter......sprochen
ee. weg......laufen
ff. weg......rannt
gg. weiter......laufen
hh. ab......bogen
ii. weg......flogen

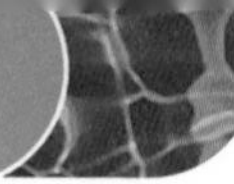

13 Konjugation: hätte

		Zum Vergleich:
ich	hätt**e**	möcht**e**
du	hätt**est**	möcht**est**
er / sie / es / man	hätt**e**	möcht**e**
wir	hätt**en**	möcht**en**
ihr	hätt**et**	möcht**et**
sie/Sie	hätt**en**	möcht**en**

Ich hätte gern / möchte gern ein Hähnchen.
Hättest du gern Pommes frites?
Sie hätte gern ein Brötchen.
Wir hätten gern Mineralwasser.
Hättet ihr gern Salat?
Sie hätten gern Kaffee.

14 Perfekt: gemischte und unregelmäßige Formen

→ § 18b

Infinitiv	*3. Pers. Sg. Präsens*	*Perfekt*
bringen	bringt	hat **gebracht**
denken	denkt	hat **gedacht**
kennen	kennt	hat **gekannt**
erkennen	erkennt	hat **erkannt**
nennen	nennt	hat **genannt**
rennen	rennt	ist **gerannt**
wissen	weiß	hat **gewusst**

Nomen
e Bratwurst, ¨-e
e Cola, -s
r Eistee
e Frikadelle, -n
e Garage, -n
s Gas
s Geschirr
s Hähnchen, -
r Hamburger, -
e Haustür, -en
e Limonade, -n
e Mayonnaise
Pommes frites (Plural)
r Schluss
r Schnellimbiss, -e
s Schnitzel, -
e Speise, -n
e Speisekarte, -n
r Strom
e Treppe, -n

Verben
ein·packen
korrigieren

Andere Wörter
gerade
nötig
notwendig
sonst
vorhin
wirklich

Ausdrücke
Zum Schluss hat sie telefoniert.
Sonst ist nichts passiert.
Ich hätte gern eine Cola.
Das ist nicht nötig/notwendig.
Na gut.
Schön!
Warte mal.

Kurssprache
e Hilfe, -n
aus·suchen
verändern

Variieren Sie das Gespräch mithilfe der Speisekarte.
Suchen Sie zehn Verben aus.
Verändern Sie das Gespräch.
Ist der Vokal kurz oder lang?

In Deutschland sagt man:	**In Österreich sagt man auch:**
prima	super
Ich habe gerade die Betten gemacht.	Ich habe eben die Betten gemacht.

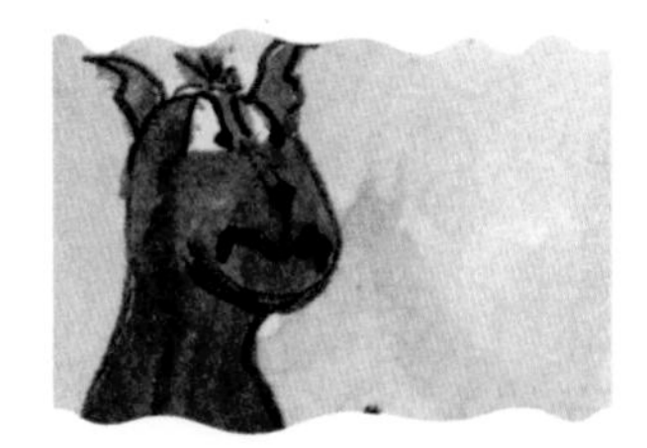

1 Ergänzen Sie. → 1

a. Markus geht mit Corinna tanzen. *Gestern ist er auch mit Corinna tanzen gegangen.*
b. Heute gehe ich schwimmen. *Gestern bin ich auch* ....
c. Er geht Sonntag essen. *Gestern* ....
d. Sie gehen früh schlafen. *Gestern* ....
e. Wir gehen heute Fußball spielen. *Gestern* ....
f. Sie geht am Wochenende arbeiten. *Gestern* ....
g. Wir gehen einen Kaffee trinken. *Gestern* ....
h. Gehst du heute angeln? *Nein, gestern* ....
i. Sie gehen gerne Eis essen. *Gestern* ....

2 Ergänzen Sie. → 2

a. Wann ist Muttertag? *Am achten Mai.*
b. Wann ist die Besprechung mit Frau Mittler? *Am* .... *Mai.*
c. Wann fliegt Vera nach Berlin? ....
d. Wann ist der Ausflug mit Heidi und Lars? ....
e. Wann besichtigt sie die Firma Hohler? ....
f. Wann holt sie ihren Pass auf dem Rathaus ab? ....
g. Wann fliegt sie nach Wien? ....
h. Wann ist Lenas Geburtstag? ....
i. Wann ist das Treffen mit Herrn Bäumler? ....
j. Wann ist Pfingstmontag? ....

1	So	Maifeiertag
2	Mo	15:00 Pass abholen (Rathaus)
3	Di	8:23 Zug → Zürich
4	Mi	9:15 Besprechung Frau Mittler
5	Do	Himmelfahrt - Europatag 13:17 Abflug → Wien
6	Fr	Besichtigung Fa. Hohler (11:00)
7	Sa	12:30 Mittagessen mit Herrn Walter
8	So	Muttertag frei! (Oma anrufen!)
9	Mo	6:50 Abflug → Berlin
10	Di	10:30 Dr. Bäumler treffen!!!
11	Mi	Konferenz 9:00 - 17:00 / *Geb. Lena!!
12	Do	8:15 Besprechung bei Fa. Schmittke
13	Fr	14:03 Zug → Stuttgart
14	Sa	Rechnungen schreiben
15	So	Pfingstsonntag Ausflug mit Heidi und Lars
16	Mo	Pfingstmontag

3 Wann oder wie lange? Ergänzen Sie die Fragen. → 2

a. *Wie lange warst du in Berlin?* Ich war eine Woche in Berlin.
b. *Wann warst du in Berlin?* Ich war vor einer Woche in Berlin.
c. .... *seid ihr* ....? Wir sind am Nachmittag gewandert.
d. ....? Wir sind einen Nachmittag gewandert.
e. ....? Sie haben um sieben Uhr getanzt.
f. ....? Sie haben sieben Stunden getanzt.
g. ....? Sie haben am Sonntag geschlafen.
h. ....? Sie haben einen Tag geschlafen.

i. ....? Er hat in der Nacht am Computer gearbeitet.
j. ....? Er hat eine Nacht am Computer gearbeitet.
k. ....? Sie haben vor zwei Jahren Urlaub an einer Lagune gemacht.
l. ....? Sie haben zwei Jahre Urlaub an der Lagune gemacht.

4 Wie heißen die Wörter? →3

a. ZIMMERTELHO — das Hotelzimmer
b. SICHTSANKARTE — die ....
c. TURMSEHFERN — der ....
d. TAGMITESSEN — das ....
e. HAUSRAT — das ....
f. BENSLEJAHR — das ....
g. MITNACHTAG — der ....
h. KATERMINLENDER — der ....
i. SICHTIBEGUNG — die ....

5 Ergänzen Sie dieser, diesen, diese, dieses. →3

a. Sind alle Blumen rot? – Nein, nur .... Blume ist rot.
b. Sind alle Menschen freundlich? – Nein, aber .... Menschen sind sehr nett.
c. Sind alle Termine wichtig? – Nein, aber .... Termin ist sehr wichtig.
d. Sind alle Hotelzimmer teuer? – Nein, nur .... Zimmer ist leider teuer.
e. Sind alle Nachmittage frei? – Nein, nur .... Nachmittag ist frei.
f. Kauft Frau Fischer alle Teller? – Nein, nur .... Teller kauft sie.
g. Sind alle Städte schön? – Nein, aber .... Stadt ist schön.
h. Bestellt ihr alle Schränke? – Nein, nur .... Schrank bestellen wir.

6 Ergänzen Sie. →4

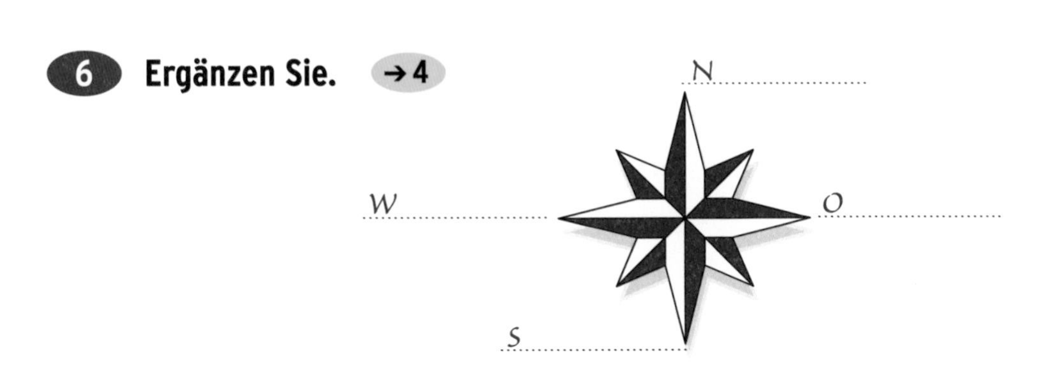

7 Ergänzen Sie. →4

Gewitter ◎ regnet ◎ schneit ◎ scheint ◎ Temperatur ◎ bewölkt

a. Das Wetter ist schön und die Sonne ....
b. Ich muss einen Regenschirm mitnehmen. Draußen .... es.
c. Man kann die Sonne nicht sehen. Der Himmel ist ....
d. Die Straße und alle Häuser sind weiß. Es .... schon seit Stunden.
e. Die Kinder müssen im Haus bleiben. Es gibt gleich ein ....
f. Es ist schrecklich kalt. Nachts ist die .... nur 10 Grad minus.

8 Was passt zusammen? →5

a. Wann kommst du nach Hause? → *(8.45 Uhr)*
b. Wie spät ist es? → *(15.20 Uhr)*
c. Um wie viel Uhr fängt der Film an? → *(20.30 Uhr)*
d. Wie lange arbeitest du heute? → *(20.30 Uhr)*
e. Wann hast du gefrühstückt? → *(8.20 Uhr)*
f. Wie lange hast du heute Morgen geschlafen? → *(6.45 Uhr)*
g. Wie viel Uhr ist es? → *(8.30 Uhr)*
h. Wann soll ich die Kinder wecken? → *(6.40 Uhr)*
i. Um wie viel Uhr bist du ins Bett gegangen? → *(23.45 Uhr)*

1. Es ist halb neun.
2. Es ist zwanzig nach drei.
3. Um Viertel vor zwölf.
4. Um Viertel vor neun.
5. Bis halb neun.
6. Bis Viertel vor sieben.
7. Um halb neun.
8. Um zwanzig nach acht.
9. Um zwanzig vor sieben.

9 Ergänzen Sie ist oder hat. →5

a. Die Frau *ist* ins Wasser gesprungen.
b. Der Mann .... nach Berlin gefahren.
c. Die Frau .... eine Blume gemalt.
d. Der Mann .... zwei Stunden gewandert.
e. Die Frau .... das Besteck gespült.
f. .... der Mann schon nach Hause gekommen?
g. Der Zug .... um sieben Uhr abgefahren.
h. Meine Mutter .... nach London geflogen.
i. Er .... das Auto nicht abgeschlossen.
j. Das Kind .... um neun Uhr aufgewacht.
k. Der Vater .... um acht Uhr aufgestanden.
l. Er .... seinen Vater zum Bahnhof gebracht.

10 Schreiben Sie die Sätze im Perfekt. →5

a. Sie wacht auf. *Sie ist aufgewacht.*
b. Aber sie bleibt noch ein bisschen im Bett. *Aber* ……
c. Dann steht sie auf. ……
d. Ihr Taxi kommt. ……
e. Sie steigt ins Taxi. ……
f. Das Taxi fährt ab. ……
g. Das Taxi biegt an der Ampel ab. ……
h. Sie kommt am Bahnhof an. ……
i. Sie steigt in den Zug. ……
j. Er fährt nicht ab. ……
k. Lange passiert nichts. ……
l. Sie schläft ein. ……
m. Der Zug fährt ab. ……
n. Sie reist. ……
o. Sie wacht auf. ……
p. Sie steigt aus. ……
q. Sie geht durch eine Stadt. ……
r. Sie läuft zu einem Schwimmbad. ……
s. Da schwimmt sie. ……
t. Dann springt sie über einen Zaun. ……
u. Danach rennt sie durch einen Wald. ……
v. Später reitet sie zu einem Fluss. ……
w. Dann segelt sie in einem Boot. ……
x. Zum Schluss kommt sie zu einem Flughafen. ……
y. Da steigt sie in ein Flugzeug. ……
z. Das Flugzeug fliegt weg. ……

11 Bilden Sie Sätze im Perfekt. → 9

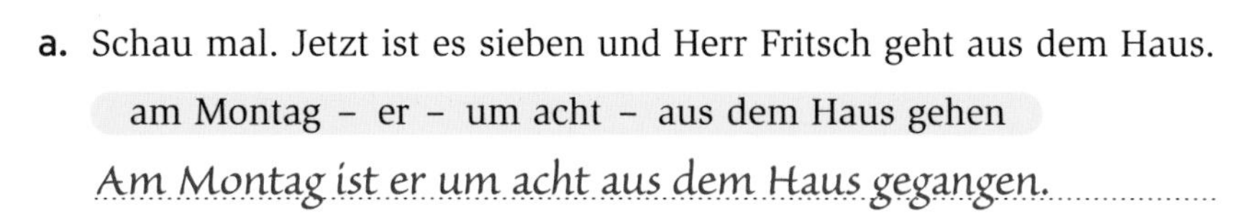

a. Schau mal. Jetzt ist es sieben und Herr Fritsch geht aus dem Haus.

am Montag – er – um acht – aus dem Haus gehen

Am Montag ist er um acht aus dem Haus gegangen.

b. Schau mal. Jetzt ist es halb acht und Herr Hackl steht auf.

am Samstag – er – um Viertel nach acht – aufstehen

Am ....

c. Schau mal. Jetzt ist es acht und Herr Becker bringt die Kinder zur Schule.

am Donnerstag – seine Frau – die Kinder – um Viertel vor acht – zur Schule bringen

Am ....

d. Schau mal. Jetzt ist es halb eins. Gerade stehen Herr Schmidt und Herr Pensler auf.

am Freitag – sie – erst um halb zwei – aufstehen

....

e. Schau mal. Jetzt ist es eins und Frau Meyer schreibt auf der Schreibmaschine.

am Dienstag – sie – um sieben Uhr abends – auf der Schreibmaschine schreiben

....

f. Schau mal. Jetzt ist es zwei und Frau Beckmann streicht eine Wand in der Küche an.

am Mittwoch – ihr Mann – um zwei – eine Wand im Wohnzimmer – anstreichen

....

g. Schau mal, jetzt ist es halb fünf und Frau Sundermann macht die Fenster im Schlafzimmer zu.

am Samstag – ihr Mann – sie – um halb fünf – zumachen

....

h. Schau mal. Jetzt ist es fünf und Herr Hansen bügelt gerade.

gestern – seine Frau – um fünf – bügeln

....

i. Schau mal. Jetzt ist es halb sechs und Herr Humbold putzt seine Fenster.

am Montag – seine Freundin – um halb sechs – seine Fenster putzen

....

j. Schau mal. Jetzt ist es sechs und Frau Rheinländer räumt die Garage auf.

am Donnerstag – ihr Mann – sie – um neun – aufräumen

....

12 Schreiben Sie den Text im Präsens. →5

Ich bin in ein Restaurant gegangen und habe einen Fisch bestellt. Aber der Kellner hat es falsch verstanden. Deshalb habe ich Würste und Kartoffeln bekommen. Ich habe zwei Würste gegessen. Dann habe ich keinen Hunger mehr gehabt. Eine Wurst ist auf dem Teller geblieben. Ich habe mein Geld in der Handtasche gesucht, aber ich habe es nicht gefunden. Da bin ich nach Hause gefahren und habe Geld geholt. Der Hund ist im Restaurant geblieben. Ich bin zurückgekommen und habe den Kellner gesucht. Aber der ist nicht mehr da gewesen. Mein Hund hat auf dem Stuhl vor dem Teller gesessen. Die Wurst war weg.

Ich gehe in ein Restaurant und bestelle einen Fisch.

Aber

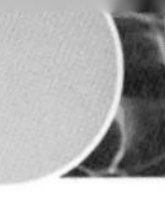

13 Artikelwort: dieser → § 2

	Nominativ	*Akkusativ*	*Dativ*
Maskulinum	dies**er** Mann	dies**en** Mann	dies**em** Mann
Femininum	dies**e** Frau		dies**er** Frau
Neutrum	dies**es** Kind		dies**em** Kind
Plural	dies**e** Kinder		dies**en** Kinder**n**

14 Übersicht: Stammformen der starken Verben nach Gruppen

einladen, lädt ein, hat eingeladen
fahren, fährt, ist gefahren
abfahren, fährt ab, ist abgefahren
zurückfahren, fährt zurück, ist zurückgefahren
gefallen, gefällt, hat gefallen
halten, hält, hat gehalten
hängen, hängt, hat gehangen *
aufhängen, hängt auf, hat aufgehängt
schlafen, schläft, hat geschlafen
einschlafen, schläft ein, ist eingeschlafen
tragen, trägt, hat getragen
vorschlagen, schlägt vor, hat vorgeschlagen
waschen, wäscht, hat gewaschen

* hängen, hängt, hat gehangen:
Das Bild hat an der Wand gehangen.
hängen, hängt, hat gehängt:
Er hat das Bild an die Wand gehängt.

laufen, läuft, ist gelaufen
weglaufen, läuft weg, ist weggelaufen

betreten, betritt, hat betreten
bitten, bittet, hat gebeten
geben, gibt, hat gegeben
liegen, liegt, hat gelegen
lesen, liest, hat gelesen
sehen, sieht, hat gesehen
ansehen, sieht an, hat angesehen
aussehen, sieht aus, hat ausgesehen
fernsehen, sieht fern, hat ferngesehen
essen, isst, hat gegessen
fressen, frisst, hat gefressen
vergessen, vergisst, hat vergessen
sitzen, sitzt, hat gesessen

bleiben, bleibt, ist geblieben
entscheiden, entscheidet, hat entschieden
scheinen, scheint, hat geschienen
schreiben, schreibt, hat geschrieben
aufschreiben, schreibt auf, hat aufgeschrieben
beschreiben, beschreibt, hat beschrieben
steigen, steigt, ist gestiegen
aussteigen, steigt aus, ist ausgestiegen
einsteigen, steigt ein, ist eingestiegen

anstreichen, streicht an, hat angestrichen
reißen, reißt, hat gerissen
reiten, reitet, ist geritten
schneiden, schneidet, hat geschnitten

abbiegen, biegt ab, ist abgebogen
anziehen, zieht an, hat angezogen
empfehlen, empfiehlt, hat empfohlen
fliegen, fliegt, ist geflogen
abfliegen, fliegt ab, ist abgeflogen
schieben, schiebt, hat geschoben
wiegen, wiegt, hat gewogen
schießen, schießt, hat geschossen
schließen, schließt, hat geschlossen
abschließen, schließt ab, hat abgeschlossen

beginnen, beginnt, hat begonnen
betrügen, betrügt, hat betrogen
heben, hebt, hat gehoben
gewinnen, gewinnt, hat gewonnen
kommen, kommt, ist gekommen
ankommen, kommt an, ist angekommen
bekommen, bekommt, hat bekommen
mitkommen, kommt mit, ist mitgekommen
lügen, lügt, hat gelogen
schwimmen, schwimmt, ist geschwommen

aufbrechen, bricht auf, hat aufgebrochen
helfen, hilft, hat geholfen
  mithelfen, hilft mit, hat mitgeholfen
nehmen, nimmt, hat genommen
sprechen, spricht, hat gesprochen
sterben, stirbt, ist gestorben
treffen, trifft, hat getroffen
werfen, wirft, hat geworfen
zerbrechen, zerbricht, hat zerbrochen
zerbrechen, zerbricht, ist zerbrochen

tun, tut, hat getan
  wehtun, tut weh, hat wehgetan

rufen, ruft, hat gerufen
  anrufen, ruft an, hat angerufen
finden, findet, hat gefunden
  erfinden, erfindet, hat erfunden
singen, singt hat, gesungen
springen, springt, ist gesprungen
trinken, trinkt, hat getrunken

gehen, geht, ist gegangen
  weitergehen, geht weiter, ist weitergegangen
stehen, steht, hat gestanden
  aufstehen, steht auf, ist aufgestanden
  verstehen, versteht, hat verstanden

Nomen

r Abflug, ¨-e
r Anfang, ¨-e
e Besichtigung, -en
e Besprechung, -en
r Blick, -e
s Dorf, ¨-er
r Erfolg, -e
e Fahrradtour, -en
r Feiertag, -e
r Fernsehturm, ¨-e
s Frühjahr
r Frühling
e Führung, -en
e Gartenparty, -s
s Gewitter, -
r Grad, -e
r Haushalt, -e
r Herbst
r Himmel
e Konferenz, -en
r Kunde, -n
s Lebensjahr, -e ➔ Jahr
r Maifeiertag, -e ➔ Feiertag
s Meer, -e
r Norden
e Nordsee
e Oma, -s
r Osten
e Ostsee
r Pass, ¨-e
s Regierungsgebäude, -
r Reichstag
e Sonne, -n
r Spaziergang, ¨-e
r Süden
s Symbol, -e
e Temperatur, -en
r Terminkalender, -
r Westen
e Wetterkarte, -n
r Wind, -e

Verben

ab·fliegen, fliegt ab,
  ist abgeflogen
ab·holen
an·ziehen, zieht an,
  hat angezogen
besichtigen
gefallen, gefällt,
  hat gefallen
gratulieren
kümmern
mit·machen
regnen
scheinen, scheint,
  hat geschienen
schneien
treffen, trifft, hat getroffen
wünschen

Andere Wörter

dieser
sich

arbeitslos
bewölkt
blau
letzte
minus
plus

Ausdrücke

Ich möchte dir zum Geburtstag gratulieren.
Ich wünsche dir alles Gute.
Dieses Jahr kann ich nicht zu
  deiner Party kommen.
Letzte Woche habe ich Kunden
  in Zürich besucht.
Die Stadt gefällt mir.
Ich habe eine Führung mitgemacht.
Ich habe also etwas Zeit.
Herzliche Grüße …
Es regnet.
Es schneit.
Die Sonne scheint.
Es gibt ein Gewitter.
Der Wind kommt aus Westen.
Die Temperatur ist vier Grad plus/minus.
Heute Nacht kann man im Zelt übernachten.
Sie kümmert sich um den Haushalt.

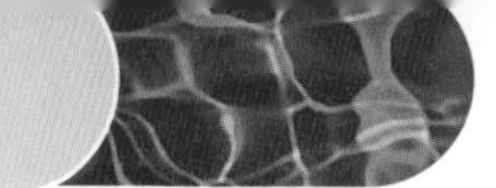

Das kann ich jetzt: X

- Tätigkeiten im Haushalt benennen
- Tätigkeiten im beruflichen Alltag benennen

Das kann ich *gut.*
ein bisschen.
noch nicht so gut.

Er kocht Spaghetti.

Im Büro schreibe ich oft E-Mails.

- Darüber sprechen, was ich gemacht habe
- Darüber sprechen, was passiert ist

Das kann ich *gut.*
ein bisschen.
noch nicht so gut.

Ich bin Fahrrad gefahren.

Der Hund hat die Brötchen gefressen.

- Besprechen, wer bestimmte Arbeiten im Haushalt übernimmt

Das kann ich *gut.*
ein bisschen.
noch nicht so gut.

Spülst du das Geschirr? Dann mache ich die Betten.

Ich habe gerade das Bad sauber gemacht. Kannst du nicht die Treppe putzen?

- Über Termine Auskunft geben
- Angaben zu Datum und Uhrzeiten machen

Das kann ich *gut.*
ein bisschen.
noch nicht so gut.

Am ersten April habe ich eine Konferenz in Hamburg.

◆ Wann ist die Besprechung mit Frau Doktor Bäumler?
⊙ Am 30. Juli um 15:30 Uhr.

Das kann ich jetzt: 

- Angaben zu Tageszeiten machen
- Über die Zeitdauer Auskunft geben

Das kann ich *gut.*
ein bisschen.
noch nicht so gut.

Heute Nachmittag treffe ich eine Freundin.

Ich arbeite schon seit 9 Stunden!

- Jemandem zum Geburtstag gratulieren

Das kann ich *gut.*
ein bisschen.
noch nicht so gut.

Ich gratuliere dir herzlich zum Geburtstag.

Alles Gute zum Geburtstag!

- Wetterverhältnisse beschreiben

Das kann ich *gut.*
ein bisschen.
noch nicht so gut.

Die Sonne scheint.

Es gibt ein Gewitter.

Lerneinheit 1

1
⊙ Guten Tag, Herr Meier.
Heißen Sie Hans Meier?
◆ Nein, mein Vorname ist Peter.
■ Moment! Ich bin Hans Meier.

2 **b.** Nein, ich heiße Meier. **c.** Guten Morgen, Herr Beier. Mein Name ist Meier, Peter Meier. **d.** Hallo, Peter. Ich heiße Petra.

3 **a.** zwei fünf sechs acht zehn **b.** sieben neun **c.** acht zehn

4 **b.** eins und zwei gleich drei **c.** zwei und zwei gleich vier **d.** drei und zwei gleich fünf **e.** zwei und zwei und drei gleich sieben **f.** vier und zwei und eins gleich sieben **g.** zwei und drei und fünf gleich zehn **h.** drei und vier und zwei gleich neun **i.** fünf und eins und eins und drei gleich zehn

5 **b.** und die Zeitung **c.** die Zeitung und der Bus **d.** der Bus und der Zug **e.** der Zug und das Taxi **f.** das Taxi und das Hotel **g.** das Hotel und die Bank **h.** die Bank und der Bankautomat

6 **b.** die Information **c.** der Zug **d.** das Gleis **e.** der Abfall **f.** der Bus **g.** das Taxi **h.** der Parkplatz **i.** die Toilette **j.** der Zoo

7 **a.** Auf Wiedersehen. Gute Reise. **b.** Danke für die Blumen. **c.** Oh, Verzeihung. **d.** Guten Tag. **e.** Tschüs.

8 VERZEI**H**UNG – S**A**FT – J**U**NGE – RE**P**ORTER – POLIZIS**T**IN – **B**LUME – T**A**XI – **H**OTEL – SÄ**N**GERIN – MÄDC**H**EN – T**O**URIST – TELE**F**ON → **HAUPTBAHNHOF**

9 die Blume – das Telefon – der Saft – das Taxi – der Geldautomat – der Junge – das Mädchen – der Tourist – der Reporter – das Hotel – die Sängerin – das Baby – die Verkäuferin – das Geschenk – der Film

10 drei Taxis – vier Geldautomaten – fünf Telefone – sieben Säfte – zehn Blumen

Lerneinheit 2

1 **c.** Das ist ein Bahnhof. **d.** Das ist ein Zug. **e.** Das ist ein Mädchen. **f.** Das ist ein Telefon. **g.** Das sind Zwillinge. **h.** Das ist ein Polizist. **i.** Das ist eine Verkäuferin. **j.** Das ist eine Polizistin. **k.** Das ist ein Baby. **l.** Das sind Reporter.

2 **b.** Die – Sie **c.** Das – Es **d.** Die – Sie **e.** Der – Er **f.** Die – Sie **g.** Der – Er

3 **b.** eine – Sie – Die **c.** ein – Es – Das **d.** ein – Er – Der **e.** Sie – Die

4 Modell-Lösung (Es sind auch andere Lösungen möglich.)
a. Touristen winken. Sie gehen. **b.** Ein Mädchen lacht. Es kommt aus Berlin. **c.** Ein Mann sagt „Auf Wiedersehen". Er ist verliebt. **d.** Eine Frau geht. Sie ist jung. **e.** Ein Mann und eine Frau wohnen in Berlin. Sie sind glücklich.

5 **b.** Was spielen Sie? **c.** Wer sind Sie? **d.** Wo arbeitest du? **e.** Was machst du? **f.** Wann kommst du? **g.** Wie heißt du? **h.** Wer bin ich?

6 **b.** Lebst du in Berlin? **c.** Arbeitest du nicht? **d.** Hörst du Musik? **e.** Spielst du Klavier? **f.** Heißt du Sara? **g.** Bist du glücklich? **h.** Reist du gerne?

7 **b.** heißt **c.** wohne **d.** arbeitest **e.** sind **f.** ist **g.** singt **h.** sagen **i.** lebst **j.** lachen **k.** spielst **l.** sagt

8 **b.** lachen **c.** Mann **d.** Junge **e.** spielen **f.** Bahnhof **g.** verliebt sein

9 **a.** richtig **b.** falsch **c.** richtig **d.** falsch **e.** richtig **f.** richtig **g.** richtig **h.** falsch

10 **b.** Nein, ich komme nicht. **c.** Nein, sie ist nicht da. **d.** Nein, sie wohnt nicht in Berlin. **e.** Nein, sie ist nicht glücklich. **f.** Nein, er träumt nicht. **g.** Nein, er kommt nicht bald. **h.** Nein, er wohnt nicht in Hamburg.

11 arbeite – arbeitet – arbeiten; winke – winkst – winkt; träume – träumst – träumen; schreibe – schreibt – schreiben; lachst – lacht – lachen; bin – ist – sind

12 **b.** Wie heißt sie? Heißt sie Sara? Sie heißt Sara. **c.** Was schickt Jan? Schickt Jan Blumen? Jan schickt Blumen. **d.** Was spielt Jan? Spielt Jan Klavier? Jan spielt Klavier. **e.** Wo lebt er? Lebt er in Berlin? Er lebt in Berlin. **f.** Wo wohnt sie? Wohnt sie in Berlin? Sie wohnt in Berlin.

13 Spielst – höre – träume – kommst – liebe

Lerneinheit 3

1 Ja – Geld – kaputt – ist – ein – kein – dort – danke

2 **b.** kein Bonbonautomat – ein Kaugummiautomat **c.** kein Fahrkartenautomat – ein Bonbonautomat **d.** kein Geldautomat – ein Würstchenautomat **e.** kein Saftautomat – ein Bierautomat

3
◆ Ach, Anna. Hallo! Wo bist du?
⊙ Ich bin am Bahnhof. Hallo, hörst du?
◆ Ja, ich höre. Ist das eine Sängerin?
⊙ Nein, das ist keine Sängerin. Das ist eine Verkäuferin.
◆ Ah, eine Verkäuferin. Kommst du, Anna?
⊙ Ja, Tanja. Ich komme.

4 ein Polizeiauto – kein Polizeiauto – ein Krankenwagen; eine – keine – eine; ein – kein – ein; ein – kein – ein; ein – kein – ein; Busse – keine – Züge; Polizisten – keine – Reporter

5 **c.** meine Autos **d.** deine Söhne **e.** meine Tochter **f.** mein Baby **g.** dein Sohn **h.** deine Frau **i.** mein Kind **j.** meine Kinder **k.** deine Töchter

6 **b.** ihre **c.** sein **d.** sein **e.** seine **f.** ihre **g.** seine **h.** ihre

7 **b.** Kuss **c.** Kinder **d.** Radio **e.** Telefon **f.** Tochter

8 **c.** Ihre **d.** Ihr **e.** deine **f.** deine **g.** Ihr **h.** Ihr **i.** dein **j.** Ihr

9 **b.** meine – seine **c.** Ihre – meine – ihre **d.** deine – meine – ihre **e.** dein – mein – sein **f.** Ihr – mein – ihr

10 **a.** meine Koffer **b.** Da ist ein Koffer und eine Tasche. **c.** Mein Gepäck ist nicht komplett. **d.** Seine Taschen sind nicht da. **e.** Das Polizeiauto von Uwe ist kaputt.

11 **d.** Da ist kein Ball. **e.** Mein Ball ist nicht da. **f.** Das ist kein Geldautomat. **g.** Der Geldautomat ist nicht kaputt. **h.** Das Mädchen lacht nicht. **i.** Das sind keine Touristen. **j.** Die Touristen kommen nicht. **k.** Das ist keine Verkäuferin. **l.** Das ist kein Radio. **m.** Der Mann ist nicht glücklich. **n.** Er wohnt nicht in Wien.

Lerneinheit 4

1 **a.** Ball **b.** Baby **c.** Mutter **d.** Zeitung **e.** Tourist **f.** Koffer **g.** Tochter **h.** Mann/bzw. wann **i.** Kind **j.** Frau **k.** Gepäck **l.** Taxi **m.** Kamel **n.** Sohn

2 Buchstabe – Flasche – Polizei – Mädchen – Sängerin – Telefon – Geldautomat – Vergangenheit – Verkäuferin – Krankenwagen

3 Liebe Sara, ich bin allein, ich bin verliebt. Ich arbeite, ich spiele Klavier, ich schreibe Briefe. Ich liebe Dich! Auf Wiedersehen. Dein Jan

4 Das Mädchen sagt: „Mama." Die Sängerin lacht. Der Mann sagt: „Das ist Ihr Gepäck."

5 Da sind zwei Bahnhöfe. Zwei Koffer sind nicht da. Ein Polizist kommt. Er wohnt in Berlin. Er hat zwei Töchter. Eine Tochter ist zwölf.

6 F**ü**nf J**u**ngen wohnen in Hamb**u**rg. Tsch**ü**s und danke f**ü**r die Bl**u**men. D**u** bist j**u**ng **u**nd gl**ü**cklich.

7 Fahrkarten – Männer – Säfte – Taschen – Taxis – Unfälle – Väter – Zahlen – Blumen – Jungen – Küsse – Mütter – Züge – Bahnhöfe – Gespräche – Koffer – Söhne – Wörter

8 **a.**
◆ Hallo Jürgen, hier ist Claus.
⊙ Hallo Claus! Wo bist du denn?
◆ Ich bin in Hamburg.
⊙ Und wann kommst du?
◆ Ich komme morgen.

b.
◆ Hallo. Hier Meyer.
⊙ Wer ist da bitte?
◆ Meyer. Ich heiße Meyer.
⊙ Ist da nicht 42 83 39?
◆ Nein, hier ist 43 82 39.
⊙ Oh, Verzeihung.

9 **b.** sind Sie **c.** heißen Sie **d.** heißt du **e.** kommen Sie **f.** kommst du **g.** machen Sie **h.** machst du

10 **b.** 76 **c.** 33 **d.** 47 **e.** 11 **f.** 99 **g.** 21 **h.** 67 **i.** 78 **j.** 56

11 33 18 58 – 17 67 77 – 17 77 67 – 91 02 42 – 91 02 43 – 12 16 26 62 – 12 16 62 26 – 01 19 33 23 32 – 01 90 32 33 23 – 96 0 2 2 35 – 96 0 2 3 53 – 68 41 83 0 8 – 13 75 29 47

12 achtunddreißig – sechsundsechzig – sechzehn – einundvierzig – dreiundsiebzig – siebzehn

13 Geschwister – Kinder – Eltern – Großeltern

14 Vater – Name ist – ist 34 Jahre – Er ... Lehrer. / Lehrer von Beruf.
Das ist meine Großmutter. Ihr ... ist Elvira. Sie ist 77 Jahre alt. Sie ... in Hamburg.
Das ist mein Hund. Sein Name ist Fifi. Er ist 4 Jahre alt. Er ... glücklich.

Lerneinheit 5

1 **b.** warten **c.** kommt **d.** kommen **e.** sagt **f.** winkt **g.** gehen

2 Modell-Lösung (Es sind auch andere Lösungen möglich.)
Ich warte. Ich schreibe. Männer reisen. Sie singen. Ihre Koffer sind kaputt. Eine Reporterin sagt „Tschüs". Ihr Bus kommt. Mein Bus kommt. Meine Tasche ist da. Dein Vater winkt. Ich winke. Ich gehe.

3 **b.** Da ist ein Kugelschreiber. Aber da ist kein Zettel. **c.** Da sind Briefe. Aber da sind keine Briefmarken.
d. Da sind Fahrkarten. Aber da sind keine Blumen. **e.** Da ist ein Buch. Aber da ist kein Heft.
f. Da sind Zeitungen. Aber da ist keine Brille. **g.** Da sind Bücher. Aber da sind keine Hefte.
h. Da ist eine Uhr. Aber da sind keine Fahrkarten.

4 Leute: kaputt – Klavier: glücklich – Koffer: freundlich – Zukunft: alt – Bahnhof: richtig – Kind: alt – Kuss: falsch – Ball: traurig – Großvater: falsch

5 → VATER – ALT – JUNG – KAPUTT – TAXI – KRANKENWAGEN – BITTE – SAFT – NETT – (ZIEL) – SCHÖN – (UHU) – HUND – (TAT) – ER – ALLEIN – GUT – (PUTE) – (GNU) – NUMMER – (LANG) – (LANGE) – ANGENEHM – (GRAM) – FALSCH – FOTO – REISE – (EI) – (EIS) – (SCHLECHT) – ECHT

↓ ZUG – VERZEIHUNG – KIND – IN – DU – (DUMM) – (DUMME) – WETTER – (BUNT) – ES – TASCHE – (ASCHE) – BALL – TAG – AH – HÖREN – FAN – EIN – TOLL – JUNG – JUNGE – (EILE) – (EILEN) – (LEHRER) – HERR – HERRLICH – (LICHT) – GEPÄCK

6 Dienstag – Mittwoch – Donnerstag – Freitag – Samstag – Sonntag

7 **b.** Die Uhr ist alt. **c.** Das Wetter ist schön. **d.** Die Lösung ist falsch. **e.** Die Frau ist verliebt.
f. Der Junge ist traurig. **g.** Die Nummern sind richtig. **h.** Das Wetter ist schlecht.

8 **a.** und ich spiele Klavier. **b.** Das Wetter ist nicht so gut. **c.** Wo ist Herr Mohn? **d.** Wo sind Sie, Frau Nolte? **e.** Wie alt ist Ihr Sohn, Frau Nolte? **f.** Wann kommst du? **g.** Ist deine Tochter glücklich?

9 Modell-Lösung (Es sind auch andere Lösungen möglich.)
hier ist Benno auf Europareise. Heute ist Sonntag, und ich bin in Wien. Wien ist wunderbar.
Das Wetter ist gut, und die Leute sind nett. Morgen bin ich in Salzburg. Viele Grüße

10 Hier ist Maria auf Deutschlandreise. Heute ist Montag und ich bin in Berlin (Hamburg). Die Stadt ist toll. Das Wetter ist schlecht, aber die Leute sind nett. Morgen bin ich in Hamburg (Berlin).

Lerneinheit 6

1 **c.** ja **d.** nein **e.** ja **f.** ja **g.** nein **h.** nein **i.** ja **j.** nein **k.** nein **l.** ja **m.** ja **n.** ja **o.** nein **p.** ja **q.** nein **r.** ja **s.** ja

2 **b.** Woher kommst du? **c.** Was bist du von Beruf? **d.** Was ist dein Hobby? **e.** Wie alt sind deine Kinder?

3 **b.** die Katze **c.** der Beruf **d.** das Hobby **e.** das Surfbrett **f.** die Sportlehrerin **g.** die Familie **h.** die Ärztin **i.** der Fotograf

4 **b.** Wir heißen Schneider. **c.** Er spielt Computer. Wir spielen Computer. **d.** Er telefoniert. Wir telefonieren. **e.** Er ist Lehrer. Wir sind Lehrer. **f.** Er surft gern. Wir surfen gern. **g.** Er lebt in Wien. Wir leben in Wien. **h.** Er kocht. Wir kochen.

5 **b.** Wir heißen auch Schneider. **c.** Wir spielen auch Tennis. **d.** Wir telefonieren auch. **e.** Wir sind auch Lehrer. **f.** Wir surfen auch gern. **g.** Wir leben auch in Wien. **h.** Wir packen auch.

6 **b.** Das ist unsere Tochter. **c.** Das sind unsere Kinder. **d.** Das ist unser Surfbrett. **e.** Das ist mein Hund. Das ist unser Hund. **f.** Das ist meine Katze. Das ist unsere Katze. **g.** Das sind meine Bälle. Das sind unsere Bälle. **h.** Das ist mein Auto. Das sind unsere Autos. **i.** Das ist meine Tasche. Das sind unsere Taschen. **j.** Das ist meine Flasche. Das sind unsere Flaschen. **k.** Das ist mein Klavier. Das ist unser Klavier.

7 **b.** Was **c.** Wie **d.** Woher **e.** Was **f.** Woher **g.** Wie **h.** Was

8
◆ Na ja, schon eine halbe Stunde.
⊙ Schon so lange?
◆ Ja, unsere Freunde kommen nicht.
⊙ Warum telefoniert ihr nicht?
◆ Unsere Mobiltelefone sind leer.
⊙ Das ist nicht schlimm. Unsere Handys sind okay. Hier, bitte.
◆ Vielen Dank. Das ist sehr nett.

9 **b.** Habt **c.** heißt **d.** Bist **e.** wartet **f.** telefoniert **g.** kommt **h.** Hast **i.** heißt **j.** Seid **k.** spielst **l.** Macht

10 **b.** Ja, das sind unsere Kinder. **c.** Ist das eure Luftmatratze? Ja, das ist unsere Luftmatratze. **d.** Sind das eure Schlafsäcke? Ja, das sind unsere Schlafsäcke. **e.** Ist das eure Katze? Ja, das ist unsere Katze. **f.** Ist das euer Sohn? Ja, das ist unser Sohn. **g.** Ist das eure Tochter? Ja, das ist unsere Tochter. **h.** Ist das euer Computer? Ja, das ist unser Computer.

11 **Reise:** Hotel, Gepäck, Bahnhof, Zelt, Koffer, Fahrkarte, Zug, Schlafsack, Auto, Tourist, Luftmatratze
Familie: Vater, Großmutter, Tochter, Großvater, Baby, Mutter, Kind, Sohn
Beruf: Lehrer, Fotograf, Reporter, Polizist, Verkäufer, Ärztin

12 **c.** Sind eure Luftmatratzen nass? **d.** Mein Schlafsack ist kaputt. **e.** Wie alt sind deine Kinder? **f.** Wie heißt dein Hund? **g.** Unsere Kinder surfen gern. **h.** Was bist du von Beruf? **i.** Sind Sie schon lange hier? **j.** Meine Frau ist Fotografin. **k.** Unsere Tochter ist vier. **l.** Ist dein Schlafsack trocken?

13 **b.** 7 **c.** 8 **d.** 2 **e.** 1 **f.** 4 **g.** 3 **h.** 5

14 Donnerstag – schon – Tage – Campingplatz – Wetter – Unser – unsere – kaputt – Morgen

Lerneinheit 7

1 **b.** tief **c.** hoch **d.** sympathisch **e.** alt **f.** schnell **g.** kaputt **h.** groß

2 **a.** kann **b.** Könnt können **c.** kann können

3 **a.** Er kann sehr gut Gitarre spielen. **b.** Meine Tochter kann nicht gut rechnen. **c.** Die Kinder können schnell reiten. **d.** Ich kann sehr gut Blumen fotografieren. **e.** Seine Frau kann schnell Kaffee kochen. **f.** Der Mann kann sehr schön singen.

4 **a.** 1 3 **b.** 1 3 **c.** 1 2 **d.** 2 3

5 **b.** Hier ist sie. **c.** Morgen schreibt er. **d.** Gleich kommt sie. **e.** Wunderbar kocht sie. **f.** Gut zeichnen sie. **g.** Wunderbar singt ihr. **h.** Klavier spielen kann er leider nicht.

6 **a.** 1. r 2. f 3. r 4. f 5. r 6. r 7. f
b. 1. r 2. r 3. f 4. r 5. f 6. f 7. r
c. 1. f 2. f 3. f 4. r 5. r 6. r 7. f
d. 1. r 2. f 3. r 4. f 5. r 6. f 7. r

7 **a.** kommst komme ist Studierst studiere **b.** kommen kommen Haben haben sind **c.** kommt kommt Studiert ist ist **d.** kommt kommen Spielt seid sind

8 **b.** zeichnen **c.** kann wechseln **d.** kann wechseln **e.** kann rasieren

9 **a.** Normalerweise rasiert er Bärte. **b.** In zehn Minuten kann er fünf Bärte rasieren. **c.** In vierzig Sekunden kann die Studentin zwei Polizisten zeichnen. **d.** Natürlich ist eine Reifenpanne kein Problem. **e.** In fünfundfünfzig Minuten kann Herr Jensen ein Rad wechseln. **f.** Trotzdem sind die Zeichnungen gut. **g.** Vielleicht schafft er bald 25 Sorten. **h.** Blind kann Frau Sundermann fünfzehn Sorten Cola erkennen. **i.** Natürlich kann die Sportreporterin gut fotografieren.

10 **b.** studieren **c.** trinken **d.** rasieren **e.** zeichnen **f.** spielen **g.** wohnen

11

	leben	**lieben**	**studieren**	**telefonieren**	**reisen**	**heißen**	**platzen**
ich	lebe	liebe	studiere	telefoniere	reise	heiße	platze
du	lebst	liebst	studierst	telefonierst	reist	heißt	platzt
er/sie/es	lebt	liebt	studiert	telefoniert	reist	heißt	platzt
wir	leben	lieben	studieren	telefonieren	reisen	heißen	platzen
ihr	lebt	liebt	studiert	telefoniert	reist	heißt	platzt
sie/Sie	leben	lieben	studieren	telefonieren	reisen	heißen	platzen

	arbeiten	**warten**	**schneiden**	**zeichnen**	**wechseln**	**können**	**sein**
ich	arbeite	warte	schneide	zeichne	wechsle	kann	bin
du	arbeitest	wartest	schneidest	zeichnest	wechselst	kannst	bist
er/sie/es	arbeitet	wartet	schneidet	zeichnet	wechselt	kann	ist
wir	arbeiten	warten	schneiden	zeichnen	wechseln	können	sind
ihr	arbeitet	wartet	schneidet	zeichnet	wechselt	könnt	seid
sie/Sie	arbeiten	warten	schneiden	zeichnen	wechseln	können	sind

12 Modell-Lösung (Es sind auch andere Lösungen möglich.)
a. Ich liebe dich / Bärte / Tomaten / Mathematik / Computer. **b.** Er lebt in Radebeul bei Dresden. **c.** Er studiert fleißig / Mathematik. **d.** Wir warten schon eine halbe Stunde / in Radebeul bei Dresden. **e.** Ihr telefoniert schon eine halbe Stunde / schnell. **f.** Die Luftmatratze platzt. **g.** Der Frisör schneidet Bärte. **h.** Sie repariert ein Rad / fleißig / schnell. **i.** Ihr zeichnet Bärte / ein Rad / Tomaten / Computer / schnell. **j.** Ich wechsle ein Rad. **k.** Sie arbeitet fleißig / schnell / in Radebeul bei Dresden / schon eine halbe Stunde.

Lerneinheit 8

1 **b.** die Karotte **c.** das Brot **d.** die Zwiebel **e.** die Banane **f.** der Pilz **g.** die Kartoffel **h.** die Milch **i.** die Tomate

2 **b.** elf Euro und fünfundvierzig Cent **c.** zwölf Euro und siebzehn Cent **d.** acht Euro und neunundsechzig Cent **e.** vierunddreißig Euro und neunzig Cent **f.** neunzehn Euro und fünf Cent

3 **Pfund / Kilo:** Tomaten Karotten Kartoffeln Pilze Zwiebeln Äpfel
Flasche: Saft Bier Wasser Wein

4 **b.** einhundertsiebenundsiebzig **c.** siebenhundertsiebzehn **d.** hundertelf (einhundertelf) **e.** neunhundertachtundsechzig **f.** sechshundertachtundneunzig **g.** fünfhundertdreiunddreißig **h.** vierhunderteinundsiebzig **i.** zweihundertzweiundfünfzig **j.** achthundertfünfundzwanzig

5 **b.** 678 **c.** 504 **d.** 888 **e.** 313 **f.** 24 **g.** 555 **h.** 818

6 **a.** 2 **b.** 5 **c.** 7 **d.** 3 **e.** 1 **f.** 4 **g.** 6

7 **b.** Saras Mutter wohnt in Frankfurt. **c.** Veronikas Sohn ist zehn. **d.** Jens' Auto ist kaputt. **e.** Morgen kommt Claudias Freundin. **f.** Antonios Familienname ist Pino. **g.** Peters Ball ist nicht da.

8 **b.** für **c.** aus **d.** aus **e.** in **f.** in **g.** von **h.** in **i.** bei **j.** mit

9 **b.** bin **c.** Bist **d.** Hast **e.** hat **f.** ist **g.** sind **h.** haben **i.** Seid **j.** Habt **k.** Sind **l.** Haben

10 **c.** Wo **d.** Woher **e.** Wie **f.** Wer **g.** Wie viel **h.** Wann **i.** Wer

11 **b.** 1897 **c.** 1756 **d.** 1833 **e.** 1946 **f.** 2004

12 **b.** Der Maler Pablo Picasso ist 1881 in Málaga geboren. 1973 ist er in Mougins gestorben.
c. Die Sängerin Ella Fitzgerald ist 1917 in Newport geboren. 1996 ist sie in Beverly Hills gestorben.
d. Der Komponist Igor Strawinsky ist 1882 in Lomonossow geboren. 1971 ist er in New York gestorben.

Lerneinheit 9

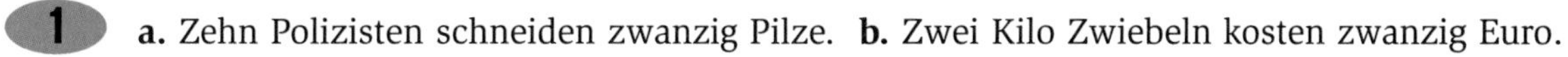

1 **a.** Zehn Polizisten schneiden zwanzig Pilze. **b.** Zwei Kilo Zwiebeln kosten zwanzig Euro. **c.** Dreiunddreißig Karotten wiegen achthundert Gramm. **d.** Die Zwillinge sind bald siebzehn Jahre alt. **e.** Meine Tasche ist nass und kaputt. **f.** Seine Schwester kann sehr schnell Kartoffeln kochen. **g.** Die Studentin zeichnet gern Gesichter.

2 **b.** Tasche **c.** Matratze **d.** Kuss **e.** Mann **f.** vier **g.** Jahre **h.** Kaffee **i.** Gesicht **j.** bequem

3 **a.** Ja gern. Ich habe Durst. / Nein danke, jetzt nicht. **b.** Oh ja. Hast du Schinken? / Nein, aber ich habe Durst. **c.** Ja, das möchte ich gern. / Ja gern, aber mit Brot. **d.** Ja, aber nur mit Wasser. / Ja, aber hast du auch Bier?

4 **b.** die Pizza **c.** der Käse **d.** das Eis **e.** der Reis **f.** das Fleisch **g.** die Butter **h.** der Salat **i.** die Sahne **j.** die Birne (Birnen)

5 **a.** Kartoffel Karotte Pilz Tomate Pizza **b.** Saft Wein Bier Wasser **c.** Frisör Krankenschwester Österreicher Freundin Eltern Tourist

6 **b.** Er möchte arbeiten. **c.** Wir möchten packen. **d.** Er möchte Ball spielen. **e.** Ich möchte Bärte rasieren. **f.** Wir möchten Wasser trinken. **g.** Ich möchte Touristen zeichnen. **h.** Sie möchte ein Rad wechseln.

7 **b.** Brasilien **c.** Großbritannien **d.** Frankreich **e.** Deutschland **f.** Griechenland **g.** Algerien **h.** der Sudan **i.** die Türkei **j.** Russland **k.** China **l.** Indien **m.** die USA

8 **a.** 4 **b.** 8 **c.** 5 **d.** 7 **e.** 2 **f.** 3 **g.** 1 **h.** 6

9 **a.** zeichnet **b.** springt **c.** können **d.** wechselt **e.** Trinken **f.** erkenne **g.** schneide **h.** wiegt **i.** Verdienst **j.** bestellt **k.** heißt

10 **b.** Normalerweise trinkt sie nur Wasser. **c.** Bald sind die Schlafsäcke trocken. **d.** Immer macht sein Sohn Computerspiele. **e.** Vierzehn Tage sind sie hier. **f.** Vielleicht kommt sie aus Italien. **g.** Natürlich ist das Zelt sauber. **h.** In Berlin zeichnet er Touristen. **i.** Etwa 30 Sekunden braucht er pro Zeichnung.

11 **b.** Du möchtest Klavier spielen. / Du kannst Klavier spielen. **c.** Er möchte in sechs Minuten zwei Gesichter zeichnen. / Er kann in sechs Minuten zwei Gesichter zeichnen. **d.** Wir möchten heute glücklich sein. / Wir können heute glücklich sein. **e.** Ihr möchtet hoch springen. / Ihr könnt hoch springen. **f.** Sie möchten Geld verdienen. / Sie können Geld verdienen.

Lerneinheit 10

1 **a.** Stelle **b.** Praktikum **c.** Arbeitsplatz **d.** Firma **e.** Ausländer **f.** Ausland

2

Land	Mann	Frau	kommen aus	Staatsangehörigkeit
Japan	Japaner	Japanerin	Japan	japanisch
Italien	Italiener	Italienerin	Italien	italienisch
Spanien	Spanier	Spanierin	Spanien	spanisch
Argentinien	Argentinier	Argentinierin	Argentinien	argentinisch
Griechenland	Grieche	Griechin	Griechenland	griechisch
Polen	Pole	Polin	Polen	polnisch
Frankreich	Franzose	Französin	Frankreich	französisch
China	Chinese	Chinesin	China	chinesisch
Sudan	Sudanese	Sudanesin	dem Sudan	sudanesisch
Iran	Iraner	Iranerin	dem Iran	iranisch
Schweiz	Schweizer	Schweizerin	der Schweiz	schweizerisch
Türkei	Türke	Türkin	der Türkei	türkisch
Niederlande	Niederländer	Niederländerin	den Niederlanden	niederländisch
USA	Amerikaner	Amerikanerin	den USA	amerikanisch

3

	Herr Jensen	Frau Oehri
Vorname	Sören	Martina
Beruf	Informatiker	Sportlehrerin
Staatsangehörigkeit	dänisch	schweizerisch
Wohnort	Flensburg	Zürich
Geburtsort	Kopenhagen	Luzern
Alter	25	30
Familienstand	ledig	verheiratet
Kinder	keine	1
Hobbys	Surfen und Segeln	Schwimmen und Tauchen

4 Salima Bloch ist in Tunis geboren, aber sie wohnt in München. Sie ist verheiratet, ihr Mann ist Deutscher und ihre Staatsangehörigkeit ist deutsch. Sie haben keine Kinder. Salima ist 22 Jahre alt, und sie segelt und reitet gern. Sie studiert Kunst in München.
Herr Smetana ist Arzt von Beruf. Er ist in Pilsen geboren, 45 Jahre alt, und er wohnt in Prag. Er hat zwei Kinder, aber er ist geschieden. Seine Hobbys sind Reisen und Fotografieren.

5 (Individuelle Lösung)

6 **b.** Gitarre **c.** Kilogramm **d.** Klavier **e.** Tennis **f.** Englisch **g.** Durst

7 **a.** Ich spiele gut Klavier und tanze gern. **b.** Ich schreibe gern Briefe und mache Computerspiele. **c.** Ich höre sehr gern Musik von Mozart und Beethoven. **d.** Spielst du lieber Fußball oder Tennis? **e.** Kannst du gut und schnell Gesichter zeichnen? **f.** Kann deine Schwester hoch springen und tief tauchen?

8 Sehr geehrter Herr Maier, mein Name ist Frank Müller. Ich bin 22 Jahre alt und 1,78 Meter groß. Mein Gewicht ist 72 Kilogramm. Ich studiere Medizin in München. Mein Hobby ist Reiten, aber ich kann auch gut surfen. Ich verstehe sehr gut Französisch und Spanisch.

9 **a.** Ja, und ein bisschen Spanisch. **b.** Ich kann viel verstehen. **c.** 55 Kilo **d.** 1,70 Meter **e.** Ich bin bald 20. **f.** Nein, das spiele ich leider nicht so gut. **g.** Nein, ich bin Studentin. **h.** Kunst

Lerneinheit 11

1 **b.** Feuerzeug **c.** Hammer **d.** Telefon **e.** Fotoapparat **f.** Batterie **g.** Gabel **h.** Nagel **i.** Ansichtskarte **j.** Messer **k.** Topf **l.** Küchenuhr **m.** Strumpf **n.** Telefonbuch **o.** Schuh **p.** Deckel **q.** Kerze **r.** Film

2 **b.** das Feuerzeug **c.** der Hammer **d.** das Telefon **e.** der Fotoapparat **f.** die Batterie **g.** die Gabel **h.** der Nagel **i.** die Ansichtskarte **j.** das Messer **k.** der Topf **l.** die Küchenuhr **m.** der Strumpf **n.** das Telefonbuch **o.** der Schuh **p.** der Deckel **q.** die Kerze **r.** der Film

3 die Jacke – der Pullover | der Kaffee – der Tee | der Essig – das Öl | der Apfel – die Birne | die Pizza – die Tomaten | der Brief – die Briefmarke | der Kugelschreiber – der Zettel | das Polizeiauto – der Unfall

4 **a.** Der – den **b.** Die – die **c.** Das – das **d.** Der – den **e.** die – die **f.** der – den **g.** Das – das **h.** Der – den **i.** das – das **j.** Die – die **k.** Der – den **l.** Die – die **m.** der – den

5 **b.** ◆ Möchtest du lernen? ⊙ Ja, ich möchte lernen. ◆ Suchst du die Bücher? ⊙ Ja, ich suche die Bücher. **c.** ◆ Möchtest du telefonieren? ⊙ Ja, ich möchte telefonieren. ◆ Suchst du das Handy? ⊙ Ja, ich suche das Handy. **d.** ◆ Möchtest du fotografieren? ⊙ Ja, ich möchte fotografieren. ◆ Suchst du den Film? ⊙ Ja, ich suche den Film. **e.** ◆ Möchtest du kochen? ⊙ Ja, ich möchte kochen. ◆ Suchst du den Topf? ⊙ Ja, ich suche den Topf. **f.** ◆ Möchtest du gehen? ⊙ Ja, ich möchte gehen. ◆ Suchst du den Regenschirm? ⊙ Ja, ich suche den Regenschirm. **g.** ◆ Möchtest du spielen? ⊙ Ja, ich möchte spielen. ◆ Suchst du den Ball? ⊙ Ja, ich suche den Ball. **h.** ◆ Möchtest du reiten? ⊙ Ja, ich möchte reiten. ◆ Suchst du das Pferd? ⊙ Ja, ich suche das Pferd.

6 **b.** einen – keinen **c.** eine – keine **d.** ein – kein **e.** einen – keinen **f.** eine – keine **g.** einen – keinen

7 **b.** Der Tourist hat eine Sonnenbrille, aber er hat keinen Regenschirm. **c.** Ich habe eine Jacke, aber ich habe keinen Mantel. **d.** Du hast eine Kerze, aber du hast kein Feuerzeug. **e.** Der Mathematiklehrer hat Fragen, aber er hat keine Antworten. **f.** Die Reporterin hat einen Fotoapparat, aber sie hat keinen Film. **g.** Ihr habt ein Zelt, aber ihr habt keinen Schlafsack. **h.** Die Touristin hat 500 Euro, aber sie hat keine Münzen.

8 **c.** Akkusativ **d.** Akkusativ **e.** Nominativ **f.** Nominativ **g.** Akkusativ **h.** Akkusativ

9 **b.** eine Briefmarke **c.** einen Nagel **d.** einen Geburtstag **e.** einen Topf **f.** einen Hammer **g.** eine Gabel **h.** einen Deckel

10 **b.** keinen, ein **c.** keinen, – **d.** kein, ein **e.** keinen, eine **f.** keine, – **g.** keinen, ein **h.** keinen, eine

Lerneinheit 12

1 **b.** Musikgeschäft: CD **c.** Computergeschäft: Computer, Drucker **d.** Kiosk: Zeitung, Bonbons **e.** Fotogeschäft: Fotoapparat, Filme, Digitalkamera **f.** Elektrogeschäft: Kühlschrank **g.** Schuhgeschäft: Schuhe, Strümpfe **h.** Blumengeschäft: Blumen

2 **a.** nicht **b.** keine **c.** keinen **d.** nicht **e.** keine **f.** nicht **g.** nicht **h.** kein **i.** nicht

3 **b.** Er hat Schuhe, aber er hat keine Strümpfe. **c.** Sie hat Freunde, aber sie hat kein Handy. **d.** Er braucht Freiheit, aber er braucht kein Geld. **e.** Sie hat ein Zelt, aber sie hat kein Haus. **f.** Er braucht seine Freunde, aber er braucht kein Handy. **g.** Er hat einen Hund, aber er hat keine Familie. **h.** Sie hat ein Radio, aber sie hat keinen Plattenspieler.

4 **b.** Er hat einen Regenschirm. Gummistiefel hat er nicht. **c.** Er hat ein Zelt. Eine Wohnung hat er nicht. **d.** Sie hat ein Fahrrad. Einen Wagen hat sie nicht. **e.** Er hat einen Nagel. Einen Hammer hat er nicht. **f.** Wir haben eine Kerze. Ein Feuerzeug haben wir nicht. **g.** Ihr habt einen Film. Einen Fotoapparat habt ihr nicht. **h.** Sie haben Fragen. Antworten haben sie nicht.

5 **a.** Ein Haus und eine Wohnung hat Georg Walder nicht, aber ein Zelt hat er. **b.** Ein Handy braucht er nicht, aber trotzdem hat er überall – Freunde. **c.** Er braucht keinen Wagen, kein Motorrad und auch kein Fahrrad. **d.** Er hat keine Frau und keine Kinder. **e.** Er hat einen Hund. **f.** Er braucht kein Geld, aber er braucht – Freiheit.

6 **b.** das Telefonbuch **c.** der Fernseher **d.** der Geschirrspüler **e.** das Haus **f.** die Kiste **g.** die Kamera (die Digitalkamera) **h.** das Krokodil **i.** die Maus **j.** der Kühlschrank **k.** das Telefon (das Mobiltelefon, das Handy) **l.** das Motorrad **m.** die Schlange **n.** der Schreibtisch **o.** das Segelboot **p.** die Spinne

7 **a.** f **b.** r **c.** r **d.** f **e.** r **f.** f **g.** f **h.** r **i.** f **j.** r **k.** r **l.** f **m.** r **n.** r **o.** f **p.** f

8 **a.** Mäuse **b.** Musik **c.** Möbel **d.** Reporter **e.** Bad **f.** Geld **g.** Platz **h.** Wohnung

9 **b.** Schlange – Krokodil **c.** Radio – Fernseher **d.** Motorrad – Wagen **e.** Bett – Matratze **f.** Wohnung – Haus **g.** Reporter – Musiker **h.** Sommer – Winter **i.** Geld – Münzen **j.** Tiere – Zoo

10 **a.** Fernseher **b.** Krokodile **c.** Ja, es gibt ein Telefon. **d.** Gibt es eine Spinne? – Nein, es gibt keine Spinne. **e.** Gibt es eine Kiste? – Nein, es gibt keine Kiste. **f.** Gibt es ein Bett? – Ja, es gibt ein Bett. **g.** Gibt es einen Fotoapparat? – Ja, es gibt einen Fotoapparat. **h.** Gibt es Schlangen? Ja, es gibt Schlangen. **i.** Gibt es einen Kühlschrank? – Nein, es gibt keinen Kühlschrank. **j.** Gibt es einen Topf? – Ja, es gibt einen Topf. **k.** Gibt es einen Tisch? – Ja, es gibt einen Tisch. **l.** Gibt es einen Geschirrspüler? – Nein, es gibt keinen Geschirrspüler.

11 **b.** hat sie ein Segelboot. **c.** ist sein Zimmer ein Zoo. **d.** findet er Möbel nicht wichtig. **e.** hat sie auch keinen Computer. **f.** ist es nicht sehr bequem **g.** hat er kein Radio.

12 **b.** Einen Computer brauche ich nicht. **c.** Tiere habe ich nicht. **d.** Unterhaltung brauche ich nicht. **e.** Ein Krokodil habe ich nicht. **f.** Bücher lese ich nicht. **g.** Ein Motorrad habe ich nicht. **h.** Student bin ich nicht. **i.** Probleme habe ich nicht.

13 **a.** Jochen Pensler studiert _ Biologie. Sein Zimmer ist ein Zoo. Er hat _ Schlangen, _ Spinnen, _ Mäuse und ein Krokodil. _ Tiere sind sein Hobby, aber sie kosten _ Zeit.

b. Karin Stern ist – Sozialarbeiterin von Beruf. Ihr Bad ist eigentlich ein Fotolabor. Sie braucht – Geld für ihre Kameras.
c. Bernd Klose ist – Reporter. Er findet – Möbel nicht wichtig. Ein Bett hat er nicht, aber er braucht unbedingt einen Schreibtisch.
d. Linda Damke hat ein Segelboot. Eine Wohnung braucht sie nicht. Ihr Segelboot bedeutet – Freiheit.

Lerneinheit 13

1 **b.** die Wohnung **c.** das Haus **d.** das Apartment **e.** das Zimmer **f.** die Miete **g.** der Platz **h.** die Größe **i.** die Küche **j.** das Bad **k.** der Balkon **l.** die Telefonnummer **m.** die Adresse **n.** die Straße

2 **b.** Quadratmeter **c.** Balkon **d.** Miete **e.** Platz **f.** Küche **g.** Adresse **h.** Haustiere **i.** Zimmer

3 **a.** 6 **b.** 5 **c.** 4 **d.** 1 **e.** 3 **f.** 2

4 **a.** den – den **b.** den – der – Der **c.** den – den – Der **d.** der – Den

5 **b.** Segelboot **c.** Film **d.** Gaskocher **e.** Telefonbuch **f.** Wagen **g.** Nagel **h.** Koffer

6 **b.** er – ihn **c.** sie – sie **d.** er – ihn **e.** es – es **f.** er – ihn **g.** sie – sie **h.** es – es

7 **b.** ihn **c.** Sie – ihn **d.** Sie – es **e.** Sie – sie **f.** Es – es **g.** Er – ihn **h.** Sie – sie **i.** Sie – sie **j.** Sie – sie **k.** Er – es **l.** Sie – sie **m.** Sie – ihn

8 **e.** Wen **f.** Wer **g.** Was **h.** Was **i.** Wen **j.** Was **k.** Was **l.** Wen **m.** Was **n.** Wen **o.** Was **p.** Wen **q.** Was **r.** Wen **s.** Was

9 **b.** Aber kann sie sie in zwei Sekunden trinken? **c.** Aber kann sie ihn in drei Sekunden wechseln? **d.** Aber kann sie sie in vierzehn Sekunden schneiden? **e.** Aber kann er sie in dreißig Sekunden blind erkennen? **f.** Aber können sie sie in vierzig Sekunden schreiben? **g.** Aber kann er sie in zwei Minuten zeichnen?

10 **a.** einen, ein **b.** eine, einen **c.** eine, eine **d.** einen, eine **e.** einen, ein, einen **f.** einen, –, eine **g.** –, – **h.** –, eine, eine **i.** eine, eine

11 **a.** Eva Humbold findet Reporter interessant. Katzen findet sie schön und Luftballons findet sie toll. Reisen findet sie herrlich und Freiheit findet sie wichtig. Ein Mobiltelefon findet sie nicht so wichtig.
b. Werner Bergman findet Polizistinnen nett. Seinen Hund findet er prima und Ansichtskarten findet er interessant. Segeln findet er wunderbar. Geld findet er nicht so wichtig, aber Kreditkarten findet er herrlich.
c. (Individuelle Lösung. Beispiel:)
Ich finde Frisöre sympathisch. Hunde finde ich schön und Filme finde ich interessant. Telefonieren finde ich nicht so wichtig, aber einen Fernseher finde ich wichtig.

12 **b.** ihr – Er – Sie – ihn **c.** sein – Er – Er – ihn **d.** ihr – Er – Sie – ihn **e.** seine – Sie – Er – sie **f.** seine – Sie – sie **g.** Ihr – Er – sie – ihn **h.** Ihr – Er – Sie – ihn

Lerneinheit 14

1 **b.** die Sonnenbrille **c.** das Regal **d.** der Hammer **e.** der Kühlschrank **f.** der Mantel **g.** der Regenschirm **h.** der Teppich **i.** die Vase **j.** der Spiegel **k.** der Gummistiefel

2 **a.** die Berufe, die Briefe, die Filme, die Haare, die Hunde, die Jahre, die Pilze, die Probleme, die Tage, die Tiere **b.** die Grüße, die Küsse, die Stühle, die Strümpfe, die Bärte, die Söhne, die Säfte **c.** die Blumen, die Lampen, die Briefmarken, die Brillen, die Karotten, die Kisten, die Taschen, die Tomaten, die Münzen, die Jungen **d.** die Spiegel, die Wagen, die Löffel, die Messer, die Lehrer, die Deckel, die Fernseher, die Geschirrspüler

3 **c.** der Kühlschrank **d.** der Sportlehrer **e.** der Strumpf **f.** der Gummistiefel **g.** der Regenschirm **h.** der Stuhl **i.** das Pflaster **j.** das Taschentuch **k.** die Spinne **l.** der Geschirrspüler **m.** das Schlafzimmer **n.** die Schreibmaschine

4 **a.** Ja, gern, den kannst du haben. – Gern. Hier bitte. **b.** Ja, die habe ich. – Nein, die ist nicht da. **c.** Nein, das ist nicht da. – Nein, das suche ich gerade. **d.** Die sind hier – Hier sind die.

5 **c.** den **d.** den **e.** der **f.** der – den **g.** den – Der **h.** den **i.** den **j.** den **k.** den

6 ◆ Wie findest du das Regal? ⊙ Meinst du das da? ◆ Ja. ⊙ Das ist nicht schlecht. ◆ Kaufen wir es? ⊙ Ja, das kaufen wir.

7 **a.** Nein, ich brauche keine. – Ja, ich brauche eine. **b.** Den finde ich schön – Der ist schön. **c.** Hast du keine? – Brauchst du eine? **d.** Nein, wir brauchen keine. – Ja, die kaufen wir. **e.** Meinst du die da? – Ja, die finde ich auch schön. **f.** Nein, aber ich brauche welche. – Nein, ich kaufe welche.

8 **b.** welche **c.** eins **d.** welche **e.** einer **f.** einer **g.** eine **h.** einer **i.** welche **j.** eins **k.** eine

9 **b.** Da ist ein Stuhl. Ich brauche einen Stuhl. Ich brauche einen. **c.** Da sind Vasen. Ich brauche Vasen. Ich brauche welche. **d.** Da ist ein Tisch. Ich brauche einen Tisch. Ich brauche einen. **e.** Da ist ein Regal. Ich brauche ein Regal. Ich brauche eins. **f.** Da ist eine Uhr. Ich brauche eine Uhr. Ich brauche eine. **g.** Da sind Lampen. Ich brauche Lampen. Ich brauche welche. **h.** Da ist eine Tasche. Ich brauche eine Tasche. Ich brauche eine.

10 **a.** ein – eins **b.** eine – eine **c.** einen – einen **d.** einen – einer **e.** einen – einer **f.** eine – eine **g.** ein – eins **h.** einen – einer **i.** einen – einen **j.** ein – eins

11 ◆ Schau mal, da ist ein Teppich. Ich suche einen. ⊙ Hast du keinen Teppich? ◆ Nein, ich habe keinen. ⊙ Aber den finde ich nicht schön. ◆ Hier sind noch welche.

12 **a.** keinen **b.** keine **c.** keins **d.** keine **e.** keiner **f.** keins **g.** keiner **h.** keine **i.** keinen **j.** keins

Lerneinheit 15

1 **b.** Findest du Tennis spannend? **c.** Kostet der Stuhl nur einen Euro? **d.** Stimmt das? **e.** Kaufst du die Sportschuhe? **f.** Brauchst du die Strümpfe? **g.** Spielst du Klavier? **h.** Bist du Studentin? **i.** Studierst du Sport? **j.** Springst du oder nicht?

2 **a.** Spinne **b.** Findest – spannend **c.** Kostet – Stuhl **d.** stimmt **e.** Kaufst **f.** Brauchst – Strümpfe **g.** Spielst **h.** Bist – Student **i.** Studierst – Sport **j.** Springst

3 **b.** Schrank **c.** Uhr **d.** Schlafsäcke **e.** Maus **f.** Schuhe **g.** Töpfe **h.** Haus **i.** Blume **j.** Hammer **k.** Sprachen

4 **b.** Wie findest du die Wohnung? – Die finde ich sehr groß. **c.** Wie findest du das Bad? – Das finde ich zu klein. **d.** Wie findest du die Küche? – Die finde ich prima. **e.** Wie findest du den Tisch? – Den finde ich toll. **f.** Wie findest du die Stühle? – Die finde ich bequem. **g.** Wie findest du die Lampen? – Die finde ich schön. **h.** Wie findest du den Teppich? – Den finde ich zu groß. **i.** Wie findest du das Regal? – Das finde ich gut. **j.** Wie findest du das Bild? – Das finde ich hässlich.

5 (Individuelle Lösung)

6 **c.** einen Kugelschreiber – keinen **d.** eine Brille – auch eine **e.** eine Zeitung – keine **f.** ein Buch – auch eins **g.** ein Heft – keins **h.** ein Foto – auch eins **i.** eine Zeichnung – keine **j.** Briefe – keine **k.** Briefmarken – auch welche **l.** einen Bus – auch einen **m.** ein Taxi – keins **n.** Blumen – auch welche **o.** Fahrkarten – keine

7 ⊙ Hallo Jens. Hörst du? Wo bist du? ◆ In Rom bin ich. ⊙ Wie ist das Wetter da? ◆ Wunderbar ist das Wetter hier. Aber ich habe ein Problem. ⊙ Was ist denn das Problem? ◆ Meine Brille ist kaputt. Zu Hause ist noch eine. ⊙ Kein Problem, Jens. Ich schicke sie gerne.

8 **b.** die Kontaktlinse, die Kontaktlinsen **c.** das Abendkleid, die Abendkleider **d.** das Hotel, die Hotels **e.** das Museum, die Museen **f.** das Restaurant, die Restaurants **g.** das Geschäft, die Geschäfte **h.** der Geschirrspüler, die Geschirrspüler **i.** der Fernseher, die Fernseher **j.** der Rasierapparat, die Rasierapparate **k.** der Koffer, die Koffer **l.** das Zimmer, die Zimmer **m.** der Schlüssel, die Schlüssel **n.** der Türke, die Türken **o.** der Spanier, die Spanier

9 **a.** bin – gibt – Problem – Mein – einer – ihn **b.** Probleme – Meine – eine – sie **c.** finde – sind – eins – es **d.** suche – weg – welche – Kannst

10 ◆ Hier ist ein Stuhl. Suchst du vielleicht einen? ⊙ Nein, vielen Dank. Ich brauche keinen. | ein Schrank – einen – keinen | ein Bett – eins – keins | ein Bild – eins – keins | ein Fahrrad – eins – keins | ein Zelt – eins – keins | eine Uhr – eine – keine | ein Hut – einen – keinen | ein Mantel – einen – keinen | ein Topf – einen – keinen

Lerneinheit 16

1 **a.** der Fußgänger **b.** der Radfahrer **c.** der Motorradfahrer **d.** die Autofahrerin **e.** die Ampel **f.** die Feuerwehr **g.** das Schild

2 **a.** grün **b.** rot **c.** schwarz **d.** weiß **e.** gelb **f.** blau

3 **b.** darf **c.** dürfen **d.** musst **e.** müssen **f.** darf **g.** darf **h.** muss **i.** müssen **j.** darfst **k.** dürft

4 **a.** soll **b.** sollen **c.** Soll **d.** sollst **e.** sollt **f.** sollen

5 **b.** Die Kinder wollen Englisch lernen. **c.** Willst du jetzt telefonieren? **d.** Wir wollen heute Pizza essen. **e.** Wollt ihr Kaffee oder Tee trinken? **f.** Ich will einen Brief schreiben.

6 **A. a.** will – möchte **b.** Wollt – Möchtet **c.** will – möchte **d.** wollen – möchten **e.** Willst – Möchtest
B. a. können – müssen **b.** könnt – müsst **c.** kann – muss **d.** Kannst – Musst **e.** kann – muss
C. a. kann – muss **b.** kann – muss **c.** kannst – musst **d.** könnt – müsst **e.** können – müssen

7

	können	**wollen**	**dürfen**	**müssen**	**sollen**	**möchten**
ich	kann	will	darf	muss	soll	möchte
du	kannst	willst	darfst	musst	sollst	möchtest
er/sie/es/man	kann	will	darf	muss	soll	möchte
wir	können	wollen	dürfen	müssen	sollen	möchten
ihr	könnt	wollt	dürft	müsst	sollt	möchtet
sie	können	wollen	dürfen	müssen	sollen	möchten

8 **a.** Er kann gut springen. **b.** Sie muss springen. **c.** Er will springen. **d.** Sie darf nicht springen. **e.** Er soll springen. **f.** Sie kann jetzt nicht springen.

9 **b.** tief tauchen. **c.** kann schnell schwimmen. **d.** Der Informatiker muss schnell arbeiten. **e.** Der Mann und die Frau können sehr gut tanzen. **f.** Die Reporter müssen den Tennisspieler fotografieren. **g.** Die Sekretärin muss den Brief korrigieren. **h.** Die Studentin will Chinesisch lernen. **i.** Werner Sundermann will bald 25 Sorten Mineralwasser erkennen.

10 **b.** Man kann Fernseher/einen Fernseher, eine Pizza und eine Lampe bestellen. **c.** Man kann ein Mobiltelefon, einen Zug und ein Telefon hören. **d.** Man kann Wasser, eine Zwiebel und eine Tomate kochen. **e.** Man kann eine Blume, ein Feuerzeug und Gummistiefel/einen Gummistiefel suchen.

11 **b.** ... gut schwimmen, aber es kann nicht tauchen. **c.** Die Studentin muss schnell zeichnen, aber sie kann nicht schnell zeichnen. **d.** Der Reporter kann wunderbar surfen, aber er kann nicht segeln. **e.** Ihr könnt laut singen, aber ihr müsst auch richtig singen. **f.** Der Papagei kann gut nachsprechen, aber er kann die Wörter nicht verstehen. **g.** Die Kinder möchten gern schwimmen, aber sie wollen keine Bademütze tragen. **h.** Das Mädchen möchte gern singen, aber man darf hier nicht laut sein.

12 **a.** nicht **b.** kein **c.** nicht **d.** keine **e.** keinen **f.** nicht **g.** keinen **h.** nicht

13 **b.** Der Junge will telefonieren. Aber er kann nicht telefonieren. Er muss erst eine Telefonkarte kaufen. **c.** Die Fotografin will fotografieren. Aber sie kann nicht fotografieren. Sie muss erst den Film wechseln. **d.** Der Tischler will Tee trinken. Aber er kann keinen Tee trinken. Er muss arbeiten. **e.** Die Sängerin will singen. Aber sie kann nicht singen. Sie muss erst Tee trinken.

14 **b.** ... tief tauchen – tief tauchen – muss es noch üben. **c.** Die Kinder sollen richtig rechnen. Aber sie können noch nicht richtig rechnen. Sie müssen es erst lernen. **d.** Der Mann soll schnell reiten. Aber er kann noch nicht schnell reiten. Er muss es noch lernen. **e.** Die Studenten sollen genau zeichnen. Aber sie können noch nicht genau zeichnen. Sie müssen es noch üben.

Lerneinheit 17

1 **a.** waschen **b.** bemalen **c.** sprechen **d.** betreten **e.** essen **f.** sehen **g.** zerbrechen **h.** tragen

2 ☺ Das ist herrlich. – Das ist sehr schön. – Das finde ich wunderbar. – Das ist toll. – Das finde ich nett. – Natürlich geht das. – Das ist prima.

☹ Das darf man nicht machen. – Das schmeckt doch nicht. – Das finde ich scheußlich. – Das ist verboten. – Das macht man nicht. – Das ist dumm. – Das darf man nicht.

3 **b.** Vera zerbricht eine Flasche. **c.** Curt wäscht einen Apfel. **d.** Curt spricht Englisch. **e.** Vera betritt ein Zimmer. **f.** Curt trägt einen Koffer / Koffer. **g.** Vera sieht eine Maus. **h.** Vera vergisst eine Tasche.

4 **a.** f **b.** r **c.** f **d.** r **e.** r **f.** f **g.** f **h.** r **i.** f **j.** r **k.** f **l.** r **m.** r

5 **b.** Trägst ... **c.** Isst du auch nie Kartoffeln? **d.** Zerbrichst du auch dauernd deine Brille? **e.** Siehst du auch gern Filme? **f.** Betrittst du auch nie den Rasen? **g.** Sprichst du auch Deutsch? **h.** Wäschst du auch nicht gern?

6

	essen	vergessen	betreten	sprechen	zerbrechen	sehen	tragen	waschen
ich	esse	vergesse	betrete	spreche	zerbreche	sehe	trage	wasche
du	isst	vergisst	betrittst	sprichst	zerbrichst	siehst	trägst	wäschst
er / sie / es / man	isst	vergisst	betritt	spricht	zerbricht	sieht	trägt	wäscht
wir	essen	vergessen	betreten	sprechen	zerbrechen	sehen	tragen	waschen
ihr	esst	vergesst	betretet	sprecht	zerbrecht	seht	tragt	wascht
sie / Sie	essen	vergessen	betreten	sprechen	zerbrechen	sehen	tragen	waschen

7 **a.** Rasen – beten – essen – Termine **b.** Wir – lügen – Zähne – beschmutzen **c.** sprechen – Spiegel – Hut – Zigaretten **d.** möchte – Katze – waschen – ich **e.** zahlen – Wände – Schuhe – sehen **f.** möchte – küssen – Ich – sollen

8 **b.** muss **c.** Möchtest **d.** darf **e.** Darfst **f.** soll **g.** kann **h.** möchte **i.** Kannst **j.** Willst **k.** müssen **l.** soll **m.** Müsst

9 **b.** einen Spiegel **c.** eine Pause **d.** die Zukunft **e.** den Urlaub **f.** einen Rasen **g.** einen Geburtstag **h.** Bonbons **i.** Vitamine

10 **b.** die Ruhe **c.** die Krawatte **d.** das Mobiltelefon **e.** die Bademütze **f.** die Kreditkarte **g.** der Rasen **h.** der Abend **i.** der Termin **j.** die Kleidung **k.** der Stern **i.** die Katze **m.** die Träne **n.** der Geburtstag **o.** die Gitarre **p.** der Tiger

11 Modell-Lösung (Es sind auch andere Lösungen möglich.)
Das Klavier ist jetzt hier. Die Männer trinken Bier. / Da ist ein Haus. Da ist auch eine Maus. / Er wäscht sein Gesicht und notiert sein Gewicht. / Der Frisör schneidet Haare, schon zwei Jahre. / Hier sind meine Taschen. Jetzt kannst du naschen. / Musik und Kuss. Dann ist Schluss. / Kannst du die Kinder fragen? Ich kann die Koffer tragen. / Die Hunde brauchen nur eine Sekunde. / Sie wollen nicht gehen. Sie wollen ihn sehen. / Ich kann das nicht machen, denn ich muss immer lachen. / Sie will Touristen malen. Sie können gut bezahlen. / Sie will hier bleiben. Sie möchte hier schreiben. / ...

Lerneinheit 18

1 **a.** Das Fenster ist zu. Soll ich es aufmachen? **b.** Das Fenster ist auf. Soll ich es zumachen? **c.** Die Tür ist auf. Soll ich sie zumachen? **d.** Die Tür ist zu. Soll ich sie aufmachen? **e.** Der Koffer ist zu. Soll ich ihn aufmachen? **f.** Der Koffer ist auf. Soll ich ihn zumachen?

2 **a.** Die Schüler sollen die Hausaufgaben vergleichen. **b.** Der Lehrer will den Unterricht beginnen. **c.** Ein Schüler soll das Fenster bezahlen. **d.** Das Fenster ist zu und ein Schüler will es aufmachen. **e.** Die Klasse ist laut und kann den Lehrer nicht hören. **f.** Es ist sehr warm und das Fenster ist kaputt

3 **a.** an **b.** aus **c.** auf **d.** an **e.** auf **f.** an **g.** an **h.** zu

4 **c.** Machst du ihn bitte aus? **d.** Kannst du ihn bitte zumachen? **e.** Kannst du es bitte anmachen? **f.** Du musst es zumachen. **g.** Machst du es bitte aus? **h.** Machst du ihn bitte zu? **i.** Du darfst ihn aufmachen. **j.** Machst du sie bitte zu? **k.** Kannst du sie bitte ausmachen? **l.** Machst du es bitte zu? **m.** Du musst ihn ausmachen. **n.** Kannst du es bitte zumachen?

5 **a.** Gerda kann nicht schlafen. **b.** Peter soll das Licht ausmachen. **c.** Georg schaltet den Fernseher wieder aus. **d.** Eric soll das Fenster aufmachen. **e.** Vera möchte ganz schnell fahren. **f.** Emil muss heute nicht arbeiten.

6 **b.** ich mache aus – er macht aus **c.** ich bemale – er bemalt **d.** ich bezahle – er bezahlt **e.** ich fahre – er fährt **f.** ich frage – er fragt **g.** ich habe – er hat **h.** ich lache – er lacht **i.** ich mache – er macht **j.** ich nasche – er nascht **k.** ich packe – er packt **l.** ich sage – er sagt **m.** ich schaffe – er schafft **n.** ich schlafe – er schläft **o.** ich tanze – er tanzt **p.** ich trage – er trägt **q.** ich warte – er wartet **r.** ich wasche – er wäscht **s.** ich mache zu – er macht zu

7 **a.** ich stehe auf – er steht auf **b.** ich bestelle – er bestellt **c.** ich bete – er betet **d.** ich betrete – er betritt **e.** ich denke – er denkt **f.** ich erkenne – er erkennt **g.** ich esse – er isst **h.** ich gebe – er gibt **i.** ich gehe – er geht **j.** ich kenne – er kennt **k.** ich lebe – er lebt **l.** ich lese – er liest **m.** ich nenne – er nennt **n.** ich rechne – er rechnet **o.** ich sehe – er sieht **p.** ich vergesse – er vergisst **q.** ich verstehe – er versteht **r.** ich wechsle – er wechselt **s.** ich zerbreche – er zerbricht

8 **a.** fahren – geht – darf – ist – fährt – kommt **b.** kann – hat – muss – will – hat

9 **a.** spricht – weiß – kann – will **b.** wacht – schläft – weiterschlafen – geht – muss

10 **a.** kennen – kann **b.** kennt – kann **c.** kenne – Kennst **d.** Weißt **e.** kann – Wisst **f.** könnt – wissen **g.** kann – kannst – weiß

11

	schlafen	**fahren**	**lesen**	**wissen**
ich	schlafe	fahre	lese	weiß
du	schläfst	fährst	liest	weißt
er / sie / es / man	schläft	fährt	liest	weiß
wir	schlafen	fahren	lesen	wissen
ihr	schlaft	fahrt	lest	wisst
sie / Sie	schlafen	fahren	lesen	wissen

Lerneinheit 19

1 **a.** gehen **b.** warten **c.** putzen **d.** telefonieren **e.** trinken **f.** tanzen **g.** lernen **h.** spielen **i.** springen **j.** weinen **k.** tragen **l.** hören **m.** singen **n.** essen **o.** waschen **p.** gehen

2 **a.** Er spricht langsam den Satz nach. **b.** Er macht schnell das Licht aus. **c.** Wann liest du in Ruhe das Buch weiter? **d.** Er schreibt glücklich den Brief weiter. **e.** Warum macht ihr denn nicht das Fenster zu? **f.** Wir füllen schnell ein Formular aus.

3 **a.** 2 **b.** 4 **c.** 5 **d.** 6 **e.** 3 **f.** 1

4 **b.** trägst **c.** schlaft **d.** lest **e.** siehst **f.** sprichst **g.** zerbrecht **h.** isst **i.** vergesst **j.** betrittst **k.** wisst

5 **b.** Er wäscht acht Autos. **c.** Er ist glücklich. **d.** Sie trägt achtzehn Taschen. **e.** Sie ist schön und lacht. **f.** Die Mädchen brauchen Licht. **g.** Sie suchen die Schlange. **h.** Er möchte Bücher schreiben und ohne Schuhe gehen. **i.** Er hat keinen Regenschirm und auch kein Taschentuch. **j.** Sie findet einen Kühlschrank und einen Geschirrspüler nicht wichtig.

6 **a.** – **b.** einen, einen **c.** eine, ein **d.** –, – **e.** eine **f.** eine **g.** ein **h.** ein, eine

7 **b.** Ja, Sonntag will ich essen gehen. **c.** Ja, Montag will ich tanzen gehen. **d.** Ja, Dienstag wollen wir Tennis spielen gehen. **e.** Ja, da wollen wir surfen gehen.

8 **a.** ◆ Können wir mal wieder zusammen lernen? ⊙ Ja, gute Idee. ◆ Könnt ihr denn Mittwoch? ⊙ Mittwoch kann ich gut, aber Karin kann da nicht. ◆ Und Donnerstag, geht das? ⊙ Ja, Donnerstag können wir gut. ◆ Prima, dann lernen wir am Donnerstag.
b. ◆ Können wir mal wieder zusammen surfen? ⊙ Ja gern. Wann können Sie denn? ◆ Morgen. Geht das? ⊙ Tut mir leid. Morgen kann ich nicht und meine Frau kann auch nicht. ◆ Und übermorgen? ⊙ Übermorgen können wir gut.

9 **a.** 2 **b.** 1 **c.** 3 **d.** 1

Lerneinheit 20

1 **b.** Sie will hier (ein) Eis essen. Aber hier darf man kein Eis essen. **c.** Sie wollen hier spielen. Aber man darf hier nicht spielen. **d.** Er will hier telefonieren. Aber hier darf man nicht telefonieren. **e.** Sie will hier Musik hören. Aber man darf hier keine Musik hören.

2 **a.** parken **b.** füttern. **c.** trinken. **d.** telefonieren **e.** hören **f.** reiten **g.** essen **h.** angeln **i.** rauchen

3 **a.** Waschmaschine **b.** Fahrrad **c.** Tischtennis **d.** Bruder **e.** Telefonnummer **f.** Fenster **g.** Wochenende **h.** Fernsehfilm

4 **b.** einen Schlüssel **c.** eine Pizza **d.** einen Strumpf **e.** den Fernsehfilm **f.** das Wetter **g.** einen Papagei **h.** Licht

5 **a.** 5 **b.** 7 **c.** 6 **d.** 4 **e.** 8 **f.** 2 **g.** 3 **h.** 1

6 **b.** Ich muss morgen nach London fliegen. **c.** Vera möchte am Wochenende surfen. **d.** Wir sind am Mittwoch nicht zu Hause. **e.** Peter soll seine Termine nicht vergessen. **f.** Ich möchte mal wieder Tischtennis spielen. **g.** Am Sonntag können wir zusammen schwimmen gehen.

7 **b.** 97 68 11 **c.** 55 73 62 **d.** 21 44 90 **e.** 69 88 73 **f.** 13 48 12 **g.** 91 94 78

8 **a.** absagen **b.** mitkommen **c.** notieren **d.** zumachen **e.** anrufen **f.** sprechen

9 Modell-Lösung (Es sind auch andere Lösungen möglich.)
a. Lieber (Jochen), wollen wir mal wieder Pizza essen gehen? Am Freitag geht es nicht / kann ich nicht, aber am Samstag habe ich Zeit / geht es. Ich weiß auch schon ein Restaurant. Rufst Du mich an? Ich bin heute zu Hause. Bis dann (Anna)
b. Liebe (Anna), können wir mal wieder zusammen Tischtennis spielen? Heute Abend habe ich keine Zeit, aber morgen kann ich gut. Passt es um 10 Uhr? Kannst Du eine E-Mail schicken? Viele Grüße (Jochen)

Lerneinheit 21

1 **b.** Das ... dem **c.** Die ... dem **d.** Die ... der **e.** Das ... der **f.** Die ... dem **g.** Der ... der **h.** Die ... dem **i.** Der ... der **j.** Der ... dem **k.** Die ... dem **l.** Der ... der

2 **b.** Die Zettel liegen auf den Bleistiften. **c.** Die Bücher liegen auf den Heften. **d.** Die Faxe liegen auf den Schlüsseln. **e.** Die Taschentücher liegen auf den Handys. **f.** Die Kugelschreiber liegen auf den Mobiltelefonen. **g.** Die Schuhe liegen auf den Strümpfen. **h.** Die Mäntel liegen auf den Pullovern. **i.** Die Hüte liegen auf den Jacken. **j.** Die Blumen liegen auf den Zeitungen.

3 **a.** auf den Zeitungen ... auf dem Sofa **b.** auf dem Schrank ... auf den Büchern ... auf der Zeitung **c.** auf dem Stuhl ... auf dem Bett ... auf den Schuhen **d.** auf dem Koffer ... auf der Tasche ... auf den Tickets

4 **b.** der Turm **c.** die Tasche **d.** die Brücke **e.** das Sofa **f.** das Haus **g.** die Matratze **h.** das Schild **i.** der Spiegel

5 **b.** auf **c.** hinter **d.** vor **e.** auf **f.** zwischen **g.** auf **h.** neben **i.** auf **j.** über **k.** auf **l.** neben **m.** auf

6 **b.** steht auf **c.** liegt auf **d.** hängt über **e.** liegt auf **f.** steht auf

7 **b.** dem ... die **c.** der ... die **d.** der ... die **e.** der ... die **f.** Die ... dem **g.** der ... die **h.** der ... das **i.** dem ... das **j.** dem ... der **k.** dem ... die **l.** der ... die **m.** den ... die

8 **b.** das ... Das ... dem **c.** der ... Die ... die **d.** dem ... den ... Der **e.** die ... Die ... der **f.** dem ... den ... Der **g.** dem ... den ... Der **h.** dem ... das ... Das

9 **b.** Sofas **c.** Betten **d.** Tischen **e.** Tellern **f.** Messern **g.** Herden **h.** Spiegeln **i.** Regalen **j.** Fotoapparaten **k.** Fernsehern **l.** Stiefeln **m.** Motorrädern **n.** Notizzetteln

10 **b.** den Stuhl ... den Balkon **c.** den Koffer ... den Teppich **d.** den Brief ... den Tisch **e.** den Fisch ... den Teller **f.** den Sohn ... den Rasen **g.** den Teddy ... den Stuhl **h.** den Text ... den Spiegel

11 **a.** neben den Spiegel hängen / auf den Tisch legen **b.** auf den Schreibtisch stellen / neben den Schrank hängen **c.** neben den Tisch hängen / unter den Tisch legen **d.** auf den Teppich legen / neben den Schrank stellen **e.** auf den Tisch stellen / auf den Tisch legen **f.** auf den Tisch stellen / über den Tisch hängen

12 **b.** Wer / Was / Wohin **c.** Wen / Wer / Wohin **d.** Wohin / Was / Wer **e.** Was / Wer / Wohin

13 **b.** steht **c.** stellt **d.** steht **e.** stellt **f.** stehen **g.** liegen **h.** legt **i.** liegen **j.** sitzt ... setzt

14 **b.** Aber den legst du doch immer auf den Schrank. **c.** Aber die stellst du doch immer neben das Sofa. **d.** Aber die legst du doch immer neben die Schuhe. **e.** Aber das legst du doch immer neben das Telefon. **f.** Aber die legst du doch immer neben den Fernseher. **g.** Aber die stellst du doch immer unter das Regal. **h.** Aber das legst du doch immer unter die Matratze.

Lerneinheit 22

1 **b.** 1 **c.** 8 **d.** 10 **e.** 12 **f.** 3 **g.** 4 **h.** 5 **i.** 7 **j.** 11 **k.** 6 **l.** 9

2 **c.** Am **d.** Ans **e.** Im **f.** Ins **g.** Ins **h.** Am **i.** Ans **j.** Am **k.** ins **l.** im

3 **b.** zur / in die / aus der **c.** zum / beim / aus der **d.** zum / beim / vom **e.** zur / bei der / aus dem **f.** zum / in der / aus der

4 **b.** einem **c.** einer **d.** einer **e.** einer **f.** einer **g.** einem **h.** einer **i.** einem **j.** einer **k.** einer **l.** einem **m.** einem **n.** einem **o.** einem **p.** einem **q.** einem / einer **r.** einer **s.** einem **t.** einem **u.** einem

5 **die Autobahn:** der Verkehr, die Brücke, die Straße
der Arm: die Hand, die Brust, der Kopf, die Haut, das Gesicht
die Notaufnahme: das Krankenhaus, der Krankenpfleger, die Ärztin, die Krankenschwester

6 **a.** In der Notaufnahme klingelt das Telefon. **b.** Die Notärztin und die Sanitäter rennen zum Notarztwagen. **c.** Sie fahren zum Hamburger Hafen. **d.** Dort liegt ein Personenwagen unter einem Container. **e.** Zwei Feuerwehrmänner brechen die Tür auf. **f.** Dann untersucht die Ärztin das Unfallopfer. **g.** Die Sanitäter heben den Mann auf eine Trage und schieben sie in den Notarztwagen. **h.** Mit Tempo 100 fährt das Rettungsteam zum Krankenhaus zurück. **i.** Die Sanitäter heben den Mann aus dem Rettungswagen und bringen ihn in die Notaufnahme.

7 **Abschnitt 1: b.** Zum Notarztwagen. **c.** Vor dem Eingang. **d.** Vorne neben dem Fahrer und dem Krankenpfleger. **e.** Einige Autofahrer machen die Straße nicht frei.

Abschnitt 2: **b.** Ein Mann in Uniform. **c.** Hinten bei einem Kran. **d.** Am Unfallort. **e.** Unter einem Container. **f.** Sie brechen die Tür auf. **g.** Am Kopf, am Arm und an den Händen.

Abschnitt 3: **b.** Das Unfallopfer. **c.** Auf eine Trage. **d.** Auf die Brust drücken. **e.** In den Notarztwagen.

Abschnitte 4 und 5: b. Zum Krankenhaus zurück. **c.** In der Notaufnahme. **d.** Sie steigt aus.

Abschnitt 6: b. Von der Zentrale. **c.** Doktor Hildegard Becker. **d.** Im Hafenkrankenhaus. **e.** Hart, aber sie liebt ihn.

8 Krankenhaus – Personenwagen – Dativ – Tor – Brücke – Vorsicht – Notaufnahme – Job – Fahrer – Eingang – Hand – Schmerz – Haken – Tür – Autobahn – Baum- Hafen – Haus – Brust – Arm – Bericht – Opfer – Büro

9 **legen:** setzen, heben, schieben
gehen: laufen, springen, tanzen, rennen
rufen: sagen, schimpfen, sprechen, fragen

10

11 **a.** Wo ... dem **b.** Wo ... der **c.** Woher ... der **d.** Wohin ... den **e.** Wo ... dem **f.** Wo ... dem **g.** Woher ... dem **h.** Wo ... der **i.** Wohin ... das **j.** Wo ... den **k.** Wohin ... die

12 **c.** R **d.** R **e.** B **f.** B **g.** B **h.** R **i.** B **j.** R **k.** R **l.** B **m.** B **n.** B **o.** R **p.** B **q.** B

13 **ich:** halte / laufe
du: hältst / läufst
er / sie / es / man: hält / läuft
wir: halten / laufen
ihr: haltet / lauft
sie / Sie: halten / laufen

Lerneinheit 23

1 (Lösungsbeispiele) **a.** ◆ Darf ich Sie zu einer Pizza einladen? ⊙ Ja, zu einer Pizza gerne. Vielen Dank. **b.** ◆ Ich möchte dich zu einem Hamburger einladen. ⊙ Danke schön, das ist sehr nett. **c.** ◆ Ich lade dich zu einer Suppe ein. ⊙ Das ist sehr nett. Vielen Dank **d.** ◆ Darf ich Sie zu einem Bier einladen? ⊙ Sehr gerne. Das ist sehr nett **e.** ◆ Ich möchte dich zu einem Film einladen. ⊙ Oh, das ist aber schön. Vielen Dank. **f.** ◆ Ich lade dich zu meiner Party ein. ⊙ Vielen Dank, ich komme gerne.

2 **e.** Schließen Sie bitte das Fenster. **f.** Schließen Sie bitte die Tür ab. **g.** Steht bitte ruhig. **h.** Steht bitte auf. **i.** Fahren Sie bitte. **j.** Fahren Sie bitte weiter. **k.** Macht bitte die Übungen. **l.** Macht bitte die Übungen weiter. **m.** Machen Sie bitte den Fernseher aus. **n.** Machen Sie bitte den Fernseher an. **o.** Ruft bitte ein Taxi. **p.** Ruft mich bitte bis Sonntag an. **q.** Steigen Sie bitte auf den Baum. **r.** Steigen Sie bitte ein. **s.** Steigen Sie bitte aus.

3 **a.** 4 **b.** 9. **c.** 8 **d.** 6 **e.** 3 **f.** 2 **g.** 5 **h.** 1 **i.** 7

4 **a.** nehmen **b.** nimmt **c.** nimmt **d.** nehme ... nimmst **e.** nehmen **f.** Nehmen **g.** nehmt **h.** nimmt **i.** nehme

5 **c.** Schreib doch bald, bitte. **d.** Koch doch bald, bitte. **e.** Grill doch bald, bitte. **f.** Telefonier doch bald, bitte. **g.** Bezahl doch bald, bitte **h.** Hol doch bald die Zeitung, bitte. **i.** Steh doch bald auf, bitte.

6 **b.** Antworten/Antwortet **c.** Betreten/Betretet **d.** Vergessen/Vergiss **e.** Essen/Esst **f.** Nehmen/Nehmt **g.** Sprechen/Sprich **h.** Sprecht ... nach/Sprich nach **i.** Zerbrechen/Zerbrich **j.** Lesen/Lest **k.** Lesen ... weiter/Lies ... weiter **l.** Tragen/Tragt **m.** Waschen/Wascht **n.** Fahrt/Fahr **o.** Fahren ... weiter/fahrt weiter **p.** Haltet/Halte **q.** Schlafen/Schlaf

7 **c.** Nimmst du bitte den Topf vom Herd? **d.** Nimm bitte den Saft aus dem Kühlschrank. **e.** Holst du bitte eine Flasche Wasser aus dem Keller? **f.** Hol bitte einen Stuhl vom Balkon. **g.** Stellst du bitte die Flasche auf den Tisch? **h.** Stell bitte die Gläser auf den Tisch. **i.** Kannst du bitte den Joghurt aus dem Kühlschrank nehmen? **j.** Nimm bitte die Gläser aus dem Schrank. **k.** Kannst du bitte die Pizza auf den Teller legen? **l.** Leg bitte das Besteck neben den Teller. **m.** Kannst du bitte das Geschirr in die Küche bringen? **n.** Bring bitte die Flasche in den Keller.

8 **a.**
◆ Ja, klar. Ihr Zug fährt auf Gleis 9.
⊙ Und wann kommt er hier an?
◆ Heute ist die Ankunft um 18.40 Uhr.
⊙ Oh! Ist der Zug heute nicht pünktlich?
◆ Nein, leider nicht. Der hat 10 Minuten Verspätung.

b.
◆ Die Abfahrt ist um 17.40 Uhr.
⊙ Und wie viel Uhr ist es denn jetzt?
◆ Jetzt ist es erst 17.20 Uhr. Sie haben noch 20 Minuten Zeit.
⊙ Das ist gut. Vielen Dank.

9 **a.** ins/im/in die/in der/in den **b.** am/an der/an die/ans/an den **c.** zur/zum/zu den **d.** beim/bei der/bei den **e.** von der/vom/von den

10 **b.** Der Hund rennt durch die Pfütze. **c.** Der Krankenwagen fährt durch das Tor. / Die Krankenwagen fahren durch das Tor. **d.** Die Kinder laufen durch den Wald. **e.** Der Einbrecher kommt durch den Keller. / Die Einbrecher kommen durch den Keller. **f.** Die Lehrerin schaut durch die Brille. **g.** Die Katze springt durch das Fenster.

11 **a.** gegen **b.** für **c.** für **d.** ohne **e.** gegen **f.** ohne **g.** ohne **h.** gegen **i.** für **j.** für **k.** gegen **l.** ohne

12 **b.** Die Mücken sitzen um den Topf. **c.** Die Katzen laufen um den Fisch. **d.** Die Hunde laufen um die Bank. **e.** Dann läuft sie um den See. **f.** Dann läuft sie um den Teller. **g.** Die Katzen laufen um den Tisch.

Lerneinheit 24

1 **a.** Der Hund steht. **b.** Der Hund liegt. **c.** Der Hund sitzt. **d.** Der Hund hängt. **e.** Die Puppe steht. **f.** Die Puppe sitzt. **g.** Die Puppe liegt **h.** Die Puppe hängt.

2 **ich:** setze / sitze / stelle / stehe / lege / liege
du: setzt / sitzt / stellst / stehst / legst / liegst
er / sie / es / man: setzt / sitzt / stellt / steht / legt / liegt
wir: setzen / sitzen / stellen / stehen / legen / liegen
ihr: setzt / sitzt / stellt / steht / legt / liegt
sie / Sie: setzen / sitzen / stellen / stehen / legen / liegen

3 **a.** einer **b.** einen ... einen **c.** ihren ... ihren ... dem **d.** ihrem **e.** ihrer **f.** einer ... einem **g.** dem ... deinem

4 **b.** mit **c.** zum **d.** am **e.** von **f.** zur **g.** geradeaus **h.** bei

5 (Lösungsbeispiele)

Gespräch 2
◆ Guten Morgen. Kann ich etwas für Sie tun?
⊙ Ich suche einen Computerladen. Können Sie mir einen empfehlen?
◆ Ja, der Computerladen am Dom ist prima.
⊙ Ist es weit bis zum Dom?
◆ Nein. Gehen Sie rechts um die Ecke, es ist das dritte Haus rechts
⊙ Haben Sie vielen Dank.

Gespräch 3
◆ Guten Abend. Kann ich etwas für Sie tun?
⊙ Ich suche eine Buchhandlung. Können Sie mir eine empfehlen?
◆ Ja, die Buchhandlung am Museum ist toll.
⊙ Ist es weit bis zum Museum?
◆ Nein. Gehen Sie links um die Ecke, es ist das vierte Haus rechts.
⊙ Danke schön.

6 **b.** der Bahnhof **c.** das Rathaus **d.** die Arztpraxis **e.** das Schwimmbad **f.** der Kindergarten **g.** der Sportplatz **h.** die Bushaltestelle **i.** die Apotheke **j.** das Reisebüro. **k.** die Straßenbahn. **l.** die Touristeninformation **m.** das Computergeschäft

7 **c.** Es ist die dritte Straße rechts. **d.** Sehen Sie die vierte Straße links? **e.** Es ist das fünfte Haus rechts. **f.** Sehen Sie das sechste Haus links ? **g.** Es ist die siebte Straße rechts. **h.** Sehen Sie den achten Weg rechts? **i.** Es ist das neunte Haus links.

8 **a.** Gehen Sie hier geradeaus und dann die zweite Straße rechts. Nehmen Sie dann die erste Straße links. Noch ein Stück geradeaus. Dann sehen Sie rechts die Post.
b. Das ist einfach. Gehen Sie bis zur Bushaltestelle. Nach der Bushaltestelle nehmen Sie die erste Straße rechts. Und dann die dritte Straße links. Das ist die Blumenstraße.
c. Kein Problem. Da gehen Sie hier links bis zur Kirche. Nach der Kirche nehmen Sie die zweite Straße rechts. Da sehen Sie links eine Apotheke.

9 **b.** nimmt **c.** braucht **d.** umsteigen **e.** steigt ... aus **f.** ist **h.** fährt **i.** kommt ... an **j.** steigt ... aus **k.** geht **l.** biegt ... ab **m.** sind **o.** steigen **p.** aussteigen **q.** hält **r.** gehen ... vorbei **s.** kommen ... an

10
◆ Ja, Sie können zum Beispiel um den See wandern
⊙ Gut. Der See ist sehr schön. Kann man da auch gut Fahrrad fahren?
◆ Natürlich, es gibt viele Radwege, um den See und auch um den Wald.
⊙ Prima. Und wo kann man hier Fahrräder mieten?
◆ Bei der Fahrradvermietung, gleich links neben der Post
⊙ Gut. Neben der Post links. Haben Sie vielen Dank. Auf Wiedersehen.

Lerneinheit 25

1 **b.** Was liegt auf dem Boden? **c.** Wohin legt sie das Buch? **d.** Was steht neben dem Regal? **e.** Wohin stellt sie die Flasche? **f.** Wo schläft ihr Mann?

2 **b.** in einem Hotel / in einem Zelt / in einer Telefonzelle **c.** ein Wort / eine Bedeutung / Telefonnummern **d.** einen Prospekt / ein Formular / Informationen **e.** einen Link / eine Hoteladresse / eine Bilddatenbank **f.** im Supermarkt / am Kiosk / im Geschäft **g.** einen Wagen / ein Fahrrad / ein Haus **h.** eine Internet-Seite / ein Buch / einen Text **i.** im Flugzeug / mit der Bahn / mit Bussen **j.** Blumen / Prospekte / Briefe **k.** eine Veranstaltung / ein Konzert / ein Theater **l.** den Dom / eine Kirche / Sehenswürdigkeiten **m.** an die Touristeninformation / an einen Freund / an Verwandte **n.** einen Lageplan / den Stadtplan / Prospekte

3 **c.** Schlag die Wörter nach. **d.** Fordert einen Prospekt an. **e.** Klick den Link an. **f.** Kauft auf dem Markt ein. **g.** Reist mit der Bahn. **h.** Sieh den Prospekt in Ruhe an. **i.** Besuch das Konzert. **j.** Besichtigt die Kirche.

4 **a.** der **b.** den **c.** dem **d.** der **e.** dem **f.** dem **g.** den **h.** der ... die **i.** die **j.** dem

5 **b.** von den Haaren auf den Arm **c.** vom Arm auf die Hand **d.** von der Hand auf die Flasche **e.** von der Flasche auf den Schirm **f.** vom Schirm auf das Klavier **g.** vom Klavier auf die Jacke **h.** von der Jacke auf den Mantel **i.** vom Mantel auf die Handtasche **j.** von der Handtasche auf die Kiste **k.** von der Kiste auf den Koffer **l.** vom Koffer auf die Lampe **m.** von der Lampe auf das Fenster **n.** vom Fenster zum Flughafen

6 ... auf die Lampe, von der Lampe auf den Koffer, vom Koffer auf die Kiste, von der Kiste auf die Handtasche, von der Handtasche auf den Mantel, vom Mantel auf die Jacke, von der Jacke auf das Klavier, vom Klavier auf den Schirm, vom Schirm auf die Flasche, von der Flasche auf die Hand, von der Hand auf den Arm, vom Arm auf die Haare, von den Haaren auf die Brille.

7 (Lösungsbeispiel:) Geht am Baum vorbei. Dann lauft ihr über die Brücke. Ihr müsst bis zum See gehen. Geht dann um den See und nehmt dann den Weg geradeaus bis zur Kreuzung. Dann lauft ihr durch den Wald bis zum Schild. Nach dem Schild biegt ihr rechts ab. Geht bis zu den Blumen. Zwischen den Blumen erkennt ihr einen Koffer. Den könnt ihr öffnen. Im Koffer ist ...

8 (Lösungsbeispiel:)
Liebe Eva,
vielen Dank für die Einladung. Ja am Sonntag um 18 Uhr passt es gut. Da kann ich kommen. Ich würde gerne mit Michael, einem Freund, kommen. Du kennst ihn. Gerne bringen wir einen Salat mit.
Viele Grüße und noch mal herzlichen Dank.
Bis Sonntag
Dein Uwe

Lerneinheit 26

1 **b.** hat geweint **c.** Nein, aber sie hat gelacht. **d.** Nein, aber sie hat gespielt. **e.** Nein, aber sie hat gelernt. **f.** Nein, aber er hat gearbeitet. **g.** Nein, aber sie hat geputzt. **h.** Nein, aber er hat getanzt. **i.** Nein, aber sie hat gerechnet. **j.** Nein, aber er hat gepackt.

2 **putzen:** den Balkon, das Bad, die Wohnung, das Haus, das Büro, das Geschäft, die Küche, den Herd, die Schuhe, die Zähne
waschen: den Apfel, die Karotte, die Haare, das Gesicht, die Hände, die Arme, die Wäsche, das Abendkleid, die Jacke, die Strümpfe
spülen: den/die Deckel, den Topf, das/die Messer, die Tasse, den/die Teller, das Geschirr, die Gabeln, den/die Löffel, das Besteck

3 nascht, nascht weiter – hat weitergenascht, duscht – hat geduscht, spült – hat gespült, spielt – hat gespielt, spielt weiter – hat weitergespielt, kocht – hat gekocht, packt, packt aus – hat ausgepackt, räumt auf – hat aufgeräumt, putzt, putzt weiter – hat weitergeputzt, tanzt – hat getanzt, badet, wartet, arbeitet – hat gearbeitet, angelt, wechselt – hat gewechselt, füttert, feiert – hat gefeiert

4 **a.** habe schon geantwortet. **b.** du schon geantwortet? **c.** hat schon geantwortet. **d.** haben schon geantwortet. **e.** ihr schon geantwortet? **f.** Ich habe schon gespült. **g.** hast du schon gespült? **h.** Er hat schon gespült. **i.** Wir haben schon gespült. **j.** habt ihr schon gespült? **k.** Ich habe schon aufgeräumt. **l.** hast du schon aufgeräumt? **m.** Er hat schon aufgeräumt. **n.** Wir haben schon aufgeräumt. **o.** habt ihr schon aufgeräumt?

5 (Alle möglichen Antworten:)
a. Nein, ich möchte später spülen. Nein, ich möchte heute nicht spülen. Ja, ich habe schon gespült. Nein, ich habe noch nicht gespült. **b.** Nein, ich möchte später putzen. Nein, ich möchte heute nicht putzen. Ja, ich habe schon geputzt. Nein, ich habe noch nicht geputzt. **c.** Nein, ich möchte später packen. Nein, ich möchte heute nicht packen. Ja, ich habe schon gepackt. Nein, ich habe noch nicht gepackt. **d.** Nein, ich möchte später auspacken. Nein, ich möchte heute nicht auspacken. Ja, ich habe schon ausgepackt. Nein, ich habe noch nicht ausgepackt. **e.** Nein, ich möchte später einkaufen. Nein,

ich möchte heute nicht einkaufen. Ja, ich habe schon eingekauft. Nein, ich habe noch nicht eingekauft. **f.** Nein, ich möchte später aufräumen. Nein, ich möchte heute nicht aufräumen. Ja, ich habe schon aufgeräumt. Nein, ich habe noch nicht aufgeräumt.

6 **b.** Sie hat geputzt. Sie hat die Schuhe geputzt. Sie hat draußen die Schuhe geputzt. **c.** Er hat gepackt. Er hat den Koffer gepackt. Er hat schnell den Koffer gepackt. **d.** Sie hat ausgepackt. Sie hat den Spiegel ausgepackt. Sie hat vorsichtig den Spiegel ausgepackt. **e.** Er hat eingepackt. Er hat das Geschenk eingepackt. Er hat vorsichtig das Geschenk eingepackt. **f.** Er hat aufgeräumt. Er hat den Schreibtisch aufgeräumt. Er hat im Arbeitszimmer den Schreibtisch aufgeräumt.

7 **c.** habe ich schon angemacht. **d.** Das habe ich schon ausgemacht. **e.** Den habe ich schon angeschaltet. **f.** Den habe ich schon ausgeschaltet. **g.** Den habe ich schon gesucht. **h.** hat er schon besucht. **i.** habe ich schon versucht. **j.** Die habe ich schon geschlossen. **k.** Die habe ich schon abgeschlossen. **l.** Die habe ich schon aufgeschlossen. **m.** habe ich schon gemalt. **n.** Eine haben wir schon bemalt.

8 schließen – schließt – hat geschlossen, abschließen – schließt ab – hat abgeschlossen, anstreichen – streicht an – hat angestrichen, trinken – trinkt – hat getrunken, werfen – wirft – hat geworfen, lesen – liest – hat gelesen, graben – gräbt – hat gegraben, waschen – wäscht – hat gewaschen.

9 **b.** Den Brief hat er schon geschrieben. **c.** Ihren Freund hat sie schon angerufen. **d.** Den Kakao hat er schon getrunken. **e.** Den Ball hat sie schon geworfen. **f.** Das Kind hat er schon gewaschen. **g.** Die Wand hat sie schon angestrichen. **h.** die Garage hat er schon abgeschlossen. **i.** Die Löcher hat er schon gegraben.

10 **b.** Er macht den Fernseher aus. – Er soll den Fernseher ausmachen. – Er hat den Fernseher ausgemacht. **c.** Sie räumt das Zimmer auf. – Sie soll das Zimmer aufräumen. – Sie hat das Zimmer aufgeräumt. **d.** Sie schließt die Tür ab. – Sie soll die Tür abschließen. – Sie hat die Tür abgeschlossen. **e.** Er ruft den Arzt an. – Er soll den Arzt anrufen. – Er hat den Arzt angerufen. **f.** Sie sagt den Termin ab. – Sie soll den Termin absagen. Sie hat den Termin abgesagt. **g.** Sie stellt das Auto ab. – Sie soll das Auto abstellen. – Sie hat das Auto abgestellt. **h.** Er bricht die Tür auf. – Er soll die Tür aufbrechen. – Er hat die Tür aufgebrochen.

11 **b.** ist geflogen – ist abgeflogen – ist weitergeflogen **c.** ist gelaufen – ist zurückgelaufen – ist weitergelaufen **d.** ist gekommen – ist angekommen – ist zurückgekommen **e.** ist geschwommen – ist weitergeschwommen **f.** ist gesprungen – ist zurückgesprungen

12 er / sie / es hat geduscht – ist gelaufen | wir haben geduscht – sind gelaufen | ihr habt geduscht – seid gelaufen | sie / Sie haben geduscht – sind gelaufen

Lerneinheit 27

1 um 9 Uhr vormittags – um 12 Uhr – um 3 Uhr nachmittags – um 7 Uhr abends – um 20 Uhr – sehr spät am Abend – um Mitternacht – um 1 Uhr nachts

2 eine Viertelstunde – eine Stunde – zwei Stunden – einen Tag – zwei Nächte – ein Wochenende – drei Tage – ein Jahr

3 **c.** Wann **d.** Wie lange **e.** Wann **f.** Wann **g.** Wie lange **h.** Wann **i.** Wie lange **j.** Wann **k.** Wie lange **l.** Wann **m.** Wie lange **n.** Wie lange **o.** Wie lange

4

	haben		sein	
	Perfekt	**Präteritum**	**Perfekt**	**Präteritum**
ich	habe gehabt	hatte	bin gewesen	war
du	hast gehabt	hattest	bist gewesen	warst
er / sie / es / man	hat gehabt	hatte	ist gewesen	war
wir	haben gehabt	hatten	sind gewesen	waren
ihr	habt gehabt	hattet	seid gewesen	wart
sie / Sie	haben gehabt	hatten	sind gewesen	waren

5 **c.** hatte – hat **d.** waren – sind **e.** hattet – habt **f.** hattet – habt **g.** war – bin **h.** hatten – haben **i.** Wart – Seid **j.** wart – seid **k.** hattest – hast

6 **b.** Er hat gekocht. – Er hat am Sonntag gekocht. – Er hat am Sonntag Suppe gekocht. – Er hat am Sonntag zwei Stunden Suppe gekocht.
c. Sie hat aufgeräumt. – Sie hat nach dem Mittagessen aufgeräumt. – Sie hat nach dem Mittagessen die Küche aufgeräumt. – Sie hat nach dem Mittagessen eine Stunde die Küche aufgeräumt.
d. Er hat gespült. – Er hat nach dem Mittagessen gespült. – Er hat nach dem Mittagessen die Töpfe gespült. – Er hat nach dem Mittagessen eine Stunde die Töpfe gespült.
e. Sie hat gebügelt. – Sie hat nach dem Kaffee gebügelt. – Sie hat nach dem Kaffee ihr Abendkleid gebügelt. – Sie hat nach dem Kaffee eine halbe Stunde ihr Abendkleid gebügelt.
f. Er hat gelesen. – Er hat am Sonntagnachmittag gelesen. – Er hat am Sonntagnachmittag die Zeitung gelesen. – Er hat am Sonntagnachmittag zwei Stunden die Zeitung gelesen.
g. Sie hat geschrieben. – Sie hat am Sonntagabend geschrieben. – Sie hat am Sonntagabend Briefe geschrieben. – Sie hat am Sonntagabend zwei Stunden Briefe geschrieben.

7 sehr oft – oft – manchmal – selten – sehr selten – fast nie – nie

8 **b.** die Tomaten **c.** das Klavier **d.** den Deckel **e.** den Alltag **f.** das Telefon **g.** den Freund **h.** die Kinder **i.** den Schuh

9 **2.** Frühstück **3.** Garten **4.** Maschine **5.** Schule **6.** Zaun **7.** Ende **8.** Sessel **9.** Tasse **10.** Wäsche **11.** Ordnung **12.** Schalter **13.** Mittagessen **14.** Essen **15.** Alltag **16.** Nachmittag **17.** Vormittag **18.** Glück **19.** Arbeit

10 **a.** 2 **c.** 10 **d.** 5 **e.** 3 **f.** 8 **g.** 6 **h.** 4 **i.** 9 **j.** 7

11 richtig: **b.** Passt nicht in **a.**: „Danach arbeitet er oft noch am Computer. Dabei schläft er fast immer ein.“ Passt nicht in **c.**: „Am Abend bügelt Frau Renken und macht oft noch Büroarbeit.“

12 **b.** sind Herr und Frau Renken in den Stall gegangen. **c.** Um Viertel vor sieben hat Frau Renken die Mädchen geweckt. **d.** Um sieben Uhr morgens haben die Renkens zusammen gefrühstückt.
e. Um halb acht haben die Mädchen den Bus genommen. **f.** Am Vormittag hat Frau Renken die Wohnung aufgeräumt. **g.** Am Nachmittag hat Frau Renken im Garten gearbeitet. **h.** Um vier Uhr hat Familie Renken Tee getrunken. **i.** Nach dem Tee hat Frau Renken die Hühner gesucht. **j.** Um halb sechs haben Herr Renken und die Mädchen die Kühe von der Weide geholt. **k.** Am Abend ist Herr Renken schon oft vor dem Fernseher eingeschlafen.

13 **b.** Der war lang, wie gewöhnlich. **c.** Wir schaffen das in einer Stunde. **d.** Nein, sie ist schon zu alt. **e.** Rechtsanwalt möchte er werden. **f.** Geputzt habe ich, wie immer, und aufgeräumt. **g.** In der Waschmaschine war sie. **h.** Danach repariere ich die Maschinen und arbeite auf dem Feld. **i.** Gewöhnlich kommt sie um zwei zurück, zusammen mit ihrer Schwester. **j.** An der Universität in Münster. **k.** Da haben wir Tee getrunken.

14 **c.** dreizehn Uhr dreißig – ein Uhr dreißig **d.** dreizehn Uhr fünfundvierzig – ein Uhr fünfundvierzig **e.** vierzehn Uhr fünfzehn – zwei Uhr fünfzehn – Viertel nach zwei **f.** fünfzehn Uhr dreißig – 3 Uhr dreißig – halb vier **g.** sechzehn Uhr fünfundvierzig – vier Uhr fünfundvierzig – Viertel vor fünf **h.** siebzehn Uhr dreißig – fünf Uhr dreißig – halb sechs

Lerneinheit 28

1 **b.** haben geschlafen **c.** war **d.** ist gekommen **e.** hat ... gesagt **f.** hat ... getrunken **g.** ist ... aufgestanden **h.** hat ... aufgemacht **i.** ist ausgestiegen **j.** ist ... geflogen

2 **b.** 4 **c.** 1 **d.** 6 **e.** 7 **f.** 8 **g.** 5 **h.** 3

3 **b.** Sie ist um einen See gewandert. **c.** Dann ist sie zu einem Schloss gekommen. **d.** Sie hat einen Turm betreten. **e.** Dort hat sie Musik gehört. **f.** Sie ist zu einer Tür gegangen. **g.** Dann hat sie sie aufgemacht. **h.** Sie hat ein Fenster gesehen. **i.** Das hat sie geöffnet. **j.** Sie ist durch das Fenster gestiegen. **k.** Dann hat sie eine Kerze angemacht. **l.** Da hat sie einen Mann erkannt. **m.** Er hat wunderschön Saxophon gespielt. **n.** Sie hat getanzt. **o.** Dabei hat sie leise gesungen. **p.** Dann ist der Turm geflogen. **q.** Sie ist mitgeflogen. **r.** Plötzlich hat ein Mobiltelefon geklingelt. **s.** Sie ist aufgewacht. **t.** Es ist ihr Handy gewesen.

4 **b.** ist **c.** hat **d.** ist **e.** hat **f.** hat **g.** hat **h.** hat **i.** ist **j.** ist **k.** ist **l.** hat **m.** ist **n.** ist **o.** ist **p.** ist

5 **c.** Danach frühstücke ich. – Danach habe ich gefrühstückt. **d.** Später spüle ich das Geschirr. – Später habe ich das Geschirr gespült. **e.** Zuerst fülle ich die Waschmaschine. – Zuerst habe ich die Waschmaschine gefüllt. **f.** Dann wasche ich die Wäsche. – Dann habe ich die Wäsche gewaschen. **g.** Danach hänge ich die Wäsche auf. – Danach habe ich die Wäsche aufgehängt. **h.** Danach bügle ich die Wäsche. – Danach habe ich die Wäsche gebügelt. **i.** Zuerst kaufe ich ein. – Zuerst habe ich eingekauft. **j.** Dann wasche ich das Gemüse. – Dann habe ich das Gemüse gewaschen. **k.** Danach schneide ich das Gemüse. – Danach habe ich das Gemüse geschnitten. **l.** Später koche ich das Gemüse. – Später habe ich das Gemüse gekocht. **m.** Zuerst fahre ich zum Kiosk. – Zuerst bin ich zum Kiosk gefahren. **n.** Dann kaufe ich eine Zeitung. – Dann habe ich eine Zeitung gekauft. **o.** Danach lese ich die Zeitung. – Danach habe ich die Zeitung gelesen. **p.** Später werfe ich die Zeitung weg. – Später habe ich die Zeitung weggeworfen.

6 (Individuelle Lösung. Beispiel:)
Ich bin mit einem Segelboot über ein Feld gesegelt. Auf einmal ist eine Schlange von einem Baum gesprungen. Aber sie war ganz lieb, denn sie hatte keinen Hunger. Dann sind wir zu einem Kaufhaus gefahren. Dort haben wir zusammen gespielt. Plötzlich war das Kaufhaus ein Hafen und die Schlange ist mit meinem Segelboot abgefahren. Dann habe ich Musik gehört. Da bin ich aufgewacht. Neben meinem Bett war der Radio-Wecker an.

7 **a.** 3 **b.** 6 **c.** 1 **d.** 7 **e.** 5 **f.** 2 **g.** 4

8 **b.** Uhr **c.** Uhren **d.** Stunden **e.** Uhr – Stunde **f.** Stunden **g.** Uhr **h.** Stunden **i.** Uhr **j.** Stunden **k.** Stunde

9 **b.** sieben Uhr siebzehn – siebzehn Minuten nach sieben **c.** acht Uhr einundzwanzig – einundzwanzig Minuten nach acht **d.** zehn Uhr fünf – fünf Minuten nach zehn **e.** elf Uhr vierzehn – vierzehn Minuten nach elf **f.** fünfzehn Uhr acht – acht Minuten nach drei **g.** siebzehn Uhr vierundzwanzig – vierundzwanzig Minuten nach fünf **h.** einundzwanzig Uhr achtzehn – achtzehn Minuten nach neun **i.** elf Uhr fünfzig – zehn Minuten vor zwölf **j.** sechs Uhr fünfundfünfzig – fünf Minuten vor sieben **k.** neun Uhr achtundvierzig – zwölf Minuten vor zehn **l.** siebzehn Uhr einundfünfzig – neun Minuten vor sechs **m.** zweiundzwanzig Uhr achtundfünfzig – zwei Minuten vor elf

10 richtig: **c.**

11 **a.** 4 **b.** 1 **c.** 6 **d.** 3 **e.** 2 **f.** 5

12 **b.** Er hat im Büro telefoniert. **c.** Sie hat den Fernseher repariert. **d.** Er hat drei Luftballons rasiert. **e.** Sie hat den Nachnamen buchstabiert. **f.** Er hat die Telefonnummer notiert. **g.** Sie hat in Berlin studiert. **h.** Er hat immer morgens trainiert. **i.** Der Fernseher hat nicht funktioniert. **j.** Was ist hier passiert?

13 Januar Februar März April Mai Juni Juli August September Oktober November Dezember

14 **b.** der zweite Februar – am zweiten Februar – vom zweiten Februar bis zum dritten Februar **c.** der dritte März – am dritten März – vom dritten März bis zum vierten März **d.** der vierte April – am vierten April – vom vierten April bis zum fünften April **e.** der fünfte Mai – am fünften Mai – vom fünften Mai bis zum sechsten Mai **f.** der sechste Juni – am sechsten Juni – vom sechsten Juni bis zum siebten Juni **g.** der siebte Juli – am siebten Juli – vom siebten Juli bis zum achten Juli

Lerneinheit 29

1 **b.** Bis halb neun hat er geschlafen. **c.** Dann hat er die Katze gefüttert. **d.** Danach hat er eine halbe Stunde gefrühstückt. **e.** Nach dem Frühstück hat er die Zähne geputzt, das Geschirr gespült und die Wäsche gewaschen. **f.** Um zwölf hat er das Mittagessen gekocht. **g.** Um halb eins hat er zu Mittag gegessen. **h.** Um eins ist er ins Büro gefahren. **i.** Von zwei bis sechs hat er am Computer gearbeitet. **j.** Um sechs ist er nach Hause gefahren. **k.** Zuerst hat er das Abendbrot gemacht. **l.** Dann hat er die Wohnung aufgeräumt. **m.** Später hat er gebügelt, getanzt und Musik gehört. **n.** Gegen elf ist er zu Bett gegangen.

2 **klingeln – geklingelt:** lächeln – gelächelt, bügeln – gebügelt, segeln – gesegelt
wandern – gewandert: feiern – gefeiert, füttern – gefüttert, dauern – gedauert
wecken – geweckt: frühstücken – gefrühstückt, schicken – geschickt, einpacken – eingepackt
benutzen – benutzt: beschmutzen – beschmutzt, putzen – geputzt, platzen – geplatzt
aufwachen – aufgewacht: lachen – gelacht, machen – gemacht, brauchen – gebraucht

3 hängen – hängt – gehangen | stehen – steht – gestanden | liegen – liegt – gelegen | sitzen – sitzt – gesessen | hängen – hängt – gehängt | stellen – stellt – gestellt | legen – legt – gelegt | setzen – setzt – gesetzt

4 **e.** gestanden – gestellt **f.** gestanden – gestellt **g.** gehangen – gehängt **h.** gelegen – gelegt **i.** gestanden – gestellt **j.** gehangen – gehängt **k.** gestanden – gestellt **l.** gestanden – gestellt **m.** gesessen – gesetzt

5 **b.** gegessen – isst **c.** geschrieben – schreibt **d.** getrunken – trinkt **e.** gewaschen – wäscht **f.** gelegen – liegt **g.** gesessen – sitzt **h.** gestanden – steht

6 **a.** essen – hätten **b.** gern – trinke **c.** mit – gestern

7 **a.** 3 **b.** 6 **c.** 1 **d.** 4 **e.** 2 **f.** 5

8 **c.** ausgemacht **d.** einschalten **e.** abgestellt **f.** aufmachen **g.** bringen **h.** zumachen **i.** gebracht **j.** abschließen **k.** abgeschlossen **l.** gelegt **m.** tun **n.** einpacken

9 **b.** schneiden – geschnitten **c.** abschließen – abgeschlossen **d.** schreiben – geschrieben **e.** lesen – gelesen **f.** aufstehen – aufgestanden **g.** bringen – gebracht

10 **a.** 4 **b.** 1 **c.** 6 **d.** 2 **e.** 5 **f.** 3

11 **b.** Die Bauern gehen jeden Tag auf die Felder. **c.** Die Eltern frühstücken oft auf dem Balkon. **d.** Ein Vogel fliegt manchmal gegen ein Fenster. **e.** Er bügelt oft in der Küche. **f.** Er liest eine Stunde auf dem Balkon. **g.** Die Katze schläft immer vor dem Fernseher. **h.** Die Kinder wollen jetzt im Wohnzimmer spielen. **i.** Die Kinder sollen heute Nachmittag nicht auf der Straße spielen. **j.** Sie will immer unter den Sternen schlafen. **k.** Sie tanzt heute im Regen. **l.** Sie will später auf einem Segelboot wohnen. **m.** Er singt oft unter der Dusche. **n.** Er fährt abends in die Stadt.

12 **a.** angekommen **b.** bekommen **c.** aufgebrochen **d.** zerbrochen **e.** zugehört **f.** begonnen **g.** angemacht **h.** ausgemacht **i.** eingepackt **j.** entschieden **k.** eingestiegen **l.** abgefahren **m.** weggefahren **n.** eingeschlafen **o.** weitergefahren **p.** aufgewacht **q.** aufgemacht **r.** zugemacht **s.** abgeschlossen **t.** ausgestiegen **u.** bemalt **v.** angestrichen **w.** verkauft **x.** verdient **y.** vergessen **z.** aufgeräumt **aa.** ferngesehen **bb.** erzählt **cc.** nachgesprochen **dd.** weitergesprochen **ee.** weggelaufen **ff.** weggerannt **gg.** weitergelaufen **hh.** abgebogen **ii.** weggeflogen

Lerneinheit 30

1 **b.** Gestern bin ich auch schwimmen gegangen. **c.** Gestern ist er auch essen gegangen. **d.** Gestern sind sie auch früh schlafen gegangen. **e.** Gestern sind wir auch Fußball spielen gegangen. **f.** Gestern ist sie auch arbeiten gegangen. **g.** Gestern sind wir auch einen Kaffe trinken gegangen. **h.** Nein, gestern bin ich auch nicht angeln gegangen. **i.** Gestern sind sie auch Eis essen gegangen.

2 **b.** Am vierten Mai. **c.** Am neunten Mai. **d.** Am fünfzehnten Mai. **e.** Am sechsten Mai. **f.** Am zweiten Mai. **g.** Am fünften Mai. **h.** Am elften Mai. **i.** Am zehnten Mai. **j.** Am sechzehnten Mai.

3 **c.** Wann seid ihr gewandert? **d.** Wie lange seid ihr gewandert? **e.** Wann haben sie getanzt? **f.** Wie lange haben sie getanzt? **g.** Wann haben sie geschlafen? **h.** Wie lange haben sie geschlafen? **i.** Wann hat er am Computer gearbeitet? **j.** Wie lange hat er am Computer gearbeitet? **k.** Wann haben sie Urlaub an einer Lagune gemacht? **l.** Wie lange haben sie Urlaub an der Lagune gemacht?

4 **b.** Ansichtskarte **c.** Fernsehturm **d.** Mittagessen **e.** Rathaus **f.** Lebensjahr **g.** Nachmittag **h.** Terminkalender **i.** Besichtigung

5 **a.** diese **b.** diese **c.** dieser **d.** dieses **e.** dieser **f.** diesen **g.** diese **h.** diesen

6 Norden Osten Süden Westen

7 **a.** scheint **b.** regnet **c.** bewölkt **d.** schneit **e.** Gewitter **f.** Temperatur

8 **a.** 4 **b.** 2 **c.** 7 **d.** 5 **e.** 8 **f.** 6 **g.** 1 **h.** 9 **i.** 3

9 **b.** ist **c.** hat **d.** ist **e.** hat **f.** Ist **g.** ist **h.** ist **i.** hat **j.** ist **k.** ist **l.** hat

10 **b.** Aber sie ist noch ein bisschen im Bett geblieben. **c.** Dann ist sie aufgestanden. **d.** Ihr Taxi ist gekommen. **e.** Sie ist ins Taxi gestiegen. **f.** Das Taxi ist abgefahren. **g.** Das Taxi ist an der Ampel abgebogen. **h.** Sie ist am Bahnhof angekommen. **i.** Sie ist in den Zug gestiegen. **j.** Er ist nicht abgefahren. **k.** Lange ist nichts passiert. **l.** Sie ist eingeschlafen. **m.** Der Zug ist abgefahren. **n.** Sie ist gereist. **o.** Sie ist aufgewacht. **p.** Sie ist ausgestiegen. **q.** Sie ist durch eine Stadt gegangen. **r.** Sie ist zu einem Schwimmbad gelaufen. **s.** Da ist sie geschwommen. **t.** Dann ist sie über einen Zaun gesprungen. **u.** Danach ist sie durch einen Wald gerannt. **v.** Später ist sie zu einem Fluss geritten. **w.** Dann ist sie in einem Boot gesegelt. **x.** Zum Schluss ist sie zu einem Flughafen gekommen. **y.** Da ist sie in ein Flugzeug gestiegen. **z.** Das Flugzeug ist weggeflogen.

11 **b.** Am Samstag ist er um Viertel nach acht aufgestanden. **c.** Am Donnerstag hat seine Frau die Kinder um Viertel vor acht zur Schule gebracht. **d.** Am Freitag sind sie erst um halb zwei aufgestanden. **e.** Am Dienstag hat sie um sieben Uhr abends auf der Schreibmaschine geschrieben. **f.** Am Mittwoch hat ihr Mann um zwei eine Wand im Wohnzimmer angestrichen. **g.** Am Samstag hat ihr Mann sie um halb fünf zugemacht. **h.** Gestern hat seine Frau um fünf gebügelt. **i.** Am Montag hat seine Freundin um halb sechs seine Fenster geputzt. **j.** Am Donnerstag hat ihr Mann sie um neun aufgeräumt.

12 Ich gehe in ein Restaurant und bestelle einen Fisch. Aber der Kellner versteht es falsch. Deshalb bekomme ich Würste und Kartoffeln. Ich esse zwei Würste. Dann habe ich keinen Hunger mehr. Eine Wurst bleibt auf dem Teller. Ich suche mein Geld in der Handtasche, aber ich finde es nicht. Da fahre ich nach Hause und hole Geld. Der Hund bleibt im Restaurant. Ich komme zurück und suche den Kellner. Aber der ist nicht mehr da. Mein Hund sitzt auf dem Stuhl vor dem Teller. Die Wurst ist weg.

Nicht vergessen:

Notizen:

Notizen:

Umschlagbild: © gettyimages / Jean-Pierre Pieuchot

Seite 11: *Zeitungen:* © irisblende.de; *Zug:* © DB AG / Geisler

Seite 16: *Imbiss:* © picture-alliance / ZB; *Sängerin:* © gettyimages / Greg Ceo; *Polizist:* © Polizei München

Seite 17: *Baby:* © irisblende.de; *Kind:* © MEV / MHV

Seite 22: *Automat unten:* © Deutsche Wurlitzer GmbH; *Familie unten:* © plainpicture / Manasse

Seite 28: *Begrüßung:* © Stockbyte / MHV

Seite 33: Thomas Storz

Seite 53: *W. A. Mozart:* © picture-alliance / akg-images; *F. Mercury:* © picture-alliance / dpa; *R. Charles:* © picture-alliance/dpa; *J. Brahms:* © picture-alliance/dpa

Seite 54: *E. Presley:* © picture-alliance / Picture Press / Everett Collection / unbekannt

Seite 61: *oben links und unten rechts:* © irisblende.de; *Mitte rechts und unten links:* © MEV / MHV

Seite 62: MHV-Archiv

Seite 66: *Frau:* © irisblende.de; *Monopoly:* © Parker; *Beachvolleyball:* © MEV / MHV

Seite 73: MHV-Archiv

Seite 74: *Auto:* © Volkswagen AG; *Geschirrspüler:* © AEG Hausgeräte GmbH; *Fernsehgerät:* © JVC Deutschland GmbH; *Fahrrad:* © WINORA-STAIGER GmbH

Seite 80: *Segelboot:* © YPScollection / P. Neumann; *DVD-Recorder und Fernsehgerät:* © JVC Deutschland GmbH

Seite 82: © IFA / Photex

Seite 87: *zweites und drittes Foto von links:* MHV-Archiv; *ganz rechts:* © Superjuli / MHV

Seite 88: *ganz links:* © IFA / Photex

Seite 99: *oben:* Thomas Storz

Seite 102: *ganz rechts:* © Photodisc / MHV

Seite 143: Hartmut Aufderstraße

Seite 161: *zweites Foto von links:* © Stockbyte / MHV; *drittes Foto von links:* © DB AG / Reiche; *Foto ganz rechts:* VPI Verkehrsunfallaufnahme München

Seite 172: *links:* © Luzern Tourismus AG; *rechts:* © Hafen Hamburg

Seite 187/188: Wolfgang Korall, Berlin

Seite 191: *ganz links:* © gettyimages / Ricky John Molloy; *drittes Foto von links:* © irisblende.de; *ganz rechts:* © Photodisc / MHV

Seite 198: Hartmut Aufderstraße

Seite 201: *zweites Foto von links:* Hartmut Aufderstraße; *ganz rechts:* © vario-press / Ulrich Baumgarten

Thomas Spiessl: Seite 6, Seite 9 *(Telefon, Hotel)*, Seite 15, Seite 16 *(ganz rechts)*, Seite 17 *(Klavier, Handy)*, Seite 28 *(Hund, Auto, Paar)*, Seite 38, Seite 42 *(alle außer dem dritten Foto von links)*, Seite 60 *(ganz links)*, Seite 61 *(oben rechts, Mitte links)*, Seite 66 *(Werkstatt)*, Seite 81 *(ganz links)*, Seite 87 *(ganz links)*, Seite 88 *(alle außer ganz links)*, Seite 99 *(unten)*, Seite 102 *(alle außer ganz rechts)*, Seite 125 *(zweites Foto von links)*, Seite 145, Seite 186, Seite 191 *(zweites Foto von links)*

Heribert Mühldorfer: Seite 18, Seite 19, Seite 21, Seite 22 *(oben beide, unten: Koffer)*, Seite 23, Seite 81 *(alle außer ganz links)*, Seite 125 *(ganz rechts)*, Seite 193, Seite 201 *(ganz links)*

Roland Koch: Seite 22 *(unten ganz links)*, Seite 42 *(drittes Foto von links)*, Seite 49, Seite 51, Seite 54 *(die ersten 3 von links)*, Seite 56, Seite 60 *(Lebensmittel)*, Seite 80 *(Motorradfahrer)*, Seite 125 *(erstes und drittes Foto von links)*, Seite 161 *(ganz links)*, Seite 201 *(drittes Foto von links)*